18,95

Hart in hart

D0588045

Ander werk van Désanne van Brederode

Ave verum corpus / Gegroet waarlijk lichaam (roman, 1994)
Mensen met een hobby (roman, 2001)
Het opstaan (roman, 2004)
Modern dédain (pamflet, 2006)

Désanne van Brederode

Hart in hart

Amsterdam
Em. Querido's Uitgeverij BV
2007

Eerste en tweede druk, 2007

Copyright © 2007 Désanne van Brederode
Voor overname kunt u zich wenden tot Em. Querido's
Uitgeverij BV, Singel 262, 1016 AC, Amsterdam.

Omslag Brigitte Slangen
Omslagbeeld John Worthington, *Drifting*
Private collection/The Bridgeman Art Library
Foto auteur Leo van der Noort

ISBN 978 90 214 5428 3/NUR 301
www.querido.nl

I do not believe

I can believe only in love that strikes suddenly
out of a clear sky;
I do not believe in the slow germination of friendship
or one that asks 'why?'

Because our love came savagely, suddenly,
like an act of war,
I cannot conceive a love that rises gently
and subsides without a scar.

Graham Greene (*A Quick Look Behind*, 1983)

Inhoud

Amsterdam, winter 2006

Beste mijnheer Graham Greene,

U weet dat ik uw boeken voor jaren heb afgezworen – u weet ook waarom. Pas onlangs ben ik uw werk gaan herlezen en opnieuw viel me
op dat uw vrouwelijke personages veel scherpzinniger, doortastender,
ruimdenkender, hartelijker en eerlijker zijn dan al 'uw' mannen bij elkaar. Menselijker zelfs dan de meeste vrouwen die ik zelf ken, of: dan
ik zelf ben. Ze spelen geen toneelstukjes. Maar ook u speelt geen toneel;
u idealiseert ze niet, integendeel, ze behouden hun onvolkomenheden
in uiterlijk, gedrag, gedachten.

Ik ben ervan overtuigd dat u veel meer van uw eigen karakter in
'uw' vrouwen hebt gelegd dan in uw mannelijke protagonisten. Al kennen de levens van de laatsten meer raakvlakken met uw autobiografie,
toch vermoed ik dat uw wezen, uw aard, te vinden is in de roerselen,
dromen, gedachten en frustraties van mijn papieren seksegenoten.

Het is flauwekul te zeggen dat ik me destijds in elk van hen herkende. Dat was niet zo, en ik las en lees geloof ik ook niet voor die sensatie
van herkenning. Toch waren ze me evenmin wezensvreemd.

Misschien was het dit: de vrouwelijke personages betrapten mij op
onvermoede overeenkomsten met hen. Beter gesteld: via hen betrapte
u mij. U bespiedde me, luisterde af, kende mijn dromen, mijn angsten,
mijn vuiligheden, mijn leugentjes om bestwil – u bracht dingen over
mij aan het licht die ik niet wist of vergeten was, opzettelijk soms.

U was net dood toen ik kennisnam van uw werk, maar na ieder
boek dat ik van u las, stierf u nog een keer. De gedachte dat ik in een
wereld leefde waarin u niet meer leefde, dat we elkaar nooit toevallig
konden ontmoeten, bijvoorbeeld op uw favoriete luchthaven Schiphol,
of, minder toevallig want door mij geënsceneerd, op Capri, in Anacapri om precies te zijn, of in Antibes... De gedachte dat ik te laat een
'fan' was geworden om zelfs maar te kunnen hopen op een actueel tele-
visie-interview van de BBC met u, was moeilijk te verdragen. Dus be-

gon ik meteen weer opnieuw met lezen, soms gewoon in het boek dat ik juist had dichtgeslagen. En ontdekte nog weer meer dan de vorige keer. Over u – over mij.

Ik verdacht u ervan dat u zelfs wist hoe ik er naakt uitzag, waar ik vage pijntjes voelde, hoe ik in de spiegel naar mezelf keek, of juist net niet, als ik mijn haren borstelde, mijn lippen stifte. U keek niet als een minnaar, ook niet als een trotse vader, niet als arts of fotograaf of wetenschapper, niet eens als schrijver; u registreerde alles belangeloos en precies dat maakte me soms nerveus, soms bijna woedend. Alsof u hardnekkig aan iets in mij geloofde, en bleef geloven – aan iets speciaals wat ik zelf niet opmerkte of kende.

Maar het was zo oneerlijk dat u mij wel doorgrondde en ik u niet. Dat u mij wel confronteerde met mijn gebreken, terwijl ik onmachtig was u met de uwe... Ik voelde me niet zozeer door uw dood, als wel door u verraden. Dat is het woord.

En ik heb u vaarwel gezegd, abrupt en kwaad, maar u bleef bij me. Zoals hun verslaving altijd bij gestopte rokers, ex-alcoholisten en afgekickte junks op de rug blijft zitten, tot de laatste dag. Maar ik ben dankbaar dat u bent gebleven. IJzerenheinig trouw (trouw, u!), terwijl ik zeker wist dat ik niemand nodig had. Zeker geen gelovige.

U weet dat Wieger Berkman mij had aangeraden een dagboek bij te houden, omdat hem dat zelf in tijden van crisis zo geholpen heeft. In dagboeken ben ik niet goed. De werkelijkheid herhalen, en daarbij dan alle voorbije gevoelens opsommen; het komt me zo boekhouderig saai voor. Dus probeerde ik op een andere manier over mijzelf te schrijven, ik kreeg er plezier in, al wat knelde mocht los, af, uit, weg, waar het allemaal toe leidde maakte me al schrijvend niets meer uit. Opeens waren daar dan een hoop stuntelige, maar voor mij veelzeggende fragmenten, en ontstond het verlangen om de hele periode waarin ik ze schreef te beschrijven, ja, om daar weer een boek van te maken. Vanzelfsprekend niet om u daarmee naar de kroon te steken. Ik wilde niet eens schrijver worden, al verdenkt men journalisten algauw van dergelijke ambities.

Kon ik uw ogen lenen? Mij net zo waarachtig bezien als u mij zag? Kon ik wat de mensen om me heen voor mij verzwegen op eigen gezag... invullen, oproepen?

Soms geloofde ik van wel, meestal van niet. Het maakte me niet uit. Ik heb het hier voor u liggende verhaal een open einde gegeven, zodat u het, waar u ook bent, zelf kunt voltooien. Als u dat wilt. U

heeft recht op mijn boek, al dacht ik dat pas toen ik het klaar had. (En
misschien kom ik hierna eindelijk ook eens wat losser van u!)

De proloog is een fragment dat ik heb losgetornd uit het hoofdstuk
'Juni', terwijl het verhaal twee maanden ervoor begint. Maar de ge-
dachten, de herinneringen die ik in juni vorig jaar had, daar aan het
strand van IJmuiden, zijn nodig om... om de toon te zetten. Dat u, dat
de lezer die u nu bent, weet hoe hij moet verder lezen – terwijl ik in
april niet eens wist hoe ik moest verder leven. Ik wist niets. Ik was ka-
pot. En nu ik dit opschrijf weet ik: ook u was er toen niet.

Of omgekeerd: omdat u me even met rust had gelaten, was ik... Nee!
Die eer gun ik u niet. Ik ademde nog, ik werkte, ik deed nog dagelijks
de boodschappen, ik beloog mezelf nog, ik maakte mezelf nog steeds
aan het lachen, ik las mijn dochter nog voor en niet eens op de auto-
matische piloot.

Hopen dat ik u met dit relaas zal raken zoals u mij zo vaak geraakt
heeft, doe ik niet. Schuif terzijde wat niet van uw gading is. Ook als dat
het hele boek is, vind ik het niet erg. U weet dat ik tegen kritiek kan.
Maar ik wil niet meer bij u in het krijt staan. Als u vraagt: 'Waar was
je nou, ik heb zoveel voor je gedaan', wil ik kunnen zeggen dat ik hier
ben, in mijn eigen boek, en even hardnekkig in u geloof als u in mij ge-
looft. Ik mis u zo. U. Niet uw roomse God de vader, niet zijn Zoon, of
de Heilige Geest. Ik mis u – alsof u bestaat. Nee, u hebt me zoveel gege-
ven om te missen, en u geeft dat nog steeds, dat ik zeker weet dat u be-
staat. U wel. U hebt u laten liefhebben, en laten haten. U was eerlijk
over al uw oneerlijkheden en bent dat over de dood heen nog steeds.
Uw biograaf mocht niets weglaten, niets retoucheren, in een gunstiger
daglicht plaatsen – u was toch al nooit mild over uzelf. Vlucht dan ook
nu niet in religieuze leugentjes als zou uw ziel een soort onpersoonlij-
ke damp zijn geworden, vlucht niet in postume fictie. Ik heb u toch wel
door. Tot ziens,

Lot Sanders

P. S. Opende u niet ook vaak een boek met een brief, zit ik opeens te
denken? The Comedians, A Burnt-Out Case? Bij u leek het erop alsof
u zich indekte, bij mij... Ja, ook ik dek me in. Terwijl er deze keer niets
in te dekken valt. Juist niet.

Een middag in juni – proloog

IJmuiden. Inderdaad een rustig strand. Beschaafd publiek. Goede ontdekking van mijn man. Goed advies ook van Berkman, om te gaan schrijven, een personage van mezelf te maken, een verhaal van mijn... Leven? Verdriet? Gemis? Wanhoop? Liefde? Veel te ruime woorden. Mooie term: containerbegrip.

Ik heb al zoveel beginpunten gezocht. Onze reis door West-Afrika – wat heeft Mali te maken met, daar zijn de woorden weer, wroeging, begeerte, zelfverlies, verlies?

Je zou ze moeten kunnen dansen, al die stemmingen die je aldoor maar opjagen, je zou ze zodanig precies moeten kunnen boetseren in de lucht, al die innerlijke stuwingen, dat een onbekende die je ziet bewegen, er als vanzelf de muziek bij hoort.

Afrika!

Omdat we elkaar daar misschien al uit het oog verloren? Achteraf geklets. Draai er maar omheen. Zwak het maar af, wat er was. De geschiedenis vervalsen is de makkelijkste weg; zo houd je je leven dansbaar. Telkens die cirkels eromheen, en ik wil de spiraal naar binnen lopen. Langzaam.

Logischer maar vooral waarachtiger is het als mijn relaas aanvangt met de eerste ontmoeting, twaalfenhalf jaar geleden, van Donald en mij.

De feiten: in het debatcentrum (dat nu onder leiding van Wieger Berkman staat, hoe toevallig) werd een documentaire over de Palestijns-Israëlische kwestie vertoond. Aansluitend volgde een debat met de maker. Onder voorbehoud zou ook diens vriend Edward Said aanwezig zijn en voor hem ging ik erheen; ik zat in het laatste jaar van mijn studie en wilde een scriptie schrijven over zijn indringende literatuuropvattingen. Behalve voorvechter van een vrij Palestina was Said in de eerste plaats literatuurwetenschapper. Wat hij over Joseph Conrads *Heart of Darkness* had geschreven, raakte me elke keer dat ik het las.

Helaas was Said verhinderd. Maar buiten viel de regen met bakken uit de hemel, zin om terug te fietsen naar mijn kamer had ik niet, dus kocht ik een kaartje en zat braaf de documentaire uit, het opgefokte gesprek erna. Donald zat naast me, fluisterde me soms iets in het oor. Toen het zaallicht aanging zag ik dat zijn donkere haar aan de slapen al grijs werd, terwijl hij toch niet ouder dan dertig kon zijn. Mooi vond ik hem. Een gedistingeerde middelbare heer in een slungelachtig studentenlichaam. Geen afgetrapt jack als andere linkse jongens van zijn leeftijd, maar de beige regenjas van zijn vader droeg hij. Over zijn arm, zijn schouder. Behoedzaam, om de gabardine niet te kreuken. En hoe hij vroeg of hij mij iets te drinken kon aanbieden...

Is het omdat het zo warm is, dat ik met dit begin maar niet verder kan? De regen op die avond vroeg in december moet kouder zijn geweest dan de zee hier voor me, zelfs kouder dan de zee die we in Scarborough zagen, voelden, roken.

Temperatuur kan niet de enige weerstand zijn. Mijn Hells Angels-reportage schreef ik grotendeels in de vrieskou, de kachel had het begeven en de monteur kon pas de volgende dag tegen vieren langskomen, maar toch was het in het tuintje van de Limburgse *chapter*-leider Johan en zijn afwezige vrouw Wilma volop zomer – omdat het ten tijde van onze gesprekken volop zomer was. Omdat de vanuit het tuintje naar binnen glurende stokrozen en zonnebloemen een goed contrast vormden met Johans verhalen over bikkelharde initiatierituelen, sancties en liquidaties.

Het vriendinnetje van mijn dochter is naast me komen liggen.

'Vind je het te koud? Je lippen zijn helemaal blauw.'

'Heb ik altijd. Het water is best lekker.'

'Wil je iets eten? Een roze koek, een broodje selleriesalade? Drinken? Een pakje appelsap?'

'Appelsap alsjeblieft.'

'Niet iets te eten?'

'Als Joy ook neemt.'

Ik haal een pakje sap uit de tas en prik er een rietje in. Ondertussen zoek ik Joy. Misschien zwemt ze zelf nog een stukje verder dan haar vriendinnetje durfde. De branding even voor haar alleen. Er gaat niets boven zwemmen in je eentje, dat vind, nee, vond ik zelf ook. Tijdens mijn zwangerschap heb ik tweemaal per week baantjes getrokken in het Sportfondsenbad, op de stilste uren, met uitsluitend groepjes keuvelende oude dames aan de randen van het bassin.

Niemand die me wilde inhalen of zich optrok aan mijn tempo.

'Is Joy nog in zee?'

'Nee. Joy praat met een mevrouw. Een kennis van haar vader of zoiets. Ze zit daarzo.' Het meisje wijst voor me langs, naar rechts. Ik zie alleen een grijs echtpaar op stretchers. Dikke, diepbruine lijven. De vrouw ligt topless te zonnen. Twee extra buiken op haar buik. Spanjegangers. Overwinteraars. Bij vijfentwintig graden toch nog boerenkool met worst, stamppot met jus in een kuiltje. Mijn hart klopt in mijn keel.

Eindelijk zie ik mijn dochter.

Ze is inderdaad in gesprek met een vrouw, wuift, neemt afscheid van haar bekende en komt naar ons toe. Nu kan de lunch beginnen, vindt haar vriendinnetje. Joy grist de broodjes uit mijn tas, het pak glacés, de overgebleven kartonnetjes sap en deelt uit. En hoort niet meer dat ik zeg dat ze het me voortaan moet melden als ze langer wegblijft ('Ik zeg niet: waarschuwen, Joy. Ik zeg: mel-den. Nicky hoorde het ook, hè Nicky? Mel-den. Dat is een heel normale vraag. Stel dat je...'), ze hoort niets meer, terwijl mijn door-en-door drammerige vermaning nog lang blijft nagalmen in mijn eigen oren. Ik haat de moeder die ik ben geworden zo erg dat ik niet meer tot het bedenken van een pakkende openingszin in staat ben. In een kop geobsedeerd door meldingsplicht kan geen verbeelding rijpen.

Om de paar dagen belt mijn moeder me en vraagt terloops: 'Kun je het nog aan?', maar ook zij zegt: melden, mel-den. Rechtvaardig je, leg verantwoording af, verantwoord je, geef antwoord, meld je, laat zien dat je nog aanwezig bent, present, wakker, rechtop, drijf niet af en zink niet weg. Moeders die moeders kortwieken, vleugels en vinnen uittrekken, moeders die dochters met de beste bedoelingen... Meld dat je nog leeft, dat je nog lijkt op het gelukkige, zorgeloze, onbeduimelde meisje dat mama allang niet meer is, zich niet kan herinneren ooit geweest te zijn – de vragen zijn allemaal zo goed bedoeld, maar ze verhinderen me terug te gaan naar het uur waarop ik, als bij donderslag, oog in oog met mijn man stond. Om dat uur in taal te vangen moet ik kunnen zinken, dieper dan veilig, de kou in, risico's nemen, vergeten te eten, te drinken, te slapen. De telefoon niet meer opnemen, mijn dochter vergeten te wekken. Vergeten dat ik een kind heb, vergeten bezorgd te zijn om haar, en almaar angstig. Moet ik de eeuwige moeder offeren.

Kom op! Doe niet zo zwaarwichtig, zeur niet zo. Als je wilt kun je je alles te binnen brengen. Kind of geen kind. Man of geen man. Niemand die over je schouders meeleest. Waarom zou iemand willen weten... Je was gebleven bij de feiten, blijf daar dan.

En ik herinner me. En schrijf in mijn hoofd door. Opzetjes, proefjes, doorhalingen, prologen die altijd prologen zullen blijven. De proloog voorafgaand aan de proloog. Denk daar vooral niet op door. Er is wat er is: IJmuiden. Kinderen, twee meisjes bedoel ik, hoogovens, de pier. De feiten.

Ik had Edward Said willen vragen waarom hij, althans bij mijn weten, nog nooit een letter had besteed aan het oeuvre van Graham Greene. Alle zinnige opmerkingen die de literatuurkenner had gewijd aan Conrads vermogen om duisternis op te roepen, lege, open plekken, niemandsland – en angstaanjagende ervaringen, niet van simpele identiteitscrises maar van absoluut zelfverlies, waren net zo goed van toepassing op het werk van Greene.

U moet toch weten, mijnheer Said, wat met de term Greeneland wordt bedoeld? De lijken in de traagstromende Vietnamese rivier, in het visionaire boek *The Quiet American* inderdaad, het onherbergzame Mexicaanse landschap in *The Power and the Glory*, het vieze, kokendhete, van moessonregens soms zompige Freetown, hoofdstad van Sierra Leone, negers die als ratten bij nacht het haventerrein afschuimen, zich verbergen in stinkende containers – dat hele boek *The Heart of the Matter* is Greeneland ten voeten uit en al is 'matter' wel iets anders dan 'darkness', ook Greene bereikt met zijn afdalingen in het smoezelige, vunzige, vreeswekkende, leugenachtige... Waarom neemt u Conrad wel in bescherming tegen al die types die 'zijn' duisternis verbinden met biografische feiten en vervolgens psychoanalytisch interpreteren, en bent u nooit in opstand gekomen tegen de duiders van Greeneland? Is het toeval dat u hem verzwijgt? Of is het omdat hij katholiek is, was, een bekeerling bovendien?

Ik had de vragen dagenlang gerepeteerd.

Ook als Said wel was meegekomen met zijn vriend de documentairemaker had ik hem dit allemaal niet durven voorleggen. Onzinnige verwijten van een dweperige studente aan het adres van een wereldberoemde professor en vrijheidsstrijder.

Tijdens mijn studie, in 1991, was Graham Greene overleden. Ik was iets van hem gaan lezen, meer uit plichtsgevoel dan uit oprechte interesse. Omdat ik vond dat een aanstaande doctorandus Engelse letterkunde de klassiekers moest kennen. De eerste roman die ik kocht was The End of the Affair. Wat me zelden meer overkwam, gebeurde: ik werd verliefd op het boek. Dit was waarom ik een studie letteren had gekozen, ook al beweerde mijn vader dat je met het vak geen droog brood kon verdienen.

De theorieën die me in voorgaande jaren waren bijgebracht, verstomden en maakten plaats voor bijgeloof. Overal waar ik heen ging, moest de pocket mee. Mocht ik door een vrachtwagen worden overreden, of in de tram worden neergestoken door de gek die onlangs een oude man had aangevallen en nog steeds vrij rondliep, dan werd op mijn dode lichaam tenminste mijn lievelingsboek gevonden. Dan begrepen mijn nabestaanden voor altijd exact wie ik was geweest: iemand die geloofde. In liefde die altijd lichamelijk is, anders dan een onpersoonlijke kracht of macht.

Wie het boek vervolgens zou lezen, zou begrijpen waarom ik nooit luchthartig over 'relaties' had kunnen praten, terwijl ik me toch van de ene verliefdheid in de andere had gestort en soms in twee tegelijk. De affaire die Greene oproept, is geen onstuimig spelletje van aantrekken en afstoten, gaat niet om de kick van heftige emoties zonder meer.

Als hoofdpersoon Bendrix zich losmaakt uit een omhelzing met zijn gehuwde minnares Sarah Miles om te kijken of zijn hospita echt wel weg is, zodat ze beneden in de kelder voor de V1-bombardementen van de Duitsers kunnen schuilen, wordt hij verpletterd door de uit zijn voegen geblazen voordeur.

Bezorgd omdat hij zo lang wegblijft, gaat Sarah daarna ook naar beneden om poolshoogte te nemen. Ze schrikt als ze hem ziet liggen, levenloos onder de zware deur. Vlucht terug naar de slaapkamer, knielt voor het bed en begint te bidden. Zij, de ongelovige. Die haar wettige echtgenoot al maanden bedriegt en daarover geen wroeging lijkt te hebben. Sarah bidt dat God Bendrix opwekt, in ruil daarvoor zal zij de geheime verhouding verbreken, haar genoegens opgeven. Ze kan de belofte makkelijk doen, want ze is haar geliefde toch al kwijt, ze heeft in de hand van de dode geknepen en er kwam geen reactie...

Maar na, wat is het, een minuut of tien, komt de gewonde Bendrix weer boven. Staat hij weer voor haar, bloedend, bleek, maar allesbehalve dood. Opluchting. Meer dan dat. Een wonder. Maar nu moet Sarah haar roekeloos uitgesproken belofte gestand doen, voorgoed afscheid nemen, zonder opgaaf van reden.

Bendrix, die niets van de plotselinge breuk begrijpt, meent dat ze een ander heeft. Pas als Sarah al ernstig ziek is, begrijpt hij dat 'de ander' met wie ze een verhouding is aangegaan, niemand minder dan God is. En na haar dood leest hij in haar dagboeken dat haar worstelingen met het over zichzelf afgeroepen, wrede geloof ook haar liefde voor hem hebben verdiept. Onmenselijk veel, onmenselijk onbaatzuchtig heeft ze gehouden van de man die is gered. Haar dankbaarheid bij de gedachte dat hij nog leeft, wint het in alle passages van haar nog steeds zo felle begeerte naar hem, naar zijn lichaam, hun vrijages. Sarah laat haar dankbaarheid winnen. Dag in dag uit, moeizaam, en woedend op haar nieuwe geloof dat haar geen vreugde maar leegte geeft, een vlak gemoed. Woedend op een God die haar offer heeft aangenomen.

De vrede die ze op haar sterfbed vindt, is zwaar bevochten. Geen stralend wit licht. Sereen ja, maar bevlekt, donkeromrand, eerder een slagschaduw van haar eigen vuur dan een straal uit de hemel en Bendrix, die haar dagboek leest, hoeft al die vrede die zij heeft gevonden en hem op de laatste bladzijde toewenst niet. Hij wil Sarah terug, haar huid tegen de zijne, steek dat geloof maar in je zak... Dat hij ten slotte bevriend raakt met de officiële weduwnaar, intrekt in hetzelfde huis waar Sarah met haar saaie echtgenoot Henry woonde, dat de mannen zich over elkaar ontfermen – het staat er heel terloops. Alsof dat altijd zo gaat na wederkerige vergeving. De triomf van fictie over werkelijkheid.

Als ik me al met een personage identificeerde, dan eerder met de achterdochtige, weigerachtige Bendrix dan met de katholiek geworden, bijna heilige Sarah Miles, hield ik mezelf voor. Dat ik de pocket in mijn rugzakje overal mee naartoe nam, was net zo kinderlijk als Sarah's geloof bij aanvang, in de eerste uren na het wonder. Niet dat het bij mij gevonden zou worden na een dodelijk ongeluk was de voornaamste reden om het boek met me mee te dragen; ik geloofde heimelijk dat de woorden me juist beschermden tegen een dodelijk ongeluk, tegen de dood in het algemeen. Een papieren bewaarengel. Een harnas van even zinnelijke als mistroostige, en daarom waarachtige woorden.

Donald was allang klaar met zijn studies ontwikkelingseconomie en politicologie. Een goede baan had hij nog niet. Hij schreef stukjes voor de nieuwsbrieven die donateurs van Amnesty, Artsen zonder Grenzen en Novib eenmaal per kwartaal gratis toegezonden kregen. Als ik dacht dat hij van zijn opdrachtgevers vaak mocht reizen, had ik het mis. Het meeste deed hij thuis. Donald ordende de verslagen van hulpverleners in het veld, zette getallen op een rij, beschreef met behulp van Lonely Planet-gidsen de couleur locale, deed in de bibliotheek research voor een paar regels historische context. Veredeld redactiewerk. Een journalist zou hij niet gauw worden. Wilde hij ook niet worden.

Van een vriend wist hij dat zelfs toonaangevende kwaliteitsmedia aan censuur deden of de berichten in elk geval zodanig selecteerden dat alleen feiten waar de lezer behoefte aan had, werden afgedrukt. Dat familieleden van een Palestijnse zelfmoordterrorist hun dode net zo hevig betreurden als 'gewone' nabestaanden een onschuldige jonggestorvene, al toonden de eersten hun rouw niet in het openbaar, was te veel informatie. Liever het bestaande beeld van hardvochtige, offervaardige moslims handhaven dan het met een achtergrondverhaal over sociale dwang en verborgen verdriet te nuanceren. Een portret van de vader, broers en neven die op straat hadden staan juichen bij het bericht dat hun bloedverwant door het opblazen van een bus in Tel Aviv een martelaar was geworden, maar die binnenshuis van pijn niet konden eten en hun ogen achter hun handen verborgen bij het zien van de bebloede kleren – zo'n portret zou de nieuwsconsument alleen maar verwarren en van de weeromstuit zou hij zich helemaal niet meer interesseren voor de toch al zo complexe materie.

'Zo gaat het echt,' had Donald gezegd. 'Mijn vriend Erik is correspondent in het Midden-Oosten, begin dertig, maar nu al cynisch. Dat is niks voor mij.'

'Maar is dat niet ook cynisch? Dat je, zonder iets geprobeerd, iets onderzocht te hebben, al weet waar het op zal uitlopen en het dan maar niet doet?'

Donald had me niet-begrijpend aangekeken.

'Ik bedoel: is het niet ook cynisch om te zeggen dat je geen journalist wilt zijn, omdat je bang bent dat je daar op den duur cynisch van zult worden? Je klinkt als iemand...'

'Als iemand?'

'Als van die mensen die besluiten nooit in hun leven echt verliefd te worden. Want ze hebben begrepen dat redeloze overgave gevaarlijk is, dus dan maar een wat gelijkmatiger relatie, niet van die hoge eisen – dan worden ze tenminste ook niet gekwetst. Lijkt allemaal heel verstandig, maar het is natuurlijk het toppunt van cynisme. Ik word liever cynisch door eh... teleurstellende ervaringen dan dat ik al bij voorbaat... Je snapt het wel.'

'Je bent een romantisch meisje. Dat bedoel ik niet neerbuigend.'

Het voorbeeld van die verliefdheid had ik beter niet kunnen geven. Uitlokking van de geijkte conclusie. In het café van het debatcentrum zaten nog steeds veel mensen, allemaal allang klaar met het analyseren van de documentaire. Theatrale begroetingen, omhelzingen, luid gelach van de oudere bezoekers die elkaar nog kenden van de gloriedagen bij de VPRO, van sit-ins in Paradiso, versneden met jong huiskamergeluk. Studenten, op fluistertoon met elkaar in gesprek over hun toekomstplannen, net als wij.

Aan het tafeltje achter ons werd gekletst over een stel dat net was weggegaan. Ik luisterde met een half oor mee en begreep dat de jongen zijn joodse achtergrond te pas en te onpas gebruikte om het gesprek te domineren en meisjes hun eigenwaarde af te pakken, maar door zijn humor vergaf je hem alles. 'Hij overschreeuwt zijn pijn,' zei een blond meisje dat zichtbaar haar best had gedaan om niet jaloers te zijn op haar vriendin, die nu door de moeilijke maar o zo boeiende David zou worden thuisgebracht.

Open deuren – ook Donald en ik konden ze niet vermijden.

'Zal wel. En ik weet ook wel dat dat achterhaald is.' Ik haalde mijn schouders op.

'Dat heb je mij niet horen zeggen. Jij kwam met kritiek, ik niet. Wie weet ben ik zelf ook wel romantisch. Jij zegt net dat je boerin had willen worden, maar je kiest voor Engels, met in je achterhoofd misschien toch nog het idee dat je ooit in een afgelegen cottage in Devon romans recenseert, essays schrijft, bij het vuur van de open haard, na het plukken van de appels en het melken van de geiten... Ik ben na mijn eindexamen niet naar het conservatorium gegaan. Omdat ik vind dat ik eerst wat moet veranderen aan deze wereld. Daarna komt de muziek. Dat is geen nuchtere berekening. Je moet je met onbezwaard geweten kunnen wijden aan de kunst – een middelmatige klassiek gitarist kan iedereen worden. Dus het is uit ontzag... uit ontzag voor echte musici dat ik de gitaar heb opgegeven. Ik ken mijn plek. Maar ook mijn ideaal.'

'En dat maakte het offer makkelijk.'

'Offer? Nou ja, offer. Als je het zo wilt noemen. Niet makkelijk, maar noodzakelijk. De dingen half doen, een beetje spelen en een beetje met goede doelen bezig zijn – dat is pas cynisch. Liefdeloos. On... onhartstochtelijk.'

Het was de omgeving die iedere gesproken contactadvertentie een glans van intellectuele bevlogenheid gaf; hier konden mensen elkaar tenminste verstaan en hoefden althans mannen zich niet te schamen voor hun bril, hun vormeloze schoenen en hun slechte gebit. Dat ze zichzelf verwaarloosden was juist een teken van beschaving. Terwijl anderen zich met uiterlijke zaken inlieten, lazen zij boeken. Goede boeken.

Mooie meisjes in slobbertruien, ingekorte achtstehands rokjes en pillende maillots, die heel hard riepen dat ze niet mooi wilden zijn, dat ze op hun scherpzinnigheid beoordeeld wilden worden, lieten zich wodka brengen en kannetjes jus d'orange. Lieten zich minzaam glimlachend bijpraten. Hiaten in hun kennis van kunst, politiek en geschiedenis werden gratis en voor niets opgevuld, uit dankbaarheid werden ze verliefd op hun leermeester en verliefd op de anekdote die van de eerste ontmoeting zou resteren. Het was roerender, statusverhogender, als je je vrienden later kon vertellen dat je je grote liefde tijdens een debat over Gaza en de westelijke Jordaanoever had ontmoet, anders dan in de disco, in een normale kroeg, op een feest van de roeivereniging.

'Dus je speelt nooit meer?' had ik gevraagd.

'Geen noot. Mijn gitaar ligt boven op een kast, de koffer zit onder het stof en eens in de zoveel tijd vraagt mijn vriendin of ik niet toch eens... Al is het "Greensleeves". "Ah, toe, je moeder zegt ook dat je zoveel talent hebt." Maar dan moet ik eerst de snaren stemmen, en eer ik het weer in de vingers heb... Moet je zien: vroeger zat op elke vingertop een dikke laag eelt. Heel vies eigenlijk. En nu niks meer. Ik kan zelfs weer genieten van popartiesten die wegkomen met een paar simpele akkoorden.'

'Dan denk je niet: dat kan ik beter.'

'Jawel. Zonder het woordje ik. Dat kan beter, denk ik dan. Bovendien houdt mijn moedwillig onderdrukte verlangen naar een leven als muzikant me scherp. Het zet mijn keuze kracht bij. Om ja te kunnen zeggen tegen het ene, heb ik nee tegen het andere gezegd. Zoiets is het.'

Na mijn tweede glas wijn bestelde ik warme chocolademelk met slagroom. Ook al had Donald sterke, witte tanden, was hij goed geschoren en rook zijn groene tweed jasje fris (rechts naast me op de tribune had een vrouw gezeten die de lucht van gisteren gebakken uien probeerde te camoufleren met een flinke dosis Opium – telkens als ze haar bonte omslagdoek verschikte, walmde me een hels melange tegemoet), ik wilde niet aangeschoten raken in zijn aanwezigheid.

Ik voelde me een spion van mijn eigen generatie. Was alle meisjes geweest die hier zaten, hoopvol uitkijkend naar hun ontdekker. Naar een regisseur die veel kon aanvangen met hun op niets gebaseerde weemoedigheid. Die hun een glansrol zou geven in een mooi kleingehouden familiedrama.

De auditie. De repetitie. De herhaling. Ik was ook alle gekleurspoelde, in werkelijkheid grijze vrouwen, die na de scheiding op hun veertigste een tijdje met het feminisme hadden geflirt, uit baldadigheid een keer met een vrouw of een politieke vluchteling hadden gevrijd, die zich rond de puberteit van hun kinderen hadden laten bijscholen om, gelijk met hun vertrek uit huis, aan een carrière als studiesecretaresse, galeriehoudster of theatermedewerkster te beginnen. Allemaal hadden ze tijdens de menopauze een nieuwe vriend gevonden, professor, yogaleraar of dichter, en allemaal vergezelden ze hun mannen naar avondjes als deze – zogenaamd omdat ze, net als hun geliefde, een brede belangstelling hadden en, ze gaven het eerlijk toe, ook omdat ze de reünie na afloop, het borrelen met geestverwanten zo inspirerend vonden, hahaha... Maar je zag ze de pest hebben aan hun brede boezems en heupen, je zag ze hun grijze en dus interessante man in de gaten houden, o wee, als er een jong meisje naar hem lachte; een roedel waakhonden waren we, wij, de debutanten, de onontdekten en de door-de-wol-geverfden, juist wij die meenden dat onze kracht niet in ons figuurtje school of in onze dociele houding, wij, de hoogopgeleide, brutale, lieve, aandoenlijk romantische dames en ik imiteerde ze, imiteerde mezelf, de Lot die zich aan elke lamlul met Lou Reed in zijn cd-speler had gegeven, ik deed quasi-gepikeerd tegen Donald, dacht gespeeld lang na over zijn woorden, ging gespeeld ongenaakbaar niet in op de opmerking over zijn vriendin. Naar wie ik overigens ook echt niet benieuwd was. Undercoveragente in achtstehands rokje en pillende maillot.

'Wat wil jij eigenlijk worden? Hoop je op een promotieplaats?'

'Journalist.'

'Net wat ik zei. Recensent.'

'Dat zei jij, inderdaad. Ik wil journalist worden. Van die stukken maken waar, volgens jou en die cynische Erik van je, geen mens op zit te wachten. En ik hoef niet naar het Midden-Oosten. Hier zijn ook mensen die wat te zeggen hebben.'

'Ontken ik dat dan?'

'Vast niet. Maar ik ga nu naar huis.'

Ik liep naar de bar om onze drankjes te betalen. Gelukkig volgde Donald me niet. Waarschijnlijk dacht hij aan Edward Said, over wie ik hem veel had verteld. Diens boek *Beginnings*, dat een medestudent voor me had meegebracht uit New York en waarin onder andere die prachtige beschouwing over Joseph Conrad stond, zou hem niet interesseren, maar het boek *Orientalism* des te meer. Zelf was Donald idolaat van het alleen nog antiquarisch verkrijgbare boek *The Global Rift* van ene Stavrianos, een Griekse oud-communist; een indrukwekkende geschiedenis van de derdewereldlanden voor, tijdens en na het kolonialisme. 'Heb jij je nooit afgevraagd waarom Japan en China economisch beter zijn aangepast aan westerse standaarden dan laten we zeggen, Zuid-Amerika en Afrika?' had hij opgemerkt en nee, dat had ik me nooit afgevraagd.

Ik trok mijn jas aan. Donald zei dat hij het leuk vond me ontmoet te hebben en wenkte naar een vriend in de verte, om me daarmee duidelijk te maken dat hij nog even bleef. Ik moet alleen door de regen terug, dacht ik opgelucht. Vreemd dat een galante jongen als hij niet aanbood... niet eens had aangeboden de rekening te delen. Vreemd, maar aangenaam. Allebei even trots.

'Dus ik ga iets lezen van die Said die niet gekomen is en jij...'

'Ik ga *The Global Rift* opsporen. Of ik leen het van jou. Maar niet nadat jij dit uit hebt. Mijn adres staat erin, en mijn nummer.'

Alleen zijdelings had ik het over Graham Greene gehad. Ik haalde de pocket uit mijn rugzak en legde hem op tafel. Gaf Donald geen tijd iets terug te zeggen. Gaf hem niet eens een hand.

Zonder het boek als talisman fietste ik terug naar mijn kamer. Ik werd nat tot op mijn hemd, maar kwam niet onder een auto. Donald was bij me. Iedere minuut. Ik hoefde niet bewust aan hem te denken – voelde hem overal om me heen. Net als nu. Maar met de belofte van muziek. Van tango's en flamenco's.

April – sterfmaand

Ze hadden de boot gekocht op een kille, regenachtige zaterdag vorig jaar. Een spierwit plezierjachtje in de goedkopere klasse. Tweedehands bovendien. Een kajuit met verschoten rode gordijnen en een ingebouwde zitbank die 's avonds kon worden uitgeklapt tot tweepersoonsbed. Praktisch. Net als het keukentje met tweepits gasstel, magnetron en ijskast. Even had het geleken alsof je je kont er niet kon keren, maar kijk, had de verkoper voorgedaan, ook hier konden banken en tafel worden ingeklapt...

Ik krijg koffie. Wil ik er een sprits bij?

De hond wordt wild als hij de koektrommel ruikt. Hij springt van zijn kussen in de vensterbank, rent naar de salontafel, struikelt een paar keer, over een stapel tijdschriften, een gladde plavuis, legt zijn voorpoten op de knie van zijn baas en begint te kwispelen. Natuurlijk krijgt hij een koekje. In één hap is het weg, maar nog een keer bedelen is er niet bij.

Goed afgericht. Kalm sjokt hij naar een ander kussen, naast de enorme televisie. Hij legt zijn kop tussen zijn poten en begint te snurken.

'En toch wist ik dat we die boot maar kort zouden hebben. Dat kwam ook door het weer, hoor. Guus zei dat we er niet op moesten letten, volgend weekend scheen de zon misschien wel en dan was het toch heerlijk, je eigen huissie op het water, een stukje varen en dan ergens aanmeren. Maar ik twijfelde. Zo'n boot wordt toch weer een verplichting. Omdat hij een smak geld kostte. Dat je dan denkt: we moeten wel. Ook als het giet.'

De man, die Guus heet, die op de bank achteroverleunt, die zijn vrouw en mij gadeslaat alsof wij vriendinnen zijn, vrouwen met vrouwenemoties en vrouwengeheimen waar hij niets van begrijpt, niets van wíl begrijpen – die man spitst nu zijn oren. Komt in actie. Dat wil zeggen: slaat een kruimel van zijn broek. Klaar om in te grijpen.

'Jij had al wel nieuwe gordijnen genaaid.'

'Ja. In de winter. Toen jij voor dat vaarbewijs zat te blokken. Toen leek het me nog leuk.'

'En je hebt niks gezegd, daar in die werf.'

'Ik weet ook niet of ik het allemaal zo precies dacht als ik het nu vertel, schat. Trouwens, we konden niet meer terug. Ze hadden hem al helemaal opnieuw geteerd.'

Ria pakt de foto's van me aan. Foto's van een doodnormale boot die ze nu, een jaar later, met verlies hebben doorverkocht, zonder dat hij ook maar een dag door hen is gebruikt. Toch moest hij weer worden geteerd, nagekeken, opgeknapt. Zo gaan die dingen.

Ik knik. Kijk op de klok. Het is een paar minuten voor twee. Over een halfuur moet ik naar huis. Gauw mijn tas wegzetten, schrijfwaren, papier en dictafoon opbergen, naar de wc – om drie uur gaat de school uit.

Ongeveer een jaar geleden was Ruben Herfst met het idee gekomen om een reeks te maken over schuld. Nederland lijkt een liberaal land, waar alles kan en alles mag, had hij gezegd, maar overal lopen mensen rond die zich schuldig voelen. Vrouwen die ooit een abortus hebben ondergaan, en met hun verstand nog steeds wel weten dat dit een betere optie was dan... Die er desondanks moeite mee houden. Of zich er later pas ellendig over voelen. Bijvoorbeeld wanneer ze wél aan het moederschap toe zijn. De omgeving begrijpt de emotie niet, redeneert het schuldgevoel weg, troost, verzacht; alles met zinnige argumenten, dat wel. Maar dan nog. Of misschien juist dan.

Er is een probleem.

Had Rubens vriendin zelf een abortus ondergaan? Achter zijn rug om werd er op de redactie druk gespeculeerd. Dit zou niet de eerste keer zijn dat de jonge redactiechef zich liet leiden door een privégebeurtenis. Toen zijn zieke vader chemokuren en bestralingen had geweigerd om rustig te kunnen sterven, moesten er ineens artikelen komen over mondige patiënten die 'nee' durfden te zeggen tegen het medische aanbod. Hoe stonden hun familieleden daar tegenover? De artsen zelf?

Rubens schuld-idee werd destijds van tafel geveegd. Omdat de vrees bestond dat een dergelijke interviewreeks bedoeld of onbedoeld een geur van conservatisme zou verspreiden. Weeïg heimwee naar de tijd van strenge groepsmoraal en kerkelijk gezag. Tuurlijk, had Ruben gezegd. Dat is een probleem. Tuurlijk, tuurlijk. Dan doen we het niet. Dan zetten we dit plannetje even in de ijskast. Moet kunnen.

Niemand wist of hij die avond ruzie had gekregen met Sylvia, zijn veeleisende geliefde.

Kille, regenachtige dagen in april. Onweer, hagel, natte sneeuw. Gisteren nog op het *Journaal*: een bus in de Zwitserse alpen, geslipt, in een ravijn gestort. Twaalf doden. Het aantal gewonden herinner ik me nu al niet meer. Beelden van een helikopter boven een afgrond. Slachtoffers, verpakt in ondoorschijnend plastic, die uit de kale, zwarte struiken werden getakeld. Ramptoeristen achter een geïmproviseerde vangrail, omwikkeld met rood-witte linten.

Een wrede maand? Dezelfde ongelukken gebeuren op gloeiende Spaanse wegen. In juli en augustus. Volle touringcars, chauffeurs die het vertikken rustpauzes te nemen en dan achter het stuur wegdommelen, juist als ze bijna bij Salou of Benidorm zijn. Tragisch, alhoewel – moet je maar niet op een koopje naar de costa's willen.

Het was een stralende dag geweest in Amsterdam, gisteren, en in Zwitserland vielen er dikke vlokken uit een grauwe lucht. Vlokken die in hun witheid vloekten met de vuile hemel. Zoals het witte plezierjachtje, glanzend als was het van plastic, van Lego, had gevloekt tegen de achtergrond van groene, afgebladderde loodsdeuren en de natte keien van de kade. Maar die foto's kende ik gisteren nog niet.

Geen T.S. Eliot, maar Prince. Dat liedje, gezongen met een hoge sopraanstem die even niets geils had: 'Sometimes it snows in April' – requiem voor een vriend. Ik had het gehoord, in mijn hoofd, zacht, de eerste regels van het refrein, en me weer voorbereid op dit gesprek ten huize van Guus en Ria Donkers. Voor Guus is elke maand een wrede maand en elke dag een wrede dag. Maar daar merk je niets van.

De envelop met foto's gaat terug in het dressoir. Voor de kleinkinderen zou het ook leuk zijn geweest, af en toe een dagje op het water. Hoe oud is mijn dochter ook alweer, vraagt Ria. Negen?

Volgens mij had ik dat al verteld. Jong moeder geworden inderdaad, een ongelukje, de pil vergeten, nee, de strip op onze reis door West-Afrika kwijtgeraakt, eenmaal terug in Amsterdam stond Donald te juichen na uitkomst van de test, lekker vroeg zeg, nu zijn we nog flexibel. In Mali vroeg hij mij nog voor de grap ten huwelijk;

vier maanden later zijn we getrouwd. Serieus. Vervuld van idealen. Maar reizen met een kleintje bleek lastiger dan verwacht. Toch is dat niet de reden dat we nooit een tweede... We waren compleet, als gezin, wij drietjes, het is goed zo – dat.

Ria vond vijfentwintig helemaal niet jong. Zelf was ze twintig toen de oudste, en vijfentwintig toen de derde, de jongste werd geboren. Daarna volgde een miskraam; ik heb het allemaal genoteerd, tijdens mijn eerste verkennende bezoek. Wat had ik moeten zeggen? 'Dit past niet in mijn artikel'? Ook mijn eigen relaas staat op het bandje. Bij het uitschrijven spoel ik de smalltalk steevast door. Guus hoest.

Om de stilte te doorbreken, de stilte die de onbevaren boot achterlaat, zeg ik dat ik met Joy naar de Ezeltjesdag ben geweest, bij de kinderboerderij hier om de hoek. Kennen ze dat evenement? Ieder jaar komt er een ezelvereniging uit Brabant op bezoek. De dieren vertonen hun kunstjes, laten zich berijden, voor een kar vol kleuters spannen, aan het einde van de middag krijgt de mooiste ezel een prijs. Verder zijn er rond het wijkgebouw boerenspelletjes te doen. Zaklopen, een eierrace, hoefijzerwerpen en natuurlijk ezeltje-prik. Wie aan alle onderdelen heeft meegedaan, kan zijn afgetekende kaart inleveren in ruil voor een beker limonade en een zakje chips. Terwijl ik praat moet ik denken aan Joys fanatisme. Het verkrampte gezichtje, de koortsig flikkerende ogen gericht op de met namaakeieren gevulde dopjes die op haar klompen waren vastgemaakt. Hoe ze het parcours heen en terug schuifelde, behoedzaam, en toch halverwege een ei verloor. Te oud voor tranen. Te jong voor berusting. Kreeg ze niet nog een herkansing? De welzijns-Surinamer was onverbiddelijk geweest.

Op het weiland tussen de afbraakpanden en overdreven rode nieuwbouw stonden kraampjes waarin zelfgeknutseld speelgoed werd verkocht. Van vilt en hout. Het was weer drukker geweest dan vorig jaar. Gelukkige gezinnen. Academisch ogende mannen, bezig aan een tweede leg met hippe maar uitgewoonde meisjesvrouwen, die een biertje dronken met ras-Kinkerbuurters in joggingpak. Lesbische stellen in leren jacks stonden vreedzaam naast Marokkaanse moeders met hoofddoekjes.

Guus heeft zo'n moeder doodgereden. Met de streekbus van Amsterdam naar Wilnis. Vorig jaar april. Ik zat schuin achter de bestuurdersstoel. Op weg naar een vriendin. Een uitgestelde kraamvisite die door het ongeval opnieuw moest worden uitgesteld.

Het valt Joy niet eens op dat ik te laat ben. Ze staat te praten met een vriendinnetje. Als ze me ziet rent ze meteen naar me toe, uitgelaten, maar met de vraag of ze vanmiddag bij Eva mag spelen.

'Vindt de moeder van Eva dat wel goed?' Ik loop alvast in haar richting, prevel de geijkte sorry's. De moeder kijkt me even smekend aan als de meisjes. Mag het? Alsjeblieft? Echt, het is niet lastig. Niet voor haar. Maar weet ik wel dat ze tegenwoordig in De Pijp woont? We geven elkaar een hand en de vrouw legt uit dat ze na de scheiding is verhuisd naar een klein flatje in de Hercules Seghersstraat. Daar zijn ook goede scholen in de buurt, zeker, maar om kinderen nou zo plompverloren uit hun vertrouwde omgeving weg te rukken... Nee, ik hoef mijn dochter niet zelf te brengen. Eva's broertje logeert vandaag bij zijn vader, dat is handiger na voetbaltraining, dus kan mijn dochter bij haar achter op de fiets. De moeder noteert haar adres en mobiele nummer op een kassabon en vraagt of ik Joy rond half zes wil komen halen. Ze mag ook wel blijven eten, maar het zal een haastige toestand worden. Om half zeven komt de oppas al, want om zeven uur moet de moeder van Eva naar tai chi.

Prima. Ik vind alles prima.

Joy geeft me een kus en laat zich als een koningin op de vreemde bagagedrager tillen. Waardig. Stralend. Nu al onafhankelijk, of beter: soeverein.

Nadat ik het gezelschap heb uitgezwaaid, steek ik mijn eerste sigaret op. En inhaleer vermoeidheid. Mijn eigen vermoeidheid. Van jaren, lijkt het. Te moe om naar huis terug te gaan, te moe om naar de supermarkt te fietsen. Ik heb zomaar een paar vrije uren gekregen, maar weet niet wat ermee aan te vangen. Alsof het moederschap een verslaving is. Een verslaving aan maar één kind, helemaal niks dus in de ogen van andere ouders, maar op dit soort momenten, waarop er niets te zorgen en te vermanen valt, glijd ik in een leegte waarin zelfs mijn naam niets meer betekent. Moeders en vaders steken hun hand naar me op, iemand roept: 'Heb je even rust?' en ik antwoord niet, maar lach naar de opgewonden kinderen die met hun tekeningen en schriften wapperen, afspraken maken, worstelen met het omdoen van hun rugzak.

De Pijp. De Albert Cuypmarkt. Niet eens ver weg, maar hoe lang ben ik er al niet geweest? Er vallen een paar druppels in mijn haar, op mijn handen. Geen bui, ook niet de aankondiging ervan. Een merel in de dakgoot probeert zijn geluid. Twee, drie wezenloze trillers, en zwijgt weer.

Twintig minuten later loop ik tussen de kramen. Koop appels, en kaas, en T-shirts voor Joy en ik bewonder de vissen die zijn uitgestald op glooiende bedden van verkruimeld ijs. Hun iriserende schubben, hun gouden maar dode ogen, het vel dat zo strak rond een buik spant, haast obsceen glad en wit; mijn tong tintelt bij de aanblik van al dat onwerkelijke, sprookjesachtige vlees, ik lik in gedachten het rood van de ponen en het loden blauw van de kabeljauwen, ik drink tonijnenbloed en proef daarna zee en zout en puberale huilbuien 'om alles'. Lang niet meer gehad.

Mensen die tegen mij en mijn tassen aan botsen.

Goedkope parfums, drankzweet, adem met de geur van oud frituurvet. Lichamen – en ik waad erdoorheen, baad erin en opeens lijkt het me aangenaam om hier een hartstilstand te krijgen, te midden van deze slome, praatgrage winkelaars. En daarbij: ook niet al te ver van mijn dochter. Een perfecte sterfdag vandaag. Dat vonden er meer. Ja. Gewoon neervallen. Meer niet. En blijven liggen. Voor altijd blijven liggen.

Mijn fiets heb ik aan het hek van het speelpleintje vastgemaakt. Voordat ik mijn sleuteltje pak, kijk ik op mijn horloge. Te vroeg. Joy zal roepen: 'Nu al?!', verontwaardigd. De moeder van Eva zal me iets te drinken aanbieden, in de tussentijd kunnen de meisjes dan hun knutselwerkje voltooien of weet ik veel, de verkleedpartij afronden. Ik ril. Geen zin om aan weer zo'n keukentafel te zitten, naar onzin te moeten luisteren.

Op het Hercules Seghersplein staat een klimkasteel met glijbaan. Twee wipkippen, een drinkfonteintje, een voetbalkooi, een paal waaraan schommels bungelen. Ik open het hek en ga op een van de ijzeren bankjes zitten. Tassen tussen mijn voeten geklemd. Toch nog maar een sigaret.

Zonder interesse kijk ik naar de oma die een peuter steeds tot bovenaan de glijbaan tilt, en het kind dan beneden weer opvangt in haar wijd gespreide armen. Die fase hebben we gehad.

In de kooi rennen een paar opgeschoten Marokkanen rond. Ze schreeuwen meer dan ze schoppen. Is er trouwens wel een bal? Achter me passeren fietsers, brommers, een enkele pizzakoerier. Behoefte aan een krant. Niet om te lezen, maar om me achter te verschuilen. Na iedere keer dat de peuter heelhuids van de glijbaan komt, kijkt de oma mij aan. Een blik vol trots en bewondering. Knap, hè? Een vrouwenstem schreeuwt iets vanaf een balkon. Taal die ik niet versta.

Twee meisjes van een jaar of vijftien klimmen over het hek, gaan op het bankje naast me zitten, openen allebei een blikje bier. Vragen of ik vuur heb. Het einde van een vergeefse middag. Het is zacht gaan waaien. Hier, tussen de donkere straten, is het alsof het zonlicht waait. Warm. De zure lucht van opgedroogde urine.

Vijf voor half zes. Als ik weer bij mij fiets sta, de plastic tassen aan mijn stuur hang, zie ik links van mij Wieger Berkman. Directeur van het debatcentrum voor (tegenwoordig uitsluitend Europese) Kunst, Politiek en Wetenschap, maar daarbij: columnist in ons blad. Ook hij maakt zijn fiets met kinderzitje los.

Goed kennen we elkaar niet, maar het lijkt me niet meer dan normaal hem te groeten. Berkman ziet me. Ziet me scherp.

Staart zoals de vissen op de markt staarden – niet eens naar mij, naar niemand. Dode ogen. Goud en koud. Om hem heen een wolk van ijsgruis. Transparant in het heldere namiddaglicht, geen flonkering. Hij blijft maar staan, alsof hij is versteend en later denk ik: alsof niet ik, maar hijzelf de dood recht in de ogen keek.

Een hand opsteken betekent: hem herkennen. Hem herkennen betekent: vonnissen. Zoiets vermoed ik, in een paar tellen. Mijn collega springt op zijn zadel en rijdt weg, gehaast, betrapt, in elk geval niet in de richting van zijn huis in die statige straat aan het Vondelpark.

Pas bij de portiek van het huis van Eva dringt het tot me door. Hij heeft geen vergadering gehad, geen winkel bezocht. Ik heb geen koffertje gezien, geen sporttas, rugzak of plastic tasje – dat heb je op de Ruysdaelkade allemaal niet nodig. Naar hoeren ga je zonder ballast.

'Krijg je ze al een beetje aan de praat?' Donald heeft een glas wijn voor me neergezet. Gaat tegenover me zitten, ik hoor zijn knieen knakken. Hij roept al heel lang dat hij weer eens aan sport wil doen, maar voor iets in teamverband heeft hij het te druk, niet nog meer verplichtingen erbij – en zwemmen, wielrennen of hardlopen vindt hij saai. Ergens moet nog een folder van een fitnessschool liggen.

Ik zeg dat mevrouw Donkers, Ria dus, tot nu toe het woord heeft gevoerd. En vooral praat over wie haar echtgenoot was vóór het incident. Want zo noemt ze het, als een volleerd persmedewerkster: Het Incident.

'Guus was een gangmaker, beweert ze. Als een hond zo trouw aan het bedrijf. Je weet wel, zo iemand die feestjes organiseert voor collega's die met pensioen gaan. Een bandje huurt, maar ook het repertoire bepaalt. Houdt de feesteling veel van smartlappen? Dan krijgt-ie smartlappen. En dan zamelde Guus geld in voor een passend afscheidscadeau, hield een speech... Bij stakingen stond hij vooraan. Een vakbondsjongen in hart en nieren, zo noemt ze hem.'

'Een kerel met het hart op de juiste plaats.'

'Inderdaad.'

'Wat moet je lachen?'

'Ik dacht aan wat ze zei over ludieke acties. Gewoon toen we nog in de keuken stonden. Dat hij bij een feestwinkel een partij van die plastic voorbindbillen had geritseld, die je met elastiekjes om je middel knoopt. Hadden ze over die billen weer handdoeken gehangen en die tilden de demonstranten dan, alsof het rokjes waren, gelijktijdig op, terwijl ze iets riepen als: "Laat ons niet in onze blote reet staan." Bij het G V B -hoofdkantoor, of op het Binnenhof in Den Haag. Heb ik wel ergens genoteerd. Ria trots. Maar het had allemaal iets wrangs.'

'En hij zegt nog steeds niks?'

'Hij vult aan. Grinnikt. Kletst tegen die labrador van ze.' Hoe het komt weet ik niet, maar ik moet weer lachen. Niet eens om die mensen, met hun verzwegen verdriet. Ik moet lachen om ons. Om hoe we hier zitten. Innig tevreden met een glas wijn, een flauwe conversatie, een cellosonate van Barber op de achtergrond. Donald wordt mooi grijs. Wit, transparant. En zijn handen zijn veranderd. Veranderen nog steeds. Zijn vingers lijken nog altijd te groeien. Misschien wil hij iets aanraken waar hij vanuit zijn stoel niet bij kan, en nooit bij zal kunnen. Tasten, aftasten. Goede woorden waarin voorzichtigheid meeklinkt.

Tederheid en terughouding in een en hetzelfde gebaar.

Alsof hij oplost. Maar niet in mij.

's Nachts droom ik dat Wieger Berkman op de stoep staat. Hij wil Joy een cadeautje geven. Ik lieg dat ze niet thuis is, naar balletles is. Maar mijn dochter hoort het vanuit haar kamer (wat in werkelijkheid niet kan) en komt de trap af, naar ons toe. 'Ik zit niet eens op balletles, mama. Had dan gezegd dat ik bij iemand speel. Dag, mijnheer. Is dat pakje voor mij?' Ze duwt me weg uit de deuropening en grist het cadeautje uit Berkmans handen. Trekt het gebloemde papier eraf en bekijkt een fles. Met daarin, hoe kan het ook anders, een miniatuurscheepje van donker hout en met papieren zeilen. 'Gatver,' zegt ze. 'Dat is voor jongens. Wat moet ik dáár nou mee?' Ik wil haar laten weten dat ze niet altijd zo ondankbaar moet doen, maar Berkman vindt het prachtig. Hij lacht voluit, voor het eerst. En hij lacht nog harder als Joy de fles stukgooit op de stenen. Ook het bootje ligt in scherven, nee, in splinters zo klein als stofdeeltjes. Ze waaien weg waar we bij staan. 'Ik wist het, ik wist het,' zegt de columnist. Waar hij het vandaan haalt weet ik niet, maar hij duwt een ander geschenk in de armen van mijn dochter. Een hondje, een puppy. Nu is Joy wel verrukt. Nu ben ik degene die weigert. Ik hoor mezelf zeggen, met pinnige stem: 'O nee, die komt er bij ons niet in!' Wil uitleggen dat ik net terug ben van een bezoek aan mensen met precies zo'n beest en... Maar ik zeg alleen maar: 'Niet bij mij, niet bij mijn dochter. En haar vader wil het ook niet.' Berkman trekt me naar zich toe. Hij fluistert in mijn oor dat haar vader het wel wil, want hij is toch haar vader? De smeerlap. Ik schreeuw dat als íémand weet... als iemand weet dat Donald... Kan me niets schelen dat passanten omkijken, dat buren me kunnen horen. Berkman en Joy grijnzen alleen maar. Naar elkaar. En dan zegt het bezoek heel kalm, neerbuigend: 'Ik ontken niet dat Donald haar vader is. Ook haar vader is. Net als ik. Maar jij bent niet de moeder en dat weet ze allang, nietwaar Joy?' Geen antwoord. Joy ligt languit op de grond, het hondje boven op haar buik. Ze streelt zijn kop, ze laat zich likken. Ze is blij en ik probeer blij voor haar te zijn.

Als ik opkijk is Berkman een anonieme postbode geworden. We bedanken hem allebei, gaan vlug naar binnen. Het is plotseling gaan regenen. En hard.

*

33

Het vliegtuig heeft een halfuur vertraging. De krant heeft hij al uit. Op de stoelen tegenover hem zitten drie lange, slanke jongens, type corpsbal. Gestreepte overhemden, lamswollen truien, broeken die de naam pantalon verdienen; geen kreukels, nergens een vlek, altijd de stomerij in plaats van de wasmachine. Zwart is helder zwart gebleven. Goed gepoetste schoenen. Een van hen draagt een bril met een zilveren montuur. Ook die oogt gloednieuw.

Berkman vraagt zich af of ze lid zijn van een dispuut voor geheelonthouders. Want als de jongens met elkaar praten, doen ze dat op fluistertoon. Hun stemmen niet aangetast door katers, luidruchtige feesten, sigarettenrook. Ze missen de brutaliteit die hij bij hun goedverzorgde uiterlijk had verwacht. Het intrigeert hem. Meestal weet hij meteen in welke sociale klasse hij anderen moet plaatsen. Zijn dit zoons van artsen, notarissen, topmanagers? Of komen ze van het Twentse platteland, hun vaders stille boeren die nog steeds niet begrijpen hoe ze ooit een gymnasiumklant hebben kunnen verwekken...

Berkman loopt naar het raam. Kijkt naar het vliegtuig, de wagens en werklieden eromheen. Cateringboxen gevuld met bekertjes sinaasappelsap, yoghurt, keiharde pistoletjes met kaas en kipfilet worden aan boord getakeld. Het is allang opgehouden met regenen, maar het asfalt van Schiphol blinkt op sommige plekken als aluminiumfolie. De vroege ochtendzon verspreidt een leeg, wit licht. Het is half negen.

Zijn kinderen zitten nu in de klas. Straks maakt Petra koffie voor zichzelf, gaat ze de krant lezen die hij twee uur geleden al bij een kiosk heeft gekocht. In haar plaats zou Berkman zijn gaan hardlopen. Dit is er het perfecte weer voor. Fris en vochtig, het park nog stil — een luchtbad, goed voor hart en longen.

Er zijn mensen die zich, de uren voordat ze op reis gaan, vooral bekommeren om wat en wie ze achterlaten. Die gauw nog een bijna jarige vriend bellen om hem alvast te feliciteren. Angst dat hun moeder plotseling ernstig ziek wordt, bestellingen verkeerd worden bezorgd, dat hun auto beschadigingen oploopt omdat hij niet helemaal recht geparkeerd staat. Misschien is dat normaal.

Misschien komt het doordat hij op zesjarige leeftijd is geëmigreerd, dat Berkman die bezorgdheid niet kent.

Bolivia. Daar is hij geboren. Kind van een expat. Steeds wisselende kindermeisjes, maar wat bleef was dat Spaans, die klanken, die schorre, felle muziek van hun stemmen. Smaken herinnert hij zich, maar van wat? Pap van onwerkelijk gele suikermaïs? Iets romigs, iets zoets – dat proeft hij, zetmeel, tomaat, knoflook, komijn, en stukgestoofd rundvlees, anders zoet, peperig, aangebrand bijna, met de smaak van vuur. Veel fruit. Altijd overrijp.

Een kleuter kan niet opschrijven wat hij wil onthouden. Weet ook nog niet wat hij wil onthouden, of wat het belang ervan is. 'Kijk nog maar eens goed om je heen,' hadden zijn ouders gezegd, in de weken voor vertrek. Spierwitte, barokke kerken, altijd groene bomen, palmen, heuvels waaruit een vacht leek te groeien, dik en zacht en fluwelig als van een teddybeer. Namaakvogels aan een zwembadkleurige hemel. Lage huizen, stenen en dakpannen in alle denkbare tinten rood, insecten die zich schuilhielden in de barsten in het voegwerk. In de verte, als een reusachtige wachter, de berg Illimani – altijd winter, altijd sneeuw. Vogelkreten, gegons, getjirp, gekakel – zelfs bussen en auto's hadden er anders geklonken. Een opwindend ronken. Trillende keien, avontuur. Heeft hij dat destijds werkelijk aandachtig in zich opgenomen? Of de beelden geleend van foto's en films? Waarom voelt hij er niets bij?

In romans, in interviews... iedereen voelt wat bij de eerste geuren, plaatjes, geluiden die hij zich herinnert: een jubelend geluk, geborgenheid, of eenzaamheid, melancholie. Maar hij niet. Alsof hij juist zijn gevoel in Bolivia, in La Paz heeft achtergelaten. Dat klinkt veel te psychologisch.

Speciaal om hem naar een goede school te kunnen laten gaan, wilden zijn ouders terug naar Nederland. Hij had begrepen dat hij zich dankbaar moest betonen. Niet moeilijk; hij verheugde zich erg op de reis, het nieuwe leven. De kleine Hollander zou eindelijk zien waar hij zijn bijnaam aan te danken had. Maar vreemd, zodra hij zich te veel door zijn fantasie liet meevoeren, te veel vroeg en van zijn vragen zelfs wakker lag, werd hem gezegd dat Nederland verschrikkelijk zou tegenvallen. Zijn moeder had de eeuwige regen beschreven als een kooi van vloeibare tralies.

Ook zijn vrouw heeft haar vroege jeugd in verre landen doorgebracht. Volgens buitenstaanders moet dat een band scheppen. Volgens intimi idem. De ouders van Petra geloven dat het prettig voor hen is, voor hen allebei, dat ze hun toch buitengewone kinderherinneringen met elkaar kunnen delen. En inderdaad, hun dochter praat veel over Tokio, over Vancouver. Met hem, met hun zoon van tien, die nu al een Japan-liefde heeft opgevat en het liefst sushi eet, of noedelsoep. Alles met stokjes. Bruno verzamelt Mangastrips naast prenten van bloesemtakken en watervallen. In plaats van voetbal koos hij karate.

Het kan niet anders of Petra gaat ooit terug, als de kinderen ouder zijn, en allebei nieuwsgierig naar haar verhalen. Hij niet. Waarom zou je je jeugd moeten herbeleven? Te veel mensen die geloven dat dat belangrijk is, en zich al dan niet aan de hand van een therapeut... Om iets van hun ziel terug te vinden, de scherven bijeen te rapen. De helende kracht van nostalgie. De belofte dat je na de terugkeer naar je kindertijd elke stap die je gezet hebt kunt overdoen, ditmaal mét oorspronkelijke, waarachtige emoties – flauwekul.

De vliegtuigstoel naast Berkman wordt bezet door de knapste van de drie studenten. De andere twee hebben een dikke Poolse oma in hun rij gekregen, die kennelijk niet begrijpt dat de jongens bij elkaar horen, dat het een kwestie is van plaatsen wisselen om Kwik, Kwek en Kwak gezamenlijk de geneugten van het opstijgen te laten beleven. De stewardess in het gangpad wijst waar de nooduitgangen zich bevinden.

Ja, de mobieltjes zijn uit. En er is lang genoeg getaxied. Het blijft een aangename sensatie, ook na de honderdste keer: het van de grond komen, in een flits. Even dat idee nergens bij te horen, bij niemand. Zoiets moet sterven zijn, denkt Berkman. Een sprong van de hoge duikplank, een sprong van om het even welke bodem, een sprong uit het lichaam, vooral dat – en dan verdwijnen. Zelf de zuurstof worden die je jarenlang hebt ingeademd, gratis, maar ook zonder dat je erom hebt gevraagd.

Onder het vliegtuig een snelweg, een industrieterrein, groene velden, een wijk in aanbouw. Berkman probeert zich de column te herinneren die hij de afgelopen nacht heeft geschreven en verzonden. Makkelijke titel: 'Positieve discriminatie'. De recensies over de films die dit jaar op het Gay Cinemafestival werden vertoond, waren weer eens unaniem juichend geweest. Zeker de inzendingen uit landen waar homo's nog altijd ondergronds moesten leven konden rekenen op het predikaat meesterwerk. De Afrikaanse regisseur die een brok roze kiespijnfondant had afgeleverd, heette moedig in het tonen van banale sentimenten, en de Londense Indiër die op veilig terrein een Bollywood-persiflage had gedraaid waarin de hoofdpersoon opgewekt jengelend stierf aan aids, werd nu al de gedoodverfde concurrent van Pedro Almodóvar genoemd. Toe maar, jongens. Toen Berkman de bewuste films zelf was gaan bekijken, had hij niets dan clichés en amateurisme gezien.

Maar was zijn kritiek op de kritieken duidelijk geweest?

Had hij er niet te veel voorbeelden bij gehaald? Het leek weliswaar verstandig met aantekeningen te werken, maar ervaring had geleerd dat een artikel daar algauw log van werd, verstikkend. Hij had eerder op de avond moeten beginnen. Gewoon, na de koffie. Het was Petra die had geroepen dat ze dat ongezellig vond, zo aan de vooravond van zijn vertrek; ze had nog wel champagne gekocht voor die laatste paar uur samen. Over verstikkend gesproken.

De jongen naast hem haalt een boek uit zijn handbagage. Een pocket. Beduimeld. Hij legt het op zijn schoot, maar slaat het niet open. Dan vraagt hij of Warschau voor zijn medereiziger een overstap of de eindbestemming is. Als hij het antwoord weet, is hij benieuwd wat Berkman in Warschau gaat doen. Met tegenzin vertelt Berkman dat hij ontmoetingen met jonge Poolse kunstenaars zal hebben. Voorbereidend werk. Voor september staat er een discussie-driedaagse op het programma, op het programma van 'zijn' instituut in Amsterdam, met als thema de toekomst van de Europese cultuur. Het is de bedoeling dat er door de deelnemers uit de diverse landen gezocht zal worden naar zinvolle verbanden, kruisbestuivingen tussen... 'En jij?'

Hier heeft de jongen op gewacht.

'Een soort uitwisselingsprojectje. We gaan onze collega-priester-studenten bezoeken.' Hij kijkt Berkman uitdagend aan. Ja, dat gebeurt niet vaak, hè? Dat je Nederlandse seminaristen ontmoet. Hij lacht en vervolgt: 'Ook een kruisbestuiving. Letterlijk. Drie keer per dag een fatsoenlijke mis. Misschien een bezoek aan het graf van die door communisten vermoorde priester Popieluzsko... Maar in elk geval zullen we wel een reisje maken naar de geboorteplaats van de overleden paus. Mooi, dat rouwbeklag om Johannes Paulus de Tweede. Logisch ook wel.'

'En wat vind je van Ratzinger?'

'Perfecte man. Ik zie het zo: de vorige paus trok de wereld in, en deze paus is een man ván de wereld. Een thuisblijver, maar wel een intellectueel. Goed op de hoogte ook. En hij zegt het zoals het is.

Hard maar helder. Hij zal de kerk met een duidelijke smoel in de markt zetten. Zodat gelovigen en niet-gelovigen beiden weten waar ze aan toe zijn.'

Berkman rilt. Kunst was het al, nu blijkt ook het geloof een product dat in de markt gezet moet worden. Zo denken twintigers. Zelfs degenen die geen economie in hun pakket hadden. De jongen zegt dat hij Maurice heet. Schudt Berkman de hand. Ook hij stelt zich voor.

'En daarom lees je Graham Greene. Ook rooms.' Berkman wijst naar het boek dat nog steeds op Maurice zijn schoot ligt. *The Power and the Glory.*

'Ja. Ja, een docent raadde het aan. Kent u het? Is het wat?'

'Je weet dat het over een aan lagerwal geraakte priester gaat?'

'Ja. Dat staat op het achterplat. Een whiskypriester. Die wordt opgejaagd door linkse Mexicaanse guerrilla's. In Mexico natuurlijk. Spannend.'

'Hij heeft ook een buitenechtelijk kind.' Meteen nadat hij dat gezegd heeft, dringt de verspreking tot Berkman door. Buitenechtelijk. Ach, sorry. Stom van me. De jongen kijkt hem vaderlijk aan. Nu al die weke, vergevingsgezinde blik. Alsof hij hem absolutie verleent.

Hij zegt dat hij heus wel begrijpt wat Berkman bedoelt en voegt eraan toe, plotseling strijdbaar: 'En u denkt dat ik daarvan zal schrikken? Dat ik niet besef hoe vaak er met het celibaat de hand werd, en wórdt gelicht? Ik zal u zeggen, mijnheer Berkman, ik ben zelf het resultaat van... Nou ja. Mijn vader is eerst uitgetreden, toen gehuwd, toen heeft hij mij verwekt, dat is niet helemaal hetzelfde, is een iets beschaafdere volgorde, maar ik bedoel... Mijn vader is jezuïet geweest. Ik ken zijn verhaal. Helemaal naïef ben ik niet. Mijn vrienden daar...' Maurice aarzelt. Wil niet wijzen. 'Nee. Ik kan hun hart niet peilen. Ik weet hooguit iets beter dan zij waar ik "nee" tegen zeg. Wat dat "nee" inhoudt. Nu ben ik nog vol van mijn roeping, en het voelt bijna als een verliefdheid, al klinkt dat misschien raar. Maar ik besef dat op de verliefdheid het huwelijk volgt. In mijn geval een huwelijk met de kerk, maar het kent hetzelfde verloop. Eerst de hartstocht, dan een gevoel van kameraadschappelijkheid, verbondenheid, en dan periodes van droogte, donkerte, dorheid. Verveling. Dat je je afvraagt: is dit het nou? Vergelijkbaar met wat ze noemen een seven year itch.'

Gelukkig vraagt de jongen niet of Berkman getrouwd is. Hij leunt opzij om te zien of de stewardess er al aankomt en klapt zijn tafeltje uit. Roffelt met zijn vingers op het plastic. 'Ik hoor u denken. Dit is vadermoord, verpakt als roeping. Mijn vader gelooft nog steeds. Zij het een beetje vrijblijvend. Hij doet aan spiritualiteit zoals anderen aan sport doen. Lezinkje hier, cursusje daar. Over gnostiek, kabbala, het *Tibetaans dodenboek*. En ik ben natuurlijk aartsconservatief alleen om hem te pesten. Denkt u. Maar zo is het niet. We zijn heel goede vrienden. Ik ben trots op mijn vader, op elke stap die hij heeft gezet. Moet ook wel. Zonder die uittreding was ik er niet eens geweest.' Hij lacht, schraapt zijn keel. Neemt een bekertje koffie aan, zet het op het tafeltje van Berkman. Zelf wil hij alleen water. Het is dat de dikke Poolse in de weg zit, anders had hij even met zijn medestudenten overlegd welk beleg ze zouden kiezen. Nu neemt hij kaas, net als Berkman. Voordat hij in zijn pistolet bijt, licht hij het kapje op, verschikt wat aan de vlokjes rauwkost. Na een paar happen praat hij verder. 'Dat ik kan kiezen voor het celibaat, komt misschien omdat ik weet dat er geen verschrikkelijke straf volgt op het breken van je belofte. Mijn vader heeft vrienden verloren, verdriet gehad, getwijfeld. Jaren van gewetenswroeging. Niet alleen jegens de kerk, de orde... ook ten aanzien van mijn moeder. Hij heeft haar acht jaar aan het lijntje gehouden. Hoop gegeven, hoop de grond in geboord. Moest ze een gelofte afleggen dat ze hem niet meer zou zien, en dan heette dat ook nog eens mooi, nee, prachtig. "Een óffer, en jij mag het brengen." Alles voor zijn beter priesterschap.'

De stewardess vraagt of ze op deze rij nog wat willen drinken. Ze is niet de slankste, en ze heeft veel te veel make-up gebruikt. Azuren oogschaduw die samenklontert in de kraaienpootjes. Maar haar gebit is prachtig. Net dat beetje *overbite*. Noem het intelligente tanden. De ironische lach van iemand die zich niet laat bedotten, maar áls een enkeling haar bevalt ook onmiddellijk toehapt. Het kan niet anders of Maurice ziet wat Berkman ziet, zelfs als de jonge celibatair van nature op mannen valt. Toch. Voor de anderen heeft hij evenmin belangstelling. De blonde paardenstaart, de glanzende, afgetrainde kuit – zijn oog dwaalt niet. Keurt niet. Waarom zou hij ook? Hij is er diep van doordrongen dat hij veruit de mooiste is van iedereen hier aanwezig.

'Ik wil daar niet lichtzinnig over doen. Maar is mijn vader op de dag dat hij officieel werd geëxcommuniceerd onder een auto gekomen? Verlamd geraakt? Door de bliksem getroffen? Is hij gestraft met een mismaakt kind? Nee. Hij werd gelukkig. In een nieuwe baan. Met een gezin.'

Donkere krullen, een stevige huid, oker, bijna Arabisch. Blauwige schaduw van een baard die nu, nog maar een paar uur na het scheren, alweer op komt zetten. De volle wenkbrauwen en de formidabele neus... Niet het smalle pruimenbekkie van zijn vrienden, maar lippen als kauwgum. Zonde dat niemand die ooit zal kussen, dat moet hij toch zelf ook wel eens denken. En terwijl Berkman dit denkt, begrijpt hij dat zijn aantrekkelijke medepassagier wellicht vaker medelijden heeft met degenen die seks met hem mislopen dan met zijn eigen onbevredigde begeerte. Hem wordt niets onthouden, hij onthoudt anderen wat. Zijn schoonheid, zijn aanrakingen, zijn drift. De voetballer die het winnende doelpunt heeft gemaakt, en zich na het douchen waardig geroerd onder de fans begeeft. Geen zweterige omhelzingen, borstklopperij, geen gerochel en kinderachtige oerkreten – sublieme superioriteit. Nog steeds is de jongen niet klaar met zijn monoloog. Of hij wil of niet, Berkman moet hem interrumperen. Omdat het wordt verwacht.

'Dus je houdt nu al rekening met...? Je laat een optie open?'

'Dat zeg ik niet. Integendeel. Maar mijn keuze, mijn volharding, mijn trouw... Het wordt niet bepaald door angst. Ik wíl dit, en het is geen heilig moeten, niet iets wat door de nadruk op begeerte als de grootste zonde tot een neurose kan uitgroeien. Vat je de gelofte van kuisheid negatief op, dus als onderdrukking van je verlangens, kijk, dan heb je een probleem. Leef je voortdurend op je hoede. Ik focus me liever op de enorme vrijheid die het celibaat me geeft. Dat is positief. Geen verwrongen, vreesachtige geest, maar een open blik voor de noodlijdende ander. Er voor die ander kunnen zijn, omdat er thuis niemand wacht die exclusiviteit eist.'

Berkman knikt. Lang leve de theorie. Dagelijks ontmoet hij jongens en meisjes als Maurice, die precies kunnen uitleggen waarom ze doen wat ze doen. Doorwrochte essays – bij een video-installatie waarop alleen maar een schildpad te zien is die af en toe een paar trage slagen zwemt in een plas bedorven vla. Bij een collage van dildo's en speelgoedautootjes. Ook ontwikkelingen in de toekomst staan al vast. Na drie miezerige exposities weet de betreffende artiest al wat de essentie van zijn werk is, en zal blijven. Berkman legt zijn broodje ongeschonden terug in het doosje en opent het tinnetje fruitsalade. Ananas, appel, druiven en kleurloze dobbelsteentjes meloen. Laat maar.

'En de hel dan? Het kan wel zijn dat je vader hier op aarde niet is gestraft, en zelfs gezond en gelukkig is gebleven, geworden, maar in jouw religie zegt dat nog niks. Misschien komt de marteling nog. Na zijn dood. Als je werkelijk blij bent met Ratzingers duidelijkheid geloof je net als hij ook in een Goddelijke Rechter. In een hiernamaals waar niet iedereen zomaar wordt vergeven. En dat is nog een eufemisme.'

'Liefde gaat boven angst uit. Dat bedoel ik. Liefde kan angst transformeren. Trouwens, straks ben ik bij machte mijn vader te vergeven. In gebed.'

'Jij bidt hem alsnog het Paradijs in. Omdat God naar gewijde priesters beter luistert dan naar leken. Wil je vader dat wel? Dat jij bij je Vader-met-hoofdletter een enkele reis hemel voor hem gaat afsmeken? Is dat liefde, zo achter iemands rug om...'

Het is Berkman gelukt. Zijn buurman heeft er geen zin meer in. Hij mompelt: 'U begrijpt het niet', en probeert het gesprek op het weer te brengen. Ja, Berkman is al vaker in Polen geweest. Poznan is leuk. Krakau. Gdansk. Als hij merkt dat Maurice onafgebroken naar het doosje met zijn broodje staart, schuift hij het pakketje naar hem toe. 'Neem maar, als je nog trek hebt. Ik hoef echt niet.'

Bij de bagageband is hij van de jongen verlost. De seminarist is weer bij zijn vrienden. In de aankomsthal staat tussen dikbuikige chauffeurs een jongen in zwart pak. Zwart overhemd, wit boordje. Hij houdt een kartonnen bordje met het logo van zijn congregatie omhoog, alsof hij een enorm gezelschap verwacht. Een baken voor een dolende kudde. Maar de drie Hollandse schapen zijn allesbehalve verloren.

*

Pal tegenover de plek waar Guus vandaag exact een jaar geleden de Marokkaanse moeder doodreed, staat een houten keet waar bijbels en andere christelijke lectuur worden verkocht. De naam van de evangelische stichting die de kiosk beheert is me onbekend. Ik weet alleen dat er in dikke plakletters een tekst op de wanden staat, iets in de trant van: 'Ik troost ook jou, zegt Jezus Christus', of, simpeler:

'Zoekt en Gij zult vinden'. Misschien een goede opening voor mijn artikel, maar dan moet ik de tekst wel juist citeren.

Veel zin om erheen te fietsen heb ik niet. Ook, vaag, de angst dat ik ditmaal zelf zal worden geschept. De dodehoekspiegel is nog lang niet standaard verplicht. Niet dat ik daarvan wakker lig. Ik ben gewoon bang, lichtjes, alleen vandaag, 28 april – een restant bijgeloof.

Omdat ik toch een begin wil maken met het stuk, bel ik een vriendin die in een zijstraat van de Van Baerlestraat woont. Kan zij misschien even kijken...?

Een halfuur later belt ze me terug. Ze heeft mijn opdracht met een gang naar de supermarkt gecombineerd en de blijde boodschap op een briefje geschreven. Weer moet ik vertellen dat ik niets loskrijg bij de dader. Weer zeg ik dat zijn vrouw in alle gesprekken tot nu toe de boventoon voert. Lilian vraagt of ik al bij hun kinderen ben geweest. Misschien dat zij iets over hun vader kunnen zeggen wat hun moeder niet weet, niet wil weten. Donald heeft me hetzelfde voorgesteld. De jongste zoon is duikinstructeur op de Antillen. De twee dochters wonen gewoon in Noord-Holland, een afspraak is zo gemaakt – maar wat moet ik ze vragen?

Natuurlijk voelt hun vader zich schuldig. Natuurlijk lijdt hij in stilte. Natuurlijk is hij een binnenvetter. Maar wat ze bij de redactie hopen, zal ik niet uit hun mond vernemen.

'Wat hopen ze dan?'

'Dat die Donkers zich een keer zal laten ontvallen dat een Marokkaans hoofddoekje doodrijden minder erg is dan...'

'Weet je dat zeker?'

'Honderd procent zeker. Ze willen lezen dat Guus onverschillig doet, niet om daarachter zijn emoties te verbergen, maar omdat het hem werkelijk koud laat. Ze willen lezen dat híj zich het slachtoffer voelt. Het busbedrijf heeft hem met vervroegd pensioen gestuurd. Geen afscheid, geen nazorg, niks. En o, wat erg, hij moest zijn gloednieuwe bootje verkopen. Zogenaamd omdat hem de lust tot varen ontbreekt, maar het is gewoon een geldkwestie.' Ik zucht. 'Ik moet Guus afschilderen als iemand met zelfmedelijden, en dat heeft-ie ook. Maar daarmee is hij toch nog geen racist? Toch: dat wil Ruben zien. Guus als prototype van de foute Nederlander, die niet wakker ligt van een allochtoontje meer of minder.'

Terwijl ik het uitleg, besef ik weer dat ik het kan. Tussen de regels door de suggestie wekken dat de Donkersjes, hoe sympathiek en gemoedelijk en aangedaan ze ook lijken, in wezen harteloos zijn. Een mooi portretje leveren, waarvan de lezer na afloop denkt: tjonge-jonge, zo diep zit de haat tegen buitenlanders dus. De haat bij doorsneeburgers, niet bij de intellectuele lezer zelf. Dat spreekt.

Het is zo simpel. Ik weet zelfs welke toon ik moet aanslaan om diezelfde lezer het idee te geven dat alleen hij iets gruwelijks op het spoor is. Iets wat de journalist, mij dus, is ontgaan. Een beetje lucht, een vleug compassie, vrouwelijke argeloosheid: daarmee gun je de lezer zijn eigen aha-erlebnis. Alles manipulatie.

'En de familie van het slachtoffer? Heb je die al gesproken?'

Ik vertel Lilian dat het ganse geslacht Benzour de excuses van Donkers niet op prijs stelt. Alweer, vooral Ria vindt dat verschrikkelijk. Weduwnaar Youssef was in de eerste uren na het bericht bang dat een confrontatie met de buschauffeur wel eens het slechtste in hem zou losmaken, en een maand later dacht hij daar nog precies zo over. Waardoor Ria nog een tijd bang is geweest voor een vergeldingsactie. Oog om oog, tand om tand; zo zijn die mensen.

'Met de jongste zus heb ik wel aardig contact. Zij heeft de vier kinderen van het slachtoffer maanden bij zich in huis gehad. Ze heeft er zelf ook drie. Op veertig vierkante meter. En haar zwager is een halfjaar geleden hertrouwd, zo hoort dat, maar ik begreep dat ze erg veel moeite met de gang van zaken heeft. Wil ze niet te veel over kwijt, uit angst dat wij haar dan gebruiken als twijfelende moslim. Zo van: zie je wel, die mensen zijn zelf ook niet blij met hun regels. Eén stukje, en dan al dit gedoe.'

Lilian benijdt me. Ik heb leuk werk. Op de grens van spionage. Je komt nog eens ergens, dat ook, en je krijgt koffie, eet biscuitjes, tosti's, cake, soep, je speelt dat je je op je gemak voelt, je laat terloops iets over jezelf los, hoe je werk en huishouden combineert – en de mensen waarderen het dat jij ze over persoonlijke dingen in vertrouwen neemt en betalen je grif met bekentenissen terug.

Ik moet de laatste dagen veel aan Wieger Berkman denken. Zoals we elkaar aankeken, of eigenlijk niet aankeken. Wat gaat er in iemand om die zojuist uit een peeskamertje is gekomen? Ben ik geschokt?

Een vreemde somberheid. Net zo vaag als de angst, vandaag, voor een verkeersongeluk. Een laffe afschaduwing van de maagpijn die ik zou voelen als ik Donald had betrapt. Als iemand anders Donald had betrapt, en mij ervan op de hoogte zou stellen. Is het omdat ik, als een van de weinigen bij ons tijdschrift, zoveel van Berkmans columns houd dat ik me nu teleurgesteld voel?

Door de Helmersstraat loop ik, op weg naar het huis van Ruben. Haar opa is met Joy naar het Tropenmuseum; ik heb alle tijd om mijn chef, die vandaag thuis werkt, uit te leggen dat het met mijn stuk niets wordt. Want behalve het vrome citaat hield ik ook wroeging over aan het telefoongesprek met Lilian.

Ieder fijnzinnig portret moet een pamflet worden – dat is het onuitgesproken beleid.

Tussen de hoge huizen hangt een zwaar aroma van groen en bloesems. Soms valt er een vracht witte blaadjes uit zomaar een boomkruin, alsof zich iemand tussen de takken schuilhoudt die donskussens opschudt. Sneeuwbuien, zeer plotseling en plaatselijk. Het herinnert me aan mijn kleutertijd. Aan mijn Vrouw Holle-vrees. Gangen en poortjes vermeed ik, bang voor het zwarte, kleverige pekbad. Overal vermoedde ik emmers, tot de rand gevuld met kokende drop. Als ik 's avonds naar de wc moest, durfde ik mijn bed niet uit; ook aan het einde van onze eigen gang bevond zich een luik, in het plafond, dat zich zou openen zodra ik naderde. En dan de doodsdouche. Teer. Met goud hield ik geen rekening.

Bij mijn weten heeft Joy nooit dit soort angsten. Ze was als baby al realistisch. Huilde en schreeuwde steeds met een aanwijsbare reden. Donald en ik hebben ons nooit hoeven afvragen wat er in haar omging. Wij hebben een duidelijk kind, dat vraagt of de muziek uit mag zodra ze merkt dat die haar keel dichtknijpt, en anders de kamer uit loopt. Iemand die tijdens een sprookje of een enge film soms hardop zegt dat alles gewoon maar verzonnen is. Meer nog tegen ons dan tegen zichzelf.

Ruben Herfst ontvangt me op blote voeten. Het nieuwe charme-offensief. In de ruime woonkamer hangt een reusachtige foto achter glas, van een verlaten binnenzwembad. De tegeltjes aan de wanden zijn verschoten, beige bijna, alsof er in de ruimte altijd stevig is gerookt. Naast de duikplank een verlepte kamerpalm. Roestplekken op de leuningen van het trapje. Ergens in een hoek, op de betonnen vloer, een bord met rode en zwarte cijfers waarvan de betekenis me ontgaat. Intrigerende afbeelding. Ik wist niet dat er zulke grote wissellijsten bestonden; de foto meet zeker twee bij anderhalve meter.

44

Het water in het bad glinstert levendig. Alsof het naar zwemmers verlangt, zich lichamen herinnert. Uit het geklots dat geen geklots is stijgt muziek op, aarzelend pianospel.

'Mooi, hè?' zegt Ruben. 'Is van een Britse fotograaf. Nog een beginneling. Maar ik zag dit op de International Artfair en ik dacht: daar ga ik mijn spaargeld in stoppen. Weet je waar-ie is genomen?'

'Nee.'

'In een verlaten kuurhuis in Odessa. Mooi, hè?' Hij vraagt me of ik zin heb in witte wijn. Of ik in de tuin wil zitten. Slap, maar ik zeg op alles ja. Op een tafeltje dicht bij de rododendrons staat zijn laptop, opengeklapt. Op de grond ligt een berg kranten, daarbovenop een decoratieve zwerfkei die voorkomt dat de *Frankfurter Allgemeine*, *The Times* en *El País* wegwaaien. 'Neem een stoel.'

Als we zitten leg ik uit dat ik dit soort documentaire-interviews niet meer wil maken. Of Ruben nu wil dat ik in mijn stuk bewijzen aandraag voor de buitenlanderhaat bij simpele buschauffeurs, of voor de weinig coöperatieve houding van moslims, die kennelijk weigeren zich in een dader te verplaatsen, hem te vergeven – ik wil geen boodschappen meer in mijn werk verpakken. Geen opschudding om de opschudding.

Ruben speelt dat hij alles begrijpt. Maar het moet voor de lezer wel duidelijk blijven dat we niet zomaar... Emoties, human interest, prima. Ik weet toch ook wel dat je juist in zulke stukken de vinger aan de pols kunt houden, op een subtiele manier... Dat dat de voornaamste functie van dergelijke smeuïge artikelen is? Mensen willen niet alleen maar statistieken, opiniepeilingen. Het persoonlijke relaas, inderdaad, maar het persoonlijke moet pars pro toto zijn. Wat begint in de onderbuik, moet via het hart naar het hoofd. Van de lezer, uiteraard. Langs die weg vergaren linkse hedonisten en opwaarts mobielen, onze doelgroepen dus, informatie. Hij heeft het allemaal op een dure cursus geleerd.

'En toch wil ik de opdracht teruggeven. Ik begrijp dat het geen enorm probleem is, gelukkig, omdat ik maar een freelancer ben...'

'Nee, nee, Lot, zo denk ik er helemaal niet over!' Ruben staat op, loopt naar de wijnkoeler, schenkt ons weer in. Hij wil dat we toosten. Op wat?

'Ik wil niet meer meedoen aan stemmingmakerij. Want dat is het.'

'Ach kom...'

'Ik meen het. Jij wilde ooit over schuld een reeks maken. Dat vind ik interessant. Steeds interessanter worden.'

Opnieuw veert mijn chef op. Wil ik een paar tapas? Zijn vriendin heeft puntjes tortilla in de ijskast gezet, en er zijn sardientjes, olijven, chorizo, geroosterde en met roomkaas gevulde schuitjes paprika. De baas die thuiswerkt. Die met medewerkers-met-problemen geen afspraak maakt voor tien dagen later, maar genereus zegt: 'Kom meteen maar langs', en dan ook nog delicatessen bij de hand heeft. Ik weet niet of ik de veranderingen moet toejuichen. Om twaalf uur belde ik, om één uur kon ik langskomen. Service, ja. Maar ik heb dit gesprek niet goed kunnen voorbereiden.

In de bloempotten met kruiden zoemen de eerste hommels. Ik denk aan het zwembad in Odessa. Daar zou ik nu willen zijn. In dat zingende, nee, van eenzaamheid gonzende water. Steeds vaker, nog vaker dan vroeger, wil ik er niet zijn. Niet op de plek waar ik ben. Nog maar kortgeleden wenste ik mezelf op de Albert Cuypmarkt een hartstilstand toe. Ik geloof dat die wens oprecht was. Is. Maar als ik werkelijk naar de dood verlang, was ik vandaag toch zeker zelf naar de plek des onheils gefietst? Juist omdat ik was voorbereid op een ongeluk?

Ik wil een sigaret opsteken. Een wel heel voorzichtige vorm van zelfmoord, denk ik, en ik rook de laatste tijd wel erg veel, en waar heb ik mijn aansteker gelaten, en komt er nog een einde aan deze middag die in niets lijkt op een middag bij Guus en Ria Donkers, zelfs nog vervelender is, en –

Een kreet vanuit de keuken. Ik sta op en ga naar binnen. Ruben leunt tegen het aanrecht, vloekt. Godverdomme een glasscherf in godverdomme zijn voet. Mijn chef drukt een theedoek tegen zijn zool. Er vloeit veel bloed, uit een minuscuul wondje. Ik vraag waar Sylvia de pleisters bewaart, vind de ehbo-doos in het gootsteenkastje bij de schoonmaakmiddelen en een vuile schoenpoetsdoek, verzorg het sneetje in het gele eelt. Hier, jullie hebben ook Betadine. En gewone jodium. Dan gaan we weer naar buiten. Ik mag de schaal met tapas dragen.

Opeens vraag ik wat Ruben van de columns van Wieger Berkman vindt. Hij haalt zijn schouders op. Gewoon, wat iedereen vindt. Goede, genuanceerde dingetjes. Helaas nooit een ingezonden brief. Evenmin protesten toen Berkman na de zomer een kolom, dus zeker vijftien regels minder kreeg. Hoezo?

'Vond jij die column na het overlijden van de paus begrijpelijk?'
'Ik weet niet waar je het over hebt. Moet haar geloof ik nog lezen.'
Ruben trekt zijn been op. Als een kind zo trots bekijkt hij de veel te grote pleister onder zijn voetzool.

'Het was een en al lof over de traditionele rituelen, de poëzie ervan... Heel wat beter dan de manier waarop wij hier in Nederland een alcoholische volkszanger uitluiden. En vervolgens citeerde Berkman Gerard Reve...'

Mijn chef stopt een olijf in zijn mond. 'Ja. Dus?'

'Eerlijk waar, Ruben, een volkomen onbegrijpelijk citaat. Ik ken het niet uit mijn hoofd, maar het was iets in de trant van: de katholieke kerk bedoelt iets anders dan ze zegt. Een vergoelijking, maar waar die op sloeg werd na tien keer lezen nog niet duidelijk. En toen heb ik de oorspronkelijke tekst, van Reve dus, nog eens opgezocht, en na de geciteerde regel gaat hij verder over seks. Het komt erop neer dat Reve meent dat de kerk, met haar ferme veroordeling van homoseksualiteit, seks voor het huwelijk, voorbehoedsmiddelen, *eigenlijk* wil aangeven dat seks zonder liefde, zonder duurzaamheid, mensonwaardig is.' Ik neem nog een slok en zeg: 'Dáártoe is dat omineuze zinnetje een opmaat. En precies dat vervolg laat Berkman weg.'

'Sinds wanneer wind jij je op over een column?'

'Sinds nu.'

Ben ik aangeschoten? Na twee glazen? Ik wil schreeuwen. Alsof ik zelf in glas ben getrapt. Schreeuwen. Dat die zogenaamd zo subtiele Berkman, met zijn wonderschone observaties en zijn verheven taalgebruik... dat die gereserveerde, verlegen, lieve man... Wat ik heb gezien, is simpelweg de druppel die de emmer deed overlopen. De pathetische uitroep die ik binnenhoud, al dagen: 'Is er dan helemaal niemand meer geloofwaardig?!'

Ruben pakt een sigaret uit mijn pakje. Geeft zichzelf vuur met mijn aansteker. 'Ben je met Wieger naar bed geweest?'

'Hoe kom je daar nou bij? Ik ken die man niet eens! Op borrels knikken we hooguit naar elkaar.'

'Nou ja, ik dacht even... Sorry. Zo ben jij natuurlijk niet.'

We zwijgen. Ik probeer me voor te stellen hoe Berkman in bed is. Doet hij zijn trouwring af als hij met hoeren, met medewerksters van zijn instituut, met redactrices...? Want dat moet Ruben toch bedoeld hebben met zijn conclusie dat ik niet 'zo' ben: Berkman is zo wél. Een gladde borst. Hooguit wat donkerblond haar boven de tepels. Huid die glanst om de duidelijk zichtbare ribben en spieren. Berkman wil dat ik hem lik en zoen, hij duwt mijn gezicht in zijn schaamhaar, trekt zijn onderbroek omlaag. Ik wil zijn lid tegen mijn ogen, ik wil dat zijn pik ze voor altijd dichttikt, zodat ik niets meer zie, en kan geloven, als een klein kind, dat ik zelf ook onzichtbaar ben. Ik snuif aan de klamme, vlezige ballen. Wil, nee, moet zuigen.

Dat is het. Berkman lijkt me van de soort die liever klaarkomt tegen een huig dan in een buik.

Opgewonden ben ik niet. Het zou me niet verbazen als ik net als de gemiddelde man, zo die bestaat, tachtig keer in een etmaal aan seks denk – meestal zonder gevoel. Het is mijn manier van informatiegaring. Ik paar met caissières en tramconducteurs, met de juffen en meesters van Joys school, met dronken verkopers van de daklozenkrant. Ik bedenk hoe de jongetjes in Joys klas er over een paar jaar uitzien, tijdens en na het moment waarop ze worden ontmaagd, laat bejaarden elkaar bevredigen, weet feilloos hoe bedorven zaad ruikt, of de troosteloos droge, wijd open kut van na de overgang. Geen aandacht voor Beethoven, maar voor de echtparen op de rij voor me in het Concertgebouw. Hoe straks de lichtblauwe Schiesser-hemden uitgaan, de huidkleurige steunkousen en korsetten. In mijn dromen zijn alleen baby's en kleine kinderen veilig.

Fenomenologie. De tastzin mijn microscoop, periscoop, telescoop. Wat er rest na mijn gedachte-experiment is een nieuw sterrenbeeld, hoog aan de hemel, opwaarts gesproeid door een orgasme. In de wijze waarop ze uitbarsten zijn mensen oninwisselbaar. Misschien worden ze op dat ogenblik hun ziel. Maar Berkman komt niet klaar. Niet in mijn verbeelding.

'Wil je het een tijdje wat kalmer aan doen?'

'Wat bedoel je?'

'Zomaar. Je maakt een gespannen indruk.'

Ik wil die indruk niet maken. Werk graag, haal mijn deadlines altijd ruim op tijd, hoef zelden iets te veranderen in mijn reportages. Als Ruben nu maar niet over een burn-out begint. Wat moet ik zeggen? 'Ik ben pas vierendertig?' Op de toon waarop mijn dochter zegt dat ze ál negen is?

'Vandaag is het precies een jaar geleden dat ik in die bus zat. Het kan zijn dat ik me daardoor anders gedraag. Ik herinner het me allemaal tot in detail. Ik kon Guus zien. Eerder dan hij zag ik... En ik kon niet ingrijpen. Of ik geroepen heb weet ik niet meer. Toen die hobbel... Dat gekraak van die fiets onder de wielen... Bloed, ook. Later. Overal glazen kraaltjes, die als knikkers wegrolden, wegstoven. Een fontein van doorzichtige, glazen kraaltjes. Ze droeg een sieraad van wel zes, zeven strengen draad waaraan die kraaltjes dus... Had ze van haar zus gekregen. Die had twee van die kettingen gekocht, voor de lol, in zo'n boetiekje, en ze droegen hem toevallig allebei op dezelfde dag. Dat vertelde de zus me later. Ze heeft zoveel mogelijk kraaltjes geraapt.'

Kraaltjes, kraaltjes, kraaltjes. Het maakt de indruk die ik bij Ruben heb gewekt er niet beter op. Hij vraagt of ik moeite heb met dit artikel, juist omdat mijn eigen, toch wel traumatische ervaringen (zijn woorden) me in de weg zitten? Als dat zo is, zegt hij, wat hij zich goed kan voorstellen, zegt hij, kan ik inderdaad maar beter stoppen en me op iets anders richten. Of ik al een idee heb?

Ik beloof dat ik zal bellen of mailen zodra ik wat weet. Hij mag zelf ook met een opdracht komen, dat spreekt. Benadruk nog eens dat ik me prima voel. Hoogstens moeite heb met – maar op dat moment kijkt hij op zijn horloge en ik doe hetzelfde. Ruben brengt me tot de deur. Het zwembad in Odessa is nog even verlaten. Er is vast wel eens iemand in verdronken. Een dikkerd met ademhalingsproblemen. Een sterk vermagerde kankerpatiënt die niet tegen de kou was opgewassen. Dit is water dat weet heeft van de eigen moorddadigheid. 'Bedank Sylvia voor de heerlijke dingen,' zeg ik. Ruben haalt zijn schouders op. Gewoon bij de traiteur hier om de hoek gehaald.

*

Het Marriotthotel ligt tegenover het station. Dit is een lelijk deel van Warschau. Bakbeesten van verveloos beton, spiegelkantoren in aanbouw, door hun haast tot schimmen verpoetste gestaltes, de vette geur van uitlaatgassen. Wie met zijn rug naar de ingang van het hotel staat ziet links, aan de overkant van de drukke weg, het voormalige cultuurpaleis oprijzen; een vierkante reus met de kleur van uitgeslagen chocolade. In de top een naald waar licht in knippert om vliegtuigen te waarschuwen. Stalins cadeau aan de stad. Een fallus van wereldformaat.

Natuurlijk had Berkman iets kunnen boeken in een mooiere wijk. Maar hij houdt van onpersoonlijke, steriele kamers. De zekerheid dat er een minibar aanwezig is, een broekenpers, de juiste stopcontacten voor scheerapparaat en laptop. Internetverbinding.

Nadat hij zijn pak heeft uitgehangen, inspecteert hij de badkamer. Wast zijn handen, bevochtigt zijn voorhoofd, steekt een sigaret op, dooft hem halverwege al, poetst zijn tanden, vraagt zich af of hij een bad zal nemen. Dit is tenminste een kuip die op zijn lengte is berekend en Berkman wil in het water masturberen. Schuim in schuim. Lauw in lauw.

Tijd voor het laten vollopen van het bad heeft hij niet. Hij slaat de sprei van het bed terug, gaat liggen, opent zijn broek, graaft zijn stijve uit de stof van zijn boxershort, schuift overhemd en T-shirt omhoog om geen vlekken te maken. Porno heeft Berkman niet nodig. Hij hoeft niet eens te denken aan seks die hij heeft gehad of aan seks die nog gaat komen – in zijn verbeelding wonen meer borsten dan een schepper kan boetseren, en meer kutten dan een gynaecoloog ooit onderzocht heeft. Als er een Platoons Idee 'vrouwenlichaam' bestaat, is Berkmans geest een grotwand waarop alle afschaduwingen daarvan tegelijk worden geprojecteerd. Een catalogus, een encyclopedie, maar doorbladeren is niet nodig; waar het boek openvalt is meteen alles te zien, in alle tinten vlees. Van schroeibruin tot littekenzilver, van bultpurper tot biefstukrood. Een agressief paradijs dat hem smoort, wurgt, opvreet, met veel gesis en geslis en gelik en geslik en gesmak. Alles aan hem wordt pap, vloeibaar, een gepureerde massa die in een even natte, tandeloze babymond verdwijnt – lust in lust. Het niet meer kunnen weigeren. *You can call me Olvarit.*

Billen worden wangen, een anus wordt... Iets slurpt hem leeg, op, een spreeuwenkeeltje waarin hij de worm... Hij tolt nog even in het duister rond als waterbel in gootsteenoog, als zoute traan die opwaarts stroomt, de kleine klier weer binnen glipt... Alsof een film wordt teruggespoeld, nog tot ver voorbij het begin... Daarna verdwijnt hij in een stilte die gelijk moet zijn aan het geluid dat onvolgroeide foetussen horen. Ruisend bloed, een hartslag die onmogelijk de zijne kan zijn. Van niemand is. De thuiskomst, altijd kortstondig, in een zwarte wereld zonder ik.

Met een papieren zakdoekje veegt Berkman het zaad van zijn buik. Nu is dit zijn kamer, voor vier dagen zijn kamer, en om te weten of de afstandsbediening werkt zet Berkman de televisie aan en uit. Ze hebben CNN en BBC World. Hij had niet anders verwacht.

De Pool die hem bij de verschillende kunstenaars zal introduceren, heet Tadeusz Onuitsprekelijkewicz. Zijn linkerbeen is korter dan het rechter en aan zijn linkervoet draagt hij een orthopedisch gevormde, logge laars die moet lijken op de brogue aan zijn rechtervoet.

Hetzelfde kalfsleer, dezelfde zool, dezelfde vetersluiting. Evenveel verschillen als overeenkomsten; Berkman bedenkt dat wat voor het schoenenpaar opgaat, ook geldt voor hem en zijn gastheer. Net als hij heeft Tadeusz een smal gezicht, een kalme huid zonder al te veel baardgroei. Allebei grijsblauwe ogen, donkerblonde wimpers, donkerblond haar, tijdloze coupe, een scheiding aan de linkerkant van de schedel. Een identiek postuur, atletisch. Maar Tadeusz is oprecht enthousiast.

Over zijn stad, zijn land, over de uren en dagen die nog zullen volgen – zijn manke loopje hindert hem allerminst en lijkt nog het meest op huppelen. Handen die dan weer dit en dan weer dat aanwijzen, nog voor hij de Engelse woorden heeft kunnen vinden. Hoewel vocabulair en grammatica niet overhouden, is zijn uitspraak voortreffelijk. Oxfordser kan niet.

Universiteitsgebouwen, 'really beautiful, Dutch architect, named Tylman van Gameren. Look, the statue of our most famous scientist, Copernicus. In this church we store the heart of Chopin, it's brought to us from Paris and we put it in a marble...' op het Engelse woord voor pilaar kan hij even niet komen.

Het spijt Berkman dat hij alles al weet. Het spijt hem zelfs dat Nowy Świat en Krakowskie Przedmiecie steeds meer gaan lijken op de grote winkelstraten in andere Europese steden. Waar Tadeusz vooruitgang ziet, ziet Berkman eenheidsworst. Caféterrassen met parasols waarop reclames voor Warsteiner, Heineken en Budweiser. Turkse snackbars die shoarma en döner kebab verkopen. Dezelfde mode in dezelfde boetieketalages. Winkels voor designmeubels en home-decoration; dezelfde vazen, fruitschalen, kurkentrekkers, lampenkappen en plaids als bij Habitat in Londen, als bij X in Stockholm en Y in Amsterdam. Richting het oude centrum souvenirwinkels met vlaggen, stickers, petjes, borrelglaasjes en gefotoshopte ansichtkaarten van het plein dat nog gaat komen. Maar als ze dan eindelijk op het plein staan, springt Tadeusz' ontroering op Berkman over.

Middeleeuwse pallazi die amper zestig jaar oud zijn. Pleister dat eeuwen van storm en sneeuw, bijtend zonlicht en laffe motregen doorstaan lijkt te hebben, maar zo naoorlogs is als Berkman zelf. Het perzikroze, het turquoise daarnaast, het oker. De fresco's, de motieven die boven de ruitjes zijn aangebracht, de doorgebogen deurbalken... Cosmetische chirurgie. Er zijn nooit bommen gevallen. Alles is veilig en altijd veilig geweest.

Maar is het daarom zo'n aangrijpend lieflijk, magisch plein? Omdat de beschouwer weet dat de authenticiteit die hij hier ziet de authenticiteit van perfecte kopieerders is? Bestaat dat: authentieke geschiedvervalsing? En is dat dan kunst? Mag die wel ontroeren? Noties voor een volgende column.

Tadeusz heeft zin in bier. Hij klimt een terrasvlonder op, houdt zich vast aan een gietijzeren hekje waaraan een pot met geraniums hangt, kiest een tafeltje in de zon.

Terwijl zijn gastheer praat over de voor het congres geselecteerde kunstenaars wier ateliers ze in de namiddag zullen bezoeken, denkt Berkman aan Frank Wittenberg, een schrijver van zijn leeftijd, die van de ene dag op de andere is gestopt met zijn vak. Na vier redelijk verkopende en in de kritieken voorzichtig geprezen romans. Wittenberg had Slavische talen gestudeerd, hoofdvak Pools. Hij wilde vertaler worden om daardoor beter te leren schrijven. Muzikaler. En inderdaad, zijn boeken waren stuk voor stuk fijn geweven, rijke symfonieën. Veelstemmigheid, virtuoze tempowisselingen, alles helder van klank. Maar te vol, te moeilijk.

Het grote publiek haat terugbladeren. Wil een scène niet zes keer opnieuw lezen, alleen om te genieten van... van wat eigenlijk? De klank? De constructie? Zo makkelijk als mensen een cd op repeat zetten, net zolang tot ze hun lievelingsliedje niet meer horen want feilloos kunnen meebrommen, zo'n moeite hebben ze met literatuur die niet direct onthult waar het op aankomt. Die 'alleen maar' omspeelt. Met ritme, stemmingen.

Tegenwoordig begeleidt Wittenberg de oprichting van een kuurtempel in de Poolse kustplaats Sopot, bij Gdansk. Nederlandse verzekeringsmaatschappijen hadden gezamenlijk besloten de strijd aan te binden tegen de toenemende vetzucht bij hun cliënten, en vonden dat ze een cursus gezond leven moesten aanbieden die de sfeer ademde van een luxevakantie.

Geen Weight Watchers-avonden in een achterafzaaltje van het buurthuis, maar strakke fitnessruimtes waar heuse cardio-deskundigen... Kooklessen in schone hotelkeukens, veel vis, verse, biologisch geteelde groenten uit de omgeving, zwembaden die geurden naar ozon en zee. Polen was niet alleen goedkoop; tientallen academisch gevormde, maar werkloze Poolse jongeren zouden na een intensieve omscholingscursus maar al te graag in het prestigieuze oord willen werken. Toekomstperspectieven! Teamverband! Ervaring opdoen! Met zinnige arbeid gevulde dagen, van negen tot vijf, pensioenopbouw, bestaanszekerheid... En gewoon in eigen land aan de slag, dus niet meer ver weg als illegale aspergesteker, bollenpeller of klusjesman een paar euro bijeensprokkelen. Er was hoop.

Precies dat laatste had Wittenberg aangesproken. Eindelijk engagement. Iets nuttigs. Nu vertaalt hij contracten, schrijft wervende folders, stelt het lesmateriaal voor de beginnende diëtisten en sportleraren samen; de belangrijkste termen moeten ze in keurig ABN kunnen opdreunen.

Nog maar een maand geleden had Berkman met zijn oude bekende gedineerd in de raadskelder van Gdansk, hun tafel schuin tegenover die waaraan Hitler had geproost op de geslaagde invasie.

Ook toen had Berkman al een aantal kunstenaars bezocht. Hij weet dus wat hem vandaag te wachten staat. Het is aldoor maar meer van hetzelfde, waar je ook komt. Déjà vu's van déjà vu's, en opeens begrijpt hij waarom Frank Wittenberg tot na de koffie zo monter was blijven doorpraten over het afslankbedrijf; het was een metafoor. Niet alleen de mens, nee, de werkelijkheid moest dunner. Alles weer teruggebracht tot de essentie. Geen indigestie meer.

Tadeusz laat hem een catalogus zien. Noemt de namen van de makers, geeft bij iedere naam een beknopte biografie. Dit zijn onze aanstormende talenten, en dan heb je het werk van de pas afgestudeerde architecten nog niet eens gezien. Berkman bekijkt de afbeeldingen met een half oog. Ook op het plein zijn artiesten bezig. Ze verkopen aquarellen en pentekeningen. Doorkijkjes in de smalle steegjes die het plein omringen. Een kerk op een heuvel aan de oever van de Wisła. De steegjes in de winter, bij avond, stoepjes en vensterbanken beschenen door antieke gaslantaarns. De steegjes op zomerochtenden, wanden bestreken met het oranjeroze licht van een zonsopkomst – ambachtelijke, ongevaarlijke rotzooi.

Handgesneden schaakspellen, oorbellen waarin druppels roestbruin amber, ronde raamhangers van gebrandschilderd glas.

In de verte twee paardenkoetsen, wachtend op toeristen.

Ze bestellen de soep die Tadeusz adviseert. Worst met brood. 'And what about their catholicism?' hoort Berkman zichzelf vragen. 'Do they struggle with it?'

De dampende kommen worden neergezet. Tadeusz rolt zijn lepel onmiddellijk uit het servetje. Een grijzige brij die even een rilling bij Berkman veroorzaakt. Associaties met de ochtend na Koninginnedag. Het afval in de goten, van dauw doorweekte oranje confetti, en langs perken en in portieken nog verse plakkaten van een identieke substantie met een identiek aroma. Żurek heet de traktatie, gemaakt van gefermenteerde rogge. Er drijven paddestoelen in, stukken hardgekookt ei, brokjes worst. De eerst hap smaakt gelukkig goed.

Berkman leert dat de nieuwe generatie zich wel opwindt over de vervuiling van het landschap, het verlies van natuur, en soms een klacht uit ten aanzien van de globalisering, maar zich niet afzet tegen de waarden waarmee ze is grootgebracht. Tadeusz beweert dat de Polen zich juist dankzij hun religie nooit echt door het communisme hebben laten raken. 'I mean, it didn't touch our souls. Our blood. Only the skin, the surface – there you'll find a few scars, but we are a nation with a high level of...' Tadeusz zoekt naar woorden. 'Of ability for selfhealing. Look how cosy and delightful we've made it here. This city centre differs from London, Rotterdam, even Dresden. Perhaps we are sentimental people, always believing in the return of a past, no, of a lost paradise that, of course, never did exist. We have a funny temper. Always clowning to entertain... Not just the rest of the world, but ourselves first of all.'

'But your religion isn't a joke, eh?'

Geen antwoord. Pas als Tadeusz' kom leeg is zegt hij dat het katholicisme niet iets is waar je openlijk een discussie over aangaat. Het is er, als achtergrondmuziek in een restaurant. Als je het niet wilt horen, sluit je je ervoor af. Concentreer je je op andere geluiden. Het bevechten is zinloos. Onbeleefd ook. Gun anderen hun geloof en doe zelf wat je goeddunkt. Dat is wat 'zijn' jongeren denken.

Het is duidelijk dat Tadeusz het geloof geen issue vindt. Berkman vraagt de rekening, betaalt, loopt achter zijn gids aan, terug naar het grotere plein bij het koninklijk paleis waar de taxi's staan. Om drie uur worden ze in een buitenwijk aan de overkant van de rivier verwacht. Ateliers aan de rand van de bossen. Zelfs als het werk je niet bevalt zie je dan toch nog iets moois, zegt Tadeusz en hij grinnikt. Een dodelijk vermoeiend optimisme.

Rond elven is Berkman terug op zijn kamer. Hij trekt zijn schoenen uit, opent een flesje bronwater, checkt zijn e-mail. De column is goed ontvangen. En toeval of niet, Frank Wittenberg heeft hem een bericht gestuurd. Alsof ze vrienden zijn. Berkman heeft de ex-schrijver een jaar of acht geleden eens geïnterviewd tijdens een literatuurfestival in Groningen, en daarna nog een paar keer getroffen op de bekende feestjes en presentaties. Dat is alles. Ook na hun ontmoeting hier in Polen veranderde er niets aan hun omgang. Maar nu. De aanhef alleen al.

'Hallo Wieger'.

Nog bedankt voor de genoeglijke avond in die bizarre tent met de nog keihard bevroren zalmpaté en de (mij inmiddels vertrouwde) eend met appelvulling. Leuk ook dat de Nederlandse uitbater er even bij kwam zitten om met ons een glas krupnik te drinken 'van het huis'. Wat een sukkel, met zijn opscheppperij over zijn horecasuccesen in Marbella en zijn gefoeter op de thuisstad van zijn Poolse vrouw. Haar heimwee had hem naar Gdansk gelokt, jammer, hij miste het Spaanse klimaat nog steeds, maar zelf had hij geen heimwee naar Nederland, weet je nog, want hij vond ons land onherbergzaam geworden met al die 'bruintjes'... We hadden er toch wat van moeten zeggen.

Je ziet, ik heb het componeren van proza verleerd, maar wat ik je wilde laten weten is het volgende: de Schiedamse aannemer die zich hier met het kuuroord bemoeit is precies zo'n vent als de uitbater van de Raadskelder. Volgens mij zei ik je dat ook nog. En nu vandaag heb ik een meesterlijk verhaal over hem gehoord, van Jan W., de Poolse manager van SlimLife Plaza.

Het gaat zo: aannemer Philip (Flip) van Bavel bezit een tweede huisje in Thailand dat hij regelmatig verhuurt aan vrienden en kennissen. Hij had het dus ook al een paar maal aan Jan aangeboden, zo van: komt een Pool ook eens ergens. En uiteraard om de relatie te verbeteren. Jan was daar nooit op ingegaan, maar een paar weken geleden had zijn vrouw gezegd dat hij er toch nog maar eens naar moest infor-

meren. Blijkt het huisje te zijn weggespoeld door de tsunami. Maar dat niet alleen! Uitgerekend met Kerstmis had Flip zijn huisje in bruikleen gegeven aan zijn minnares en twee van haar vriendinnen. Die vriendinnen gingen de betreffende ochtend naar de markt in een hoger gelegen deel van het dorp, ze konden makkelijk schuilen toen de vloedgolf kwam opzetten, ik meen in een tempeltje op een berg. Je snapt het al: het huis is vergaan en de minnares ook. Met huid en haar. En die arme macho van een Van Bavel kan niet rouwen. Hij heeft gejankt bij Jan, die natuurlijk lekker doorging met wodka schenken: biecht maar, we hebben toch geen gemeenschappelijke kennissen bij wie ik je kan verlinken.

Kun je begrijpen dat ik me nu aan een scheepsmast moet laten vastbinden om niet wild te worden van de lokroep van de muze? Dit is het Verhaal der Verhalen. Maar ik giet mijn oren vol was, fantaseer er in godsnaam niet op door, alhoewel... Stel dat alleen het huis is weggespoeld? Dat de minnares de tsunami heeft aangegrepen om te vluchten, ergens anders een nieuw leven op te bouwen... Ik blijf erbij: ik wil niet meer schrijven. Of ik doe het fulltime, of helemaal niet, maar het mag geen hobby worden. Alleen, nu blijft dit verhaal liggen en dat is zonde. Ken jij iemand die er een mooi artikel over zou kunnen maken? Zelf dacht ik even aan Lot Sanders. Heb jij daar het adres van? Ik lees het wel.

Zal je in het vervolg niet meer stalken, zeker niet met zo'n lap tekst. Het ga je goed, en nogmaals bedankt voor de rijke avond, de conversatie-op-niveau. Take care of art,

Frank

Een huivering. Alsof iemand hem voor de tweede keer die dag een kom zure soep onder de neus schuift. Lot Sanders. De dame van de aansprekende portretten in het tijdschrift waarin hij... Een paar nummers geleden had ze nog een pagina's lang artikel over het gewone gezinsleven van zomaar drie leden van de Hells Angels. Natuurlijk zou ze wat kunnen met dit gegeven – en net als die Poolse Jan krijgt ze Philip van Bavel wel los. Het type man dat eist dat hij wordt geanonimiseerd, maar dan toch graag pocht op zijn strapatsen. En wel zo dat zijn maten hem onmiddellijk herkennen. Krokodillentranen, want ook deugnieten hebben emoties. Juist die.

Berkman weet dat ze hem heeft gezien. Dat ze begrijpt wat hij deed, daar in dat straatje achter de kade. Wat hij net had gedaan. Harde conclusies mag ze niet trekken; ze zag hem niet uit het bordeel komen. Maar als hij haar benadert namens Wittenberg, of Wittenberg in contact brengt met Ruben Herfst, zodat die weer... Dan nog zal zijn eigen naam vallen, en misschien brengt die haar op een beter idee. Nu eens een serie over intellectuele hoerenlopers.

Hij schuift de gordijnen open. Buiten, ver onder hem, rijden auto's en bussen nog steeds af en aan. Maar het glas is dik, geluiden hoort hij nauwelijks. Hij ziet alleen lichten. Er zijn genoeg zakenreizigers die zich op eigen bodem onberispelijk gedragen, maar zodra ze zich in hun hotel hebben geïnstalleerd direct een escortservice bellen. Stoute padvinders op kamp. De angst om alleen te zijn in een vreemd land, op een stille kamer, dat ook.

Zo iemand ben ik niet, denkt Berkman. Dit is mijn cel.

Ik ben geschapen voor het celibaat.

Mei

Kort nadat ik de opdracht heb teruggegeven kom ik Ria tegen. Bij de Hema. Joy heeft een nieuw badpak nodig. Ik aarzel tussen een rood-wit gebloemde en een effen lichtblauwe, als de hond van de Donkersen opeens aan mijn been staat te snuffelen.

Wil me weer verontschuldigen, maar Ria zegt dat ze het goed hadden kunnen begrijpen. En Guus heeft toch wel veel aan de gesprekken gehad. Gewoon omdat ik hetzelfde heb meegemaakt als hij, of nou ja, getuige ben geweest. Omdat ik hem niet heb laten vallen maar integendeel, van begin af aan belangstelling heb getoond. Vonden ze allebei heel fijn.

'Ook dat je toevallig zo dicht bij ons in de buurt bleek te wonen, heeft hem die eerste tijd een gerust gevoel gegeven. Mocht er opeens iets bovenkomen, dan hadden we meteen kunnen vragen of je...'

Mijn nichtje, die documentairemaakster is, kan erover meepraten. Altijd weer mensen die je bejegenen als beste vriend. Alleen omdat je ze laat uitspreken, speelt dat je niets gek vindt. Van haar heb ik geleerd dat je al in een vroeg stadium duidelijk moet maken dat er van wederkerigheid helaas geen sprake kan zijn. Dat jijzelf na een reportage over echtscheidingsperikelen weer door moet naar een asielzoekerscentrum, een voedselbank in de Bijlmer – steeds in het wrange besef dat met het afsluiten van dit project de problemen van de geportretteerden niet per se uit de wereld zijn. Nazorg is goed, en mijn nichtje wordt nog vaak gebeld door mensen die haar even willen laten weten hoe het ze tegenwoordig vergaat, maar afspraken maakt ze niet.

Les één: nodig je hoofdrolspelers nooit bij jou thuis uit, zelfs niet als je ze graag mag.

Ik herinner me dat Ria al bij onze eerste ontmoeting vroeg of ik nog een oppas voor mijn dochter zocht. Niet om het geld, dat niet, maar ze wilde er weer eens uit en ze was gek met kinderen.

Om haar heen hangt een vertrouwde geur. Pas later dringt tot me door dat het die van haar toiletverfrisser is. Chemische seringen die bloeien tot ver buiten de wc. Krap twee maanden geleden zat diezelfde lucht nog lang in de kleren die ik bij de interviews had gedragen. Zelfs Donald kon het ruiken.

'Tegenwoordig heeft Guus veel baat bij lotgenotencontact op internet. Jaha, daar heb jij niet veel van gemerkt, maar als je weg was... Die vragen, die bleven almaar door zijn hoofd spoken. Zattie eerst zachtjes te grienen om zijn bootje, zei hij ineens: 'Godverdomme, schat! Een bóótje!' Omdattie natuurlijk eigenlijk huilde om die man en die kinderen, hè? Therapie is niks voor hem, dat weet je. Klapt Guus dicht. Laat mij het woord doen. En dan zelf maar zo'n beetje met Erwin spelen.'

'Erwin?'

'Ja, deze jongen hier. Jullie kennen mekaar nog wel, toch?' De labrador kwispelt als hij zijn naam hoort. Rukt aan zijn halsband, wil weg. Ria rukt terug. Ze pakt mijn arm en lacht breed. Het mooiste komt nog. Ze hebben Marokkaanse bovenburen gekregen. Ontzet-tend aardige mensen. De drie dochters zijn al het huis uit, maar de zoon van achttien woont nog bij pa en ma. Knappe, vriendelijke jongen. Niks geen criminele vriendjes ook aan de deur; Karim studeert handel en heeft daarnaast nog een baantje. Postsorteerder of zo.

'We werden meteen op de thee gevraagd. Die ouders verstonden ons voor geen meter, maar met die zoon hadden we een gesprekje, en hij vertaalde alles. Heel gastvrij. Dus toen heb ik ons verhaal er meteen maar uitgeflapt.'

Hoe had ik dit in het artikel moeten verwerken? Guus en Ria die na hun aanvankelijke verontwaardiging over de harteloosheid van 'die moslims' de eerste de beste kans grepen om hun vooroordeel te overwinnen. Die hun schoenen op een vreemde overloop hebben uitgetrokken, van rokerige, mierzoete muntthee hebben genipt... Onze lezers zouden het niet meer hebben meegemaakt. In hun hoofden zouden de buschauffeur en zijn bazige echtgenote voortleven als burgerlijke, bekrompen, bange Hollanders. Met dank aan Ruben en mij, aan de journalistiek in het algemeen.

Ik lach ook. Beschaamd, maar het valt Ria niet op. Karim heeft aangeboden hen te helpen. Guus zal de weduwnaar en diens familie een persoonlijke excuusbrief schrijven, Karim gaat hem langsbrengen, voorlezen eventueel, en hem dan toelichten in het Berbers of het Arabisch, want hij spreekt het allebei. 'Wij en de buren denken dat het kan helpen. Als die nabestaanden merken dat wij Marokkanen kennen. Dat ze dan begrijpen dat we ons best in een andere cultuur willen verdiepen. En Guus zegt ook: "Al loopt het weer op niks uit, dan geeft het tenminste een sprankje hoop." Hè? Dat we nu een lijntje hebben. Naar de Benzours toe. Voor mijn part naar de zus van het slachtoffer. Dat is al wat.'

Bij ons afscheid liggen er twee badpakken in mijn mandje. 'Neem ze allebei,' zegt Ria. 'Dan kan Joy ze lekker tegen elkaar in dragen. Dat deden die van ons ook. Onze kinderen zijn stuk voor stuk echte waterratten. Ik niet. Ze hebben het van Guus.' Geen boot. Hij surft nu naar mededaders, medeschuldigen.

*

Wat we interesse noemen, nieuwsgierigheid, fascinatie, heeft niet zelden haar wortels in de modderige poel van achterdocht.

Lot Sanders wantrouwt Wieger Berkman, Wieger Berkman wantrouwt Lot Sanders. Ze lezen elkaars stukken en weten zeker dat ieder woord dient om een ander, verschrikkelijker woord te bedekken. Ze schrijven, niet om in hun artikelen uit te drukken wat je in een gewone conversatie met geen mogelijkheid over de lippen krijgt, maar om zichzelf met elke slag op het toetsenbord nog dieper het zwijgen op te leggen. Zinnen als lange repen tape, en ze plakken er hun eigen mond mee af.

O, die veelgeprezen empathie van Sanders! Hoe ze elke keer weer de juiste toon weet te treffen: je hóórt die mensen praten!

Het is wat anderen van haar werk vinden.

Maar iemand die door zoveel mensen zo licht in vertrouwen wordt genomen, kan niet anders dan behaagziek zijn, meent Berkman. Een meeprater, stroopsmeerder, die heimelijk geniet van de verlangens die anderen op haar projecteren. Wilt u het kindvrouwtje? Krijgt u het kindvrouwtje. De gezellige moederkloek, de academische haaibaai, de stille dweepster; Sanders draait al voordat u vraagt.

Verdacht. Iemand die niet kan bestaan zonder rollenspel, er misschien zelfs trots op is dat ze, in elk geval voor de duur van haar interviewsessies, geen eigen mening heeft, die vast en zeker van zichzelf zal zeggen dat ze alles 'op gevoel' doet... Zo iemand is doortrapter dan iedere willekeurige bonk hormonen die sneller schiet, slaat, steelt en schreeuwt dan zijn schaduw. Alleen degenen die een zekere mate van distantie tot zichzelf in acht kunnen nemen, zijn bij machte hun werkwijze te duiden. Te herhalen, te perfectioneren. Werkelijke gevoelsmensen gebruiken de verzamelnaam gevoel nooit. Daarvoor zijn er te veel emoties, het is altijd kermis in hun onderbuik en vuisten, kermis voor op de tong – bij Sanders moet alles reflectie zijn, berekening, het kan niet anders. Van de kermis de roerloze, lege spiegeltent.

*

In de met slingers versierde marmeren gang tikt Lisa van de filmrecensies me op de rug. Ze groet me, vraagt op bezorgde toon hoe het nu met me gaat. Goed, zeg ik, informeer naar haar. Ook goed. Mooi.

Niet lang geleden gingen we regelmatig samen naar de bioscoop. Ervoor of erna uit eten, veel drank, roddels. Plannen om iets nieuws te beginnen. Een literair kookprogramma op televisie: *Schransen met schrijvers*. Koken bij de grootmeesters thuis, ze een asperge laten voorproeven, een lepeltje witte chocolademousse met geroosterde hazelnoten. Een half glas riesling, een slok banyul, en al doende een informele sfeer scheppen waarin de zelfverklaarde schepper dan eindelijk eens zijn grootspraak zou afleggen, het romantische geneuzel over een moeilijke jeugd, de gekunstelde diepzinnigheid, het gratuite geflirt met filosofie, schilderkunst en muziek. Waarheid, zonder ronkende volzinnen en verbluffende beeldspraak. Ook de vrouw achter het genie in beeld – we zouden tenslotte háár keuken gebruiken, háár spullen. De absolute deconfiture. Verspreking op verspreking, de auteur een ordinair varken wiens smaakpapillen defect bleken zodra hij geen bedragen achter de gerechten en dranken vermeld zag. Die na het diner opeens een diepe minachting voor aangekoekte ovenschalen en klamme vaatdoekjes aan de dag legde; en dat zou dan aangrijpend proza borduren? Ga toch weg.

Ik weet niet of ik de avonden met Lisa mis, maar het steekt dat ze me aanspreekt alsof ik een vage kennis ben. Ze is blij als ze andere collega's ziet, en met hen verder kan lopen.

Ik ga niet vaak meer naar feestjes. Ons blad viert de verhuizing naar een ruimer grachtenpand en alle medewerkers worden geacht het glas op de nieuwe toekomst te heffen. Alsof er ook zoiets als een oude toekomst bestaat.

In de garderobe hangen misschien vijf jassen. Ik aarzel of ik mijn vest erbij zal hangen, houd het toch aan. Schrik van de spiegel aan de wand. Krijg het figuur van iemand die niets meer hoeft. Mager, maar niet aandoenlijk fragiel als de meisjes van de bureauredactie, de stagiaires die soms een signalementje van een nieuw R&B-album mogen schrijven, alleen om de jonge lezer te bedienen. Die ons blad niet leest. Veel te grote ogen in mijn hoofd – zonder verbaasde uitdrukking. Op mijn kleren na ziet alles er kapot uit.

Het ergste is nog dat het me niet kan schelen. Menige anorexiapatiënte kan jaloers zijn op mijn talent tot het negeren van een rommelende maag, maar ik zou willen dat ik vanmiddag zelf de schrijver was bij wie geschranst gaat worden. Dat een vreemde eens de boodschappen doet, een pan water opzet, boter in mijn koekenpan laat smelten.

Pas als ik een kam door mijn haar heb gehaald, durf ik de zaal in. Een puisterige jongen in kelnerskloffie sluipt op me toe. Dienblad in de hand. Champagne, mevrouw? Ik neem een glas, bedank, kijk of ik ergens een asbak zie staan. Overal mensen. Ze schijnen me te kennen, knikken naar me, glimlachen, iemand wil me vuur geven, de opluchting, er mag hier gerookt worden, vandaag is een uitzondering, zegt een ander, en ik ben alle namen kwijt. Aan de hoofdredacteur buitenlandse politiek vraag ik waar ik Ruben Herfst kan vinden. Nog een trap op, zegt hij, in de redactieruimte, maar daar mag je niet naar binnen met die sigaret. Of ik er ook een voor hem heb?

Ik bied hem mijn pakje aan. Degene met wie hij in gesprek is leent hem zijn aansteker. Ken ik Johan de Bever al?

De man geeft me een natte handdruk.

Johan de Bever heeft twee jaar lang in Azië gezeten. Vooral in economisch opzicht een interessant continent. India, voorspelt hij, gaat dé concurrent van het Westen worden.

'En wij ons maar blindstaren op China,' zegt de hoofdredacteur. 'Trouwens, Johan, dit is Lot Sanders. Ze heeft pas geleden een prijs gewonnen voor haar gebundelde reportages, kom, hoe heet dat boekje nou...'

'*Het hart van de zaak*,' antwoord ik. Gêne, omdat ik zelf de titel moet noemen. Die Ruben destijds heeft bedacht. Ik ben niet trots op de bundel, niet op de prijs. Heb het geldbedrag van vijfduizend euro meteen op de spaarrekening van Joy gezet.

'*Het hart van de zaak*, ja,' herhaalt de hoofdredacteur. 'Meesterlijk. De ironie ervan! Want alle types die in het boekje aan het woord komen, draaien om de hete brij. Zelfs de smerigste pedofiel zet zichzelf neer als timide, huiselijke jongen. Met z'n Märklintreintjes en... Wat was het nog meer?'

Ik heb geen zin hem aan te vullen.

'O ja! Ja! Hij was tuinier en had zich gespecialiseerd in het opkweken en in vorm snoeien van buxusstruikjes. Eendjes, poezen, poortjes, engelen, vazen... Niks kinderporno, beweerde hij, zijn geld ging op aan hovenierscursussen in Engeland.'

De Bever staart mij glazig aan. Dan zegt hij: '*Het hart van de zaak*, dat was al een boek. Een roman van Graham Greene. *The Heart of the Matter*. Heb je daar geen gedonder mee gehad?'

Een antwoord verlangt hij niet.

Het gaat er maar om dat ik begrijp dat mijn boekje niets met journalistiek van doen heeft. Plotseling dringt tot me door dat De Bever een maand na mijn interview met de Schagense pedofiel het openingsartikel had. Over sekstoerisme in Thailand. Dat was pas schokkend! Honderden jongetjes en meisjes tussen de zeven en veertien jaar die zichzelf prostitueerden aan dikke, roodverbrande Europese vijftigers. Anaal of oraal tegen de prijs van een kom rijst met curry.

De Bever pakt een glas rode wijn van een dienblad. Vraagt niet of wij ook nog wat willen drinken. Hij is aan zet.

Houdt Gerrit, de hoofdredacteur, ook zo van het werk van Graham Greene? Een wonderlijke sensatie, om *The Quiet American* op een terras in Ho Chi Minh-city te lezen. God, wat had die Greene een oog voor sfeer, voor detail... 'Al die vrouwen lijken op Phuong, de Vietnamese minnares van de hoofdpersoon. Niet alleen in hun kleding, ook in hun gedrag. Dat ondoorgrondelijke. Gespeeld kinderlijke. En toch precies weten wat ze willen. Ja, daar is in vijftig jaar niets aan veranderd. Een waar genie, die man. Een ras-observator en dan ook nog gezegend met zo'n sterk politiek bewustzijn, prachtig, je zou willen dat Nederlandse schrijvers eens op reis gingen. Gewoon een keer dwars door de bush, je durven verbazen, van die sokkel af en hup de bagger in!'

Kennelijk staan Lisa en ik niet alleen in onze overtuiging. Dat zeg ik niet. In de ogen van de Azië-deskundige ben ik net zo goed een schijtluis, met mijn lieftallige huiskamerreportages. Als de hoofdredacteur zegt dat hij vooral genoten heeft van *Our Man in Havana*, zet ik mijn lege glas op een tafeltje en gebaar dat ik naar boven ga. Leuk je ontmoet te hebben, mompelen De Bever en ik gelijktijdig.

Ik wil met Ruben praten, maar Sylvia neemt mij gauw van hem over. Ze is blij dat het gruwelijke schilderij met die verminkte ezel eindelijk niet meer bij hen in huis hangt. Hier, boven Rubens bureau, past het doek veel beter. Een goede waarschuwing ook voor degenen die slordige verhalen afleveren, zegt ze lachend. Naast de ezel ligt een kleine man, een kruising tussen een cowboy en een zigeuner, een Argentijn of Mexicaan gok ik, die in zijn borst is geschoten. Hij bedekt de wond met zijn zwarte hoed. Zijn hemd bloeddoorweekt, en toch trekt de ezel meer aandacht. Ingewanden die wegstromen, purper en lillend, als kersencompote uit een juist aangesneden vlaai. De beige vacht niet meer dan een dunne korst. Nu het zwembad in Odessa nog de deur uit. Ook dat kunstwerk kan Sylvia niet bekoren.
   Meen ik werkelijk dat ik het mooi vind? Waarom dan?
   Een vriendin die altijd weer moet laten merken dat ze niets op heeft met culturele blabla. Ruben die er trots op is dat zij zijn werk, het wereldje relativeert. Dat hij met iemand is die tenminste een serieuze baan heeft. Een blaadje maken is wel even makkelijker dan een topfunctie in het management bij de Belastingdienst, verdomme, wat daar aan toestanden langskomt, dat wil je niet weten!
   Toch heeft het er de schijn van dat Sylvia aan haar rol van relativerende buitenstaander twijfelt. Haar botte opmerkingen over kunst komen haar geloofwaardig over de lippen, maar daarbij schijnt ze beducht voor de vrouwelijke collega's van haar vriend; hij mocht eens behoefte krijgen aan gelijkenissen, verwantschap, moe van haar 'verfrissende' tegendraadsheid – dan is ze hem kwijt.
   'Je stukken lees ik niet altijd,' zegt Sylvia. 'Maar wat ik zo goed vind is dat je ze steeds op tijd inlevert. Zeker omdat je ook nog moeder bent. Van Ruben begrijp ik dat de meeste medewerksters met kinderen... Of ze komen met een aan alle kanten rammelend prutsstuk. Soms moet hij het in de avonduren woord voor woord herschrijven, verschrikkelijk. Zou ik zelf nooit doen. En dan de excuses. Ja, mijn zoontje had griep, mijn dochter was jarig... In een echt bedrijf waren die vrouwen allang ontslagen.'
   Ik vraag me af of ze weet dat ik pas nog een opdracht heb terug-

gegeven? Ze begint over het hoge ziekteverzuim onder werkende vrouwen van onze leeftijd. Als je echt iets wilt bereiken, moet je offers brengen en dat begrijpen de meesten niet. Die willen naast hun baan ook nog leuk op stap met vriendinnen, naar de sportschool, iedere avond uitbundig koken, romantische dingen doen met hun partner... Schandalig op hoeveel medeleven die aanstelsters kunnen rekenen. Het begrip tucht zou opnieuw moeten worden ingevoerd. Voordat ook mannen, nee, jonge vaders zich als watjes gaan gedragen. Straks krijgt Ruben ook Wouter en Remco nog aan de lijn, snotterig, omdat ze de hele nacht hebben rondgesjouwd met een baby die tandjes krijgt.

Opeens staat Berkman naast ons.

'Het is je gelukt,' zegt hij. 'Je hebt die aannemer gevonden. Weet je trouwens dat het idee van mij komt? Dat heeft Ruben je denk ik wel verteld. Maar hoe heb je Van Bavel aan de praat gekregen?'

Net als Berkman speel ik dat het normaal is dat we met elkaar praten. Zo moeilijk is het niet eens. We kunnen elkaar recht in de ogen kijken, zij het anders recht dan de eerste keer. We lachen.

Natuurlijk heb ik Van Bavel niet laten merken dat ik het met hem over zijn verdronken minnares wilde hebben. Dan zou hij vragen van wie ik die informatie had. Ik leg het Sylvia uit, ze begrijpt het, en knikt met haar hoofd als om me aan te moedigen.

'Daarom heb ik aan de telefoon gezegd dat ik benieuwd was naar de vorderingen van het SlimLife-resort en vooral naar hoe het was om met Polen te werken – iets waar de bazen van de verschillende verzekeringsmaatschappijen me niet veel over konden vertellen.'

'Dat loog je dus. En toen?'

'Gewoon. Een lang lunchgesprek, en ik bracht het algauw op de bouwfraudeschandalen. Liet zo achteloos mogelijk de term tweede huisje vallen en nee, nee, riep hij, dat van hem was niet gekocht met steekpenningen, hij was zo niet, had ook nog nooit met klanten een seksclub bezocht, nog nooit bonussen uitgedeeld, of geschenken aangenomen... Dat ik maar goed begreep dat niet iedere aannemer met een tweede huis... En daarna begon hij over Thailand, over hoe verliefd hij was geworden op het landschap, het klimaat, de geuren...'

'Goed, hè?' Ruben is bij ons komen staan. 'Mooi, hè? Die vent is vanzelf gaan praten. Dezelfde middag nog. Zonder alcohol, alleen op Spa. Nietwaar, Lot?'

'Ja. En toen stelde hij zelf voor dat ik over zijn verdriet zou schrijven. Een artikel als een monumentje voor zijn overleden vriendin. Ik heb hem een paar keer laten merken dat ik het een aangrijpend verhaal vond, dat wel.'

The making of. Mijn chef is er dol op.

'Lot was even bang dat hij zich in de tussentijd zou bedenken, maar we kregen het verhaal. De hele grap heeft ons hooguit anderhalve week gekost. En je kunt er gif op innemen dat het lezers aan het denken zet. Vreemdgaan lijkt volkomen geaccepteerd en wie er kanttekeningen bij plaatst, heet een moraalridder...' Ruben lacht. Eerst naar Berkman, dan naar Sylvia. Triomfantelijk. Kijk mij eens monogaam zijn, en ik schaam me er niet voor.

'Ons?' Sylvia kijkt Ruben onderzoekend aan. 'Je zegt: de grap heeft óns maar een week gekost.'

'Anderhalve week. Dat zei ik.'

'Anderhalve week dan. Maar het is niet "ons". Jij hebt er niks voor hoeven doen, lief. Het is Lot haar verdienste. Zíj heeft er anderhalve week over gedaan. Niet jij. Ere wie ere toekomt.'

Dit is het moment waarop Berkman gewacht lijkt te hebben.

Al straalt Ruben nog steeds, we begrijpen dat het pijnlijk is als we nu zo dicht bij hen blijven staan, getuigen zullen worden van een gefluisterde ruzie. Berkman zet een stap naar achteren en wenkt me. Brengt het gesprek op een schrijver van wie ik nooit heb gehoord, ene Wittenberg, die nu in Gdansk... Zo is hij aan de aannemer gekomen, dat had ik zeker wel begrepen, en hij vraagt of ik nog iets wil eten of drinken.

In de redactieruimte geen obers en serveersters. Op een tafel in de hoek achter Rubens bureau staan flessen en glazen, een schaal met uitgedroogde plakken leverworst en toastjes met brie. Berkman loopt erheen en ik sjok achter hem aan, zie hoe hij zichzelf bijschenkt, met zijn zakdoek een gemorste druppel wijn opdept. Ik ook nog? Dank je. Ik wil naar huis.

Dat zeg ik. Meen ik. Ik sta al bij de trap, kijk nog een keer over mijn schouder naar Ruben en Sylvia. Nu heeft Berkman mij gevolgd. We zien allebei dat Herfst zich heeft hernomen, hij is druk in gesprek met een groepje nieuwkomers, terwijl zijn vriendin verveeld een nummer van het concurrerende tijdschrift doorbladert. Fatsoenlijk businessnieuws, lekker rechts.

Beneden steekt Berkman een sigaret op. Ik wil ook weer roken, maar bedenk dat ik dat net zo goed buiten kan doen. Steek mijn hand naar hem op, zoek de dames-wc, was daar voor de vorm mijn handen. Met dezelfde tegenzin waarmee ik naar dit feestje ben gegaan, verlaat ik het weer. Tijd rekken, denk ik. Het is aangenaam om tijd te rekken, te vermorsen. Thuis moet ik meteen weer iets gaan doen. Er zit nog schone was in de machine. Ik moet nog zeven e-mails beantwoorden. Kartonnen hoedjes versieren en in elkaar nieten, voor een musicaluitvoering van Joys school.

En overal hitte. Ze zouden dit soort temperaturen moeten verbieden. Vroeger zaten Donald en ik op avonden als deze graag op het balkon. Tot het donker en koeler werd. Was het eerst Joy geweest die had geklaagd over onze geluiden, inmiddels hadden duiven ons van onze plek beroofd. Overal drek. Een druppelkunstwerk van wit, zwart, en alle tinten grijs daartussen. Jackson Pollock *meets* Anselm Kiefer. Gefladder en gekoer en alles oorlog. Alsof we in een schuilkelder...

Zelfs voor fietsen heb ik het te warm. Toch geen zin om mijn vest uit te trekken. Ga lopen, de fiets aan mijn hand. Al op de brug loopt Berkman naast me.

Na de eerste openingszin, 'Het is je gelukt', volgt nu een tweede, goedkopere.

'Jij mag mij niet.'

'Ach kom. Jij mij dan wel?'

'Waarom ontwijken we elkaar? Dat weet jij beter dan ik.'

'Ja, ik heb je betrapt.'

'Maar ik heb jou daarnet aangesproken. Ik ben niet bang.'

'Ik ook niet. We hebben toch leuk gepraat.' Leuk. Maar nu zijn we klaar. Stilte. Mijn even stompzinnige als voor de hand liggende poging die op te vullen: 'Ga je me uitleggen wat je daar deed? Dat het niks voorstelde, of niet was wat ik dacht dat het was?'

'Als je dat wilt.'

Ik kijk hem aan. In een flits zie ik wat ik me in de tuin van Ruben niet kon voorstellen. Hoe hij klaarkomt. Volledig wordt weggevaagd door drift, een spook, broodmager, licht doorlatend, storm, klapwiekende vleugels, een uitslaand koud, wit vuur.

Man van glas, van tergend hoog zingend kristal. En ik zie hoe iemand een vinger bevochtigt, er de omtrek van de kelk mee volgt, sneller en sneller, en behalve dat het glas zijn muziek prijsgeeft, danst het ook over een bord met letters. Berichten uit een hierna-maals. Zoiets moet het zijn, Berkmans orgasme: een spiritistische seance. Een ouija-spel waarmee iedere willekeurige dode valt op te roepen.

'Dat wil ik wel.'

'Eet je thuis?'

'Ik heb niets afgesproken.'

Berkman trekt zijn jasje uit, hangt het over de leuning van de le-ge stoel naast hem. Een lichtblauw overhemd, nergens gekreukeld. Een vrouw die strijken kan. Met de punt van de bout een pirouette rond ieder knoopje – terwijl haar man boven op een rondborstige negerin lag. Op een gedrogeerd scharminkel uit de Oekraïne. 'Wil je wat drinken?'

Hij slaat de wijnkaart open, probeert te lezen, zoekt in de bin-nenzak van het jasje dat hij net heeft uitgetrokken naar zijn bril. Ik zeg dat een glas rode huiswijn prima is; wat mij betreft hoeft hij geen hele fles te bestellen, tenzij hij zelf... 'Nee, ik ook niet. Dron-ken word ik niet gauw, maar je merkt het meteen de volgende dag bij het hardlopen. Lood in de kuiten. En je hart. Dat het af en toe een slag overslaat. Is natuurlijk niet zo, maar de hypochonder in mij vreest onmiddellijk het ergste.'

'Maar je rookt wel.'

'Alleen 's avonds. Als ik moet schrijven. Of zoals nu, in gezel-schap. Jij?'

'Ik houd het niet bij. De laatste tijd een pakje per dag. Minstens.'

'Iedereen heeft recht op een slechte gewoonte. Of op twee, of drie. Heb je nog meer slechte gewoontes?'

Ik zeg dat mijn dochter twee stuks fruit per dag moet eten, dat ik woedend word als ik nog een mandarijn of banaan in haar rugzak vind en dan ook echt ver kan gaan in mijn maatregelen, morgen de hele dag geen televisie of zo, terwijl ik zelf nog geen aardbei aan-raak.

Berkman bestelt de gegrilde zwaardvis met rozemarijn en rata-touille. Voor mij hetzelfde.

Hij heeft me in de val gelokt. Op een hinderlijk doorzichtige ma-nier. Ik zou er niet raar van opkijken als hij er al weken geleden voor heeft gezorgd dat hij vanavond geen verplichtingen heeft. Toen de uitnodiging voor de verhuisborrel op de mat viel, heeft hij meteen in zijn agenda VRIJ gezet. Of juist BEZET, dat kan ook. Een woord waar niemand anders dan hijzelf mee uit de voeten zou kunnen, en misschien noteerde hij niets – maar hij wist allang dat het treurige feestje hier moest eindigen, in een karakterloos restaurant, in het gezelschap van een karakterloze medewerkster die zou kunnen gaan roddelen over... Professioneel kaltstellen. Na de espresso met grappa en bonbons ben ik niet vergeten wat ik heb gezien, maar ik ben Berkman zo sympathiek gaan vinden dat eventuele plannen om hem aan de schandpaal te nagelen zijn verdampt. Weet hij. Zo simpel als hij het 'm flikt.

*

Zijn hoerenloperij moet hij nu maar zelf ter sprake brengen. Doet hij dat niet, bestelt hij nog een koffie, vraagt hij daarbij om de rekening, dan is de kans groot dat Lot hem straks alsnog bij de lafaards zal indelen. Berkman heeft zijn bekentenissen onderweg naar het feest goed voorbereid. Makkelijk is het om zijn jeugd erbij te halen, de plotselinge breuk met La Paz die hij als een amputatie heeft beleefd – maar daar zal ze niet intrappen.

Hij moet haar zover krijgen dat ze zich in het verhaal herkent. Dat ontroering om hun gelijkenissen haar oordeel vertroebelt. Dus hemelt hij eerst zijn huwelijk op. Petra die hem zo goed begrijpt; een totaal andere vrouw dan die van Ruben Herfst. Wat hij zegt gelooft hij zelf. Is waar.

Voorbeelden genoeg, een brein vol aantekeningen, maar net als in een column verzwakt een teveel aan illustratiemateriaal de clou. Eén sprekend beeld moet hij geven. Eén compacte episode beschrijven, die hem in de armen van talloze anonieme anderen heeft gedreven.

'Je kunt ook te goed begrepen worden,' zegt Berkman.

Twaalf, dertien jaar geleden beleefde hij een kleine crisis. Niets lukte meer. Had hij zich met doorzettingsvermogen en een analytische geest onderscheiden van andere aanstormende talenten, was hij na zijn afstuderen in drie jaar tijd opgeklommen van bureauredacteur tot inhoudelijk manager van een internationale uitgeverij voor kunstboeken; toen hij eenmaal op de directeursstoel zat, zag niemand hem. Kleurloos heette hij. Stijf. Formeel.

'Kil,' vult zijn disgenote aan en hij knikt.

'Een imagoprobleem. Ondertussen ligt je vader op sterven, heeft je vrouw haar eerste behandelingen... Het zag ernaar uit dat we geen kinderen konden krijgen, Petra en ik.'

'En vrienden? Had je vrienden?'

'Je drinkt wel eens wat met een paar oud-studiegenoten. Op vrijdagmiddag ga je soms met je personeel naar het café. Deed mijn voorganger ook. Later op de avond naar een Chinees. Bleef ik toch als werk zien.'

Het is goed mogelijk dat Lot aan Donald denkt. Ze kijkt Berkman begripvol aan, spottend misschien. Alle mannen zijn hetzelfde.

'Maar Petra zag dat het niet meer ging,' zegt ze. Ze speelt met het verpakte chocolaatje naast haar kopje, maar haalt het niet uit het papiertje.

'Ja. Ik voelde me honderd keer niets. Mislukt. De wet van de remmende voorsprong. De jongen van de negens en tienen, twee keer een klas overgeslagen, in drieënhalf jaar tijd twee studies afgerond, het faculteitsbestuur hervormd, de nodige prestaties op tennisgebied... Want dat is altijd mijn doel geweest. Allround worden.'

'Van alle markten thuis. Een homo universalis.'

'De top. En ik meende dat Petra daar ook...'

'Verliefd op was geworden?'

'Ja. Op ambitie.'

Dit is de adempauze die Lot beter kent dan wie ook, die ze al vaak gehoord moet hebben, bij de mensen thuis, en dan in haar eigen huis, achter haar computer, op de nog uit te tikken cassettes in haar walkman. Terugspoelen tot hier. Even op en neer naar de keuken voor een cracker, een hap van een appel.

Berkman zegt dat hij zich had vergist. Misschien hield Petra nog wel meer van de machteloze jongen met zijn angstdromen en nachtzweet. In elk geval nam ze de tijd voor hem, schoof haar eigen problemen aan de kant, kookte zijn lievelingsgerechten. Hij ging niet altijd met haar mee naar het ziekenhuis, en toch verweet ze hem dat niet, integendeel, ze begeleidde hem naar de huisarts, informeerde daar voorzichtig of hij niet ook op tbc getest moest worden.

Wat ze probeerde, zoveel. En niet om hem op te vrolijken, moed in te praten – haar goede zorgen waren bedoeld om hem te ontspannen. Thuis te brengen in zichzelf. Al wilde hij het hele weekend in bed blijven liggen, films kijken, huilen desnoods, dan kon dat. En nog bleef ze hem strelen, kuste ze zijn rug, noemde ze hem mooi en opwindend.

Ze had in dezelfde periode wel eens geopperd dat het bijhouden van een dagboek hem zou kunnen helpen. En gelijk gekregen. Maar hoe nobel, ze las er nooit in, hengelde niet naar... Verweet hem ook achteraf, als hij was uitgeschreven, niet dat hij zo lang boven was gebleven. Haar adviezen waren gemeend, gespeend van eigenbelang.

'En toen lukte het niet meer.'

'Toen lukte het niet meer.'

'Door al dat begrip.'

'Door al dat begrip, de gesprekken, de eerlijkheid, de verbondenheid. Of symbiose. Nee, het is geen symbiose. Ik ga niet in Petra op. Maar zij wel in mij. Wat je een hoogst enkele keer hebt met een roman. Je hebt hem al uit, maar blijft gefascineerd door de personages. Wat doen ze nu? Had ik ze kunnen helpen? Het ongeluk kunnen afwenden?' Berkman durft nu wel een tweede kop koffie te bestellen. Calvados, graag. Ook voor Lot.

'Zo denkt Petra met mij mee. Ziet het al van verre aankomen... Waarschuwt me als het te veel wordt. Neemt me dan dingen uit handen. Ideaal, ja. De geliefde die ook je moeder is, je beste vriend.'

Ze proosten. Berkman hoeft nog maar een zin of zeven, acht, dan is hij ervan af. Hij vervolgt: 'Niet dat ik Petra niet meer spannend vindt, aantrekkelijk, of hoe je dat noemt. Dat bedoelde ik niet met "moeder" en "vriend". Als ze onder de douche staat... Als ze met de kinderen uit een winkel komt, uit het park, en ik fiets toevallig voorbij... Dan denk ik: god, wat een schoonheid – soms nog voordat ik er erg in heb dat ik mijn eigen vrouw nastaar. Maar ik ben zelf niet meer aantrekkelijk. Niet voor Petra. Ook al zegt ze, doet ze alsof dat wel zo is. Ik geloof het niet. Het kan niet. Ik weet me te zeer gekend. En dat wreekt zich in bed. Dat je niet nieuw meer bent.'

'Weet ze dat jij andere vrouwen...?'

Dit is de slotvraag. Die gesteld moet worden om het voorgaande af te bakenen. Van een betekenis te voorzien. Het beeld wordt pas kunst door de lijst. Het interview krijgt pas waarde als de ondervraagde zelf het mes ter hand neemt, de randen van zijn oeverloze schetsen wegsnijdt. Tevreden kijkt naar het resultaat, dit was het plaatje dat ik wilde geven, dit hier het enige juiste perspectief... en door het plezier in het snijden zijn vrees voor het mes verliest. In één moeite door op de eigen keel, een steek in het eigen vlees. Alles voor de kunst. Ook een leek is tegenwoordig deskundig, dankzij alle interviews die hij heeft gehoord en gelezen.

Berkman is geen leek.

Pedofielen, Hells Angels en megalomane aannemers mogen dusdanig in het spel opgaan dat ze als vanzelf braaf het boetekleed aantrekken, zich verspreken, zich in de kaart laten kijken – hij zal liegen. Nu.

Hij probeert naar Lot te kijken met de ogen van al zijn voorgangers. De onschuld en angst van een offerdier. Trots ook, omdat hem de eer te beurt is gevallen dat hij ostentatief oprecht mag zijn. Kijk mij eens de waarheid zeggen. Wat een prachtig verhaal gaat dit worden, dankzij jouw doortastendheid, maar vooral: dankzij mijn durf. Hij glimlacht, neemt een laatste slok, kijkt in zijn lege glas. 'Dat weet ze. Ze vindt dat het bij me hoort.'

*

Donker, maar nog steeds die potsierlijke hitte. Berkman staat erop dat hij mij thuisbrengt. Ik zeg dat ik sinds vijf uur vanmiddag maar vier glazen alcohol heb gedronken. Bovendien heeft hij geen fiets bij zich. 'Dan lopen we toch? Dat deed je daarnet ook. We wonen nog geen kwartier bij elkaar vandaan. Het is nauwelijks om.'

Wil hij uitvinden hoe ik nu over hem denk? We praten over het blad. Over de nieuwe opmaak, de inhoudelijke koerswijzigingen. Er zijn nog veel mensen op straat. Uitgaanstypes. In contactadvertenties kennen mensen zichzelf dat predikaat hooguit in negatieve zin toe. Je leest steevast: geen uitgaanstype. Bij wijze van garantie dat een nieuwe partner, ook al zo'n afschuwelijk woord, je niet na een paar weken alweer kwijt is, omdat jij zo nodig naar discotheken moet, verslaafd bent aan brallen en flirten.

Berkman is duidelijk geen uitgaanstype. Toch maakt hij zichzelf voortdurend kwijt en zijn vrouw begrijpt dat, achtervolgt hem niet, gaat hem niet zoeken. Je hebt ook mannen die juist genot peuren uit de achterdocht van hun geliefde. Die al opgewonden raken als ze zich voorstellen hoe hun vrouw hun zakken doorzoekt, de onbekende nummers uit het telefoonboek van hun mobieltje belt. En dan de woede als hij ontdekt dat zij hem laat schaduwen door kennissen, vriendinnen: 'Dat ik uitgerekend jou moet betrappen op achterbakse praktijken! Mijn e-mails lezen, jezus wat kinderachtig,

73

wie denk je wel dat je bent?!' Mannen die met grote precisie een chaos creëren waarin niet meer helder is wie wie bedriegt. 'Jouw heimelijke gewroet zegt vooral veel over je eigen onbetrouwbaarheid. Over je eigen doortrapte, vunzige fantasieën. Ik ben misschien niet altijd netjes, maar wel rechtdoorzee. Heb ik ooit jouw laden overhoopgehaald?'

Ruzies nog enerverender dan de neukpartijen uit de begintijd. Net zolang doorbeuken tot zij inwendig bloedt, haar eigen natte lichaam haat alsof het een vuile dweil is. 'Mea culpa voor mijn schandalige jaloezie en terecht dat je bij me weg wilt, ik heb het er zelf naar gemaakt. Hier heb je je agenda terug. Je mag me slaan.' En dat zo'n man haar die klappen vervolgens ook nog onthoudt – alleen om te bewijzen dat hij niet zo primitief in elkaar steekt als zij. Toppunt van redelijkheid. Daaraan denken en dan komen; zulke mannen bestaan.

Het kan niet anders of Berkman loog zijn antwoord op mijn laatste vraag. Die alles doorschouwende Petra weet van niets. Zo heeft hij dan toch nog een geheim voor haar, het is allemaal economie, kosten en baten, maar ik gun hem zijn triomf.

Huwelijken, liefdes interesseren me niet. Bedrog interesseert me evenmin. Wat ik wilde weten is hoe hij het doet; de estheticus, soms de ethicus uithangen in zijn columns, terwijl hij de ranzigheid die hij zo diep veracht zelf in stand houdt.

Op dit moment wil ik niets weten. Het is prettig dat er iemand naast me loopt. Het stuur van me overneemt, mijn fiets duwt. Oranje schittering van de lantaarns in de grachten. Voel het ronken van de motor van een passerende schuit in mijn maag. Geanimeerd pratende mensen aan dek. Een jongen die naar ons wuift, voordat het bootje onder de brug door vaart. Onder de brug die wij nu afdalen. Misschien denkt hij dat wij bij elkaar horen. 'Iemand nog bier, rosé?'

Terrassen op de Elandsgracht. Muziek. Een oude man zingt mee met een smartlap van Frans Bauer. Herken de avond alsof het een voorwerp is dat ik lang verloren heb gewaand. Een gouden ring die je eerst tegen het licht houdt, onder een loep legt, voordat je durft te zeggen dat het de jouwe is. Is geweest. Durf hem nog niet om te doen. Kan het mis hebben, de rechtmatige eigenaar beledigen... Rust uit in de monoloog van Berkman, alsof het een hangmat is. Begrippen die niets betekenen: verjonging, verrechtsing, onderbuik, individualisme, ironie, overinformatie. Nog steeds kritiek op

74

ons tijdschrift. De ziel is eruit weg, zegt hij.

Inderdaad, ook uit zijn instituut. Geen klacht, iedereen heeft er last van. Illusieverlies. Hij brengt de radicale keuze voor een nieuw leven van Frank Wittenberg weer ter sprake. Diens suggestie dat de verdronken minnares van Van Bavel de tsunami heeft aangegrepen om ergens anders opnieuw te beginnen. Alsof die vrouw had kunnen voorzien... Even aandoenlijk als belachelijk idee, maar het zegt natuurlijk veel over Wittenberg zelf. De Polen, de Polen hebben ook nog wel een zeker optimisme. Soort zoekt soort. De Polen kunnen het nog.

'Wat?'

'Geloven.'

'En moslims.'

'Die ook, ja. Soms iets te fanatiek naar mijn smaak.'

'Dat maken de media ervan. De zus van de vrouw die is dood-gereden...' Berkman luistert, knikt, beaamt dat ik hier wel een vinger op de zere plek leg. Na een dergelijk drama meteen je verwees-de neefjes en nichtjes in huis nemen, dat ziet hij ons soort mensen nog niet doen. In de Kinkerstraat vertelt hij over een Nederland-se priesterstudent die hij in het vliegtuig naar Warschau heeft ont-moet. Ook al zo geborneerd. Kon zijn toekomst al helemaal uitteke-nen, inclusief de beren op de weg. Armoedig. Schraal.

Dan, bij mijn deur, vraagt hij hoe ik het eigenlijk volhoud? Het is toch net zo goed een soort celibaat; doen alsof je getrouwd bent, over je man praten alsof hij gewoon op je zit te wachten, terwijl je al ruim een jaar weduwe bent. Heb ik daarboven een oppas voor Joy?

'Ze logeert bij een vriendinnetje. Volgend weekend logeert het vriendinnetje bij ons. Vinden ze leuk op deze leeftijd, jij even bij mij, ik een nachtje bij jou. Had ik vroeger ook.' Ik zet mijn fiets op slot en wil hem een hand geven. Dankjewel voor het eten, het bren-gen, en tot ziens. Blijf wel condooms gebruiken. In plaats daarvan zeg ik dat Donald het zeker op prijs stelt als Berkman even mee naar boven komt. Hij is nog op en we hebben nog wijn.

Zeg welkom als ik de benedendeur openhoud.

Weduwe. Ik.

Heb het denken in termen van dood of levend altijd van grote kortzichtigheid vinden getuigen. Alsof het opposities zijn en niets is minder waar.

Een reisje naar York. Ik had toch niet voor niets Engels gestudeerd? Mijn moeder had me willen verrassen. Londen en Oxford zouden pijnlijke herinneringen naar boven brengen, maar York kende ik nog niet en in de stad en de wijde omgeving waren veel dingen voor kinderen te doen, zodat ook Joy aan haar trekken zou komen. Europa's grootste spoorwegmuseum, een nagebouwde Vikingnederzetting onder de grond. Zelf wilde ze graag naar Castle Howard, dat ooit dienstdeed als decor in de televisieverfilming van *Brideshead Revisited*.

Vorig jaar, eind mei. Donald was anderhalve maand dood.

Het was iets wat anderen verschrikkelijk voor me vonden. Het simpelste telefoongesprekje ontbeerde argeloosheid. Bellers die hun eigen naam op fluistertoon uitspraken, bang dat ze me stoorden tijdens het onafgebroken herdenken. Vrienden en vage kennissen die mij met mijn dochter zagen lopen, hielden pas halt als we al voorbij waren. Hoe ze ons nakeken. We voelden hun medelijdende blikken tussen onze schouderbladen plakken.

En dan dat ene woordje: moedig.

Dat mijn man niet meeging naar Engeland vond ik even pijnlijk of net zo weinig pijnlijk als wanneer het zijn werk was geweest dat hem had verhinderd. Ik was eraan gewend dat hij afspraken afzegde, soms op het laatste moment, omdat hij het druk had. Ook als Donald wel was meegegaan zou hij hebben gewerkt, in gedachten, en onzichtbare lijstjes met plannen en taken hebben afgevinkt terwijl we op een terras een glas bier dronken, de lunchkaart lazen. Niet dat ik dat erg vond.

Weet zeker dat ik het ook zo wilde; Donald de noeste zwoeger, zelden gespannen, want trouw aan een vast ritme, ook op zondag, ook 's avonds laat. Langeafstandswandelaar. Geen spierpijn of blaren. Berg op, berg af – en ik als een vogel rondom zijn hoofd, boven hem, erachter, ervoor of ernaast, precies zo verslaafd aan mijn eigen werk, aanmerkelijk vluchtiger van aard.

Als kunnen doorleven moedig heet, dan was ik al moedig voordat ik hem verloor. De obligate vrouwenkunst: wat ik niet kreeg, wat Donald me per ongeluk vergat te geven, gaf ik mezelf cadeau.

In commercials kopen vrouwen met hazelnootpraline gevulde repen voor zichzelf en ze snoepen er pas van in totale afzondering. Deur op slot, gordijnen dicht. In damesbladen bekennen mijn seksegenoten dat ze zichzelf minstens eenmaal per week trakteren op een paar oorbellen, parfum, een pot exclusieve nachtcrème met extracten van zeldzame zeewieren. Een krachtige vrouw schaamt zich er niet voor dat het prijzige boeket dat ze de bloemist laat samenstellen voor haarzelf is bestemd, en ze vraagt zonder blozen om een feestelijk lint en cellofaan.

Maar snoepgoed, cosmetica en lelies zeiden me niets.

Ik schonk mezelf blikken. Allesbehalve meewarige blikken. Van mannen. Op straat, in de tram, in winkels. Uitdagend heb ik me nooit gekleed. Zelfs hartje zomer lange rokken of broeken. Een shirt heeft bij mij altijd mouwen, de bovenste drie knoopjes van een blouse liet ik open, maar dieper mocht een blik niet dalen.

Mijn ogen moesten gezien worden, mijn mond, mijn hals. Gezien. Niet benoemd, niet gestreeld of gekust, niet bewonderd. Ik schonk mezelf voelbare afstand. Hoorbare grenzen. Het trillen van een tussenruimte. De smeulende geur in het lege midden.

Marokkanen. Die begrijpen het spel. Hun staren ontbloot niets; het bedekt je, omhult je. Alsof er een laken over je heen wordt gelegd, droog en heet en gebleekt, wit uitgebeten door een lage woestijnzon.

Een vogel? Als een vogel sprokkelde ik blikken bijeen alsof het snippers papier waren, takjes, strootjes, veren, waarmee ik een nest kon herbouwen, buiten. Niet om te broeden.

Er moest alleen een ander thuis zijn. Waar het anders licht was, anders warm, een ruimte voller en dieper en wilder dan de kamers die gewend waren aan Donald en mij. Uit de blikken stelde ik een nieuwe Donald samen. Een primitieve analfabeet, of ten minste een man die nog nooit een boek had gelezen. Die nooit zou begrijpen wat er ontroerend is aan Bach. Iemand die niet kwaad werd van nieuwsbeelden van een overstroming in een toch al armoedig gebied, maar kwaad kon worden op mij.

Omdat ik was getraind in de omgang met afwezigheid, kostte zelfbedrog me weinig moeite. In York dacht ik aanvankelijk op dezelfde manier aan Donald als thuis. Ik was nog net niet zover gegaan dat ik voor hem had gekookt, om daarna de verschillende maaltijden in plastic bakjes te scheppen en in te vriezen. Geen briefje met ovenstanden en opwarmtijden. Geen bier, kaas en worst in de ijskast. Maar zijn onderbroeken waren schoon en lagen in keurige stapeltjes op de bovenste plank van de linnenkast, de vloer was gedweild, een paar uur voor vertrek had ik zijn schapenleren leesstoel in het vet gezet en opgewreven als was het een reusachtige laars.

Had hem op Schiphol nog even willen bellen. Wist dat hij niet graag gestoord werd.

Was het niet Simone de Beauvoir die ooit heeft gezegd: vrouwen worden niet geboren, ze worden gemaakt? Of het waar is weet ik niet en het doet er wat mij betreft ook niet toe. Ik weet alleen dat de geboorte van Joy me geen moeder maakte – dat deden andere moeders, mijn eigen moeder voorop. En in York maakte ze me weduwe. Vakkundig, alsof ze ervoor was opgeleid.

Ze had twee kamers in het hotel geboekt. Eén voor Joy en haarzelf, één voor mij. Zodat ik in de avonduren alleen kon zijn. Kon bijkomen. Een week geen weltrustenrituelen. Geen strijd om mijn dochter onder de douche te krijgen en vervolgens in haar pyjama. Een boek voorlezen deed oma. Zij zou het gejengel om nog een hoofdstuk of dan ten minste nog een bladzijde vrijwillig aanhoren, grenzen stellen en bewaken, de strenge woorden leveren die me dagelijks opnieuw uitputten, mij van mezelf deden walgen. In de ochtend niet meteen een brok dynamiet naast mijn bed.

Maar het bleken precies de weerbarstigheid en tomeloosheid van Joy die me tot dan toe hadden verhinderd... Tel daar het ongeluk met de bus van Guus bij op. Begin april was Donald gestorven, kort daarna was ik getuige geweest van de dood van een vreemde. Afleiding, ja. Hoewel ze er niets van merkten, was mijn aandacht een groot deel van de dag bij de familie van het slachtoffer. Een enkele keer kocht ik lamsvlees bij de slagerij van haar zwager. Uit medelijden misschien, ik weet het niet. Soms volgde ik de zus die haar eigen kinderen, en haar inwonende neefjes en nichtjes van de verschillende scholen haalde. Als het niet regende nam ze ze mee naar het Sarphatipark, gaf ze daar een pakje drinkyoghurt, rietjes, een angstaanjagend gele madeleine uit een bulkverpakking en liet ze spelen in het zand.

Terwijl ze zelf op een bankje neerplofte, tussen andere vrouwen met hoofddoeken in. En kletste, en lachte. Als zij het kon, moest ik het zeker kunnen. Doorgaan.

Met fladderende handen, net als zij.

Misschien ben ik journalist geworden om te voorkomen dat een ander mij interviewt. Denkt Berkman over mij. Hij is mee naar boven en naar binnen gegaan, heeft gevraagd om een glas water. In de keuken, bij het geluid van de stromende kraan, herinner ik me alle keren dat een jongen me thuisbracht. Studentenavonden. Ikzelf in de weer met kurkentrekker en glazen, mijn gast bekeek mijn platen en cd's, inspecteerde mijn boekenkast, riep in het wilde weg dat Shakespeare er wel erg ongelezen uitzag.

Berkman roept niets. Zet geen muziek op. Pas als ik de kamer in kom gaat hij zitten. Zijn jasje houdt hij aan. Met zijn mouw veegt hij het zweet van zijn voorhoofd en neus. Hij ziet dat onze etage niet past bij ons inkomen.

Donald en ik hadden geld genoeg om een huis te kunnen kopen, maar we hadden steeds te weinig tijd gehad om iets nieuws te zoeken. Bovendien werd ons door de woningbouwvereniging een renovatie beloofd, waarbij de verdiepingen zouden worden doorgebroken; een verdubbeling van het woonoppervlak. Een badkamer met bad, een open keuken met ruimte voor vaatwasmachine en magnetron – voor mij een werkkamer met eigen balkon. De plannen waren ouder dan onze dochter, maar steuntrekkers en aan de buurt verknochte bejaarden hielden de uitvoering ervan tegen. Wij waren tot wachten bereid geweest. Klaagden nu en dan over de rommel die zich overal opstapelde, de schimmelplekken in de douchecel, het smalle aanrecht en het gebrek aan kastruimte.

Maar het voordeel van een klein huis is dat het ook zo weer schoon is en dat het je niet verleidt tot klussen en verbouwen. Ruzies die anderen hadden, bespaarden wij onszelf.

'Dit maakt ons geloofwaardig, vind je niet?' Ik geef Berkman zijn glas water, zet een schone asbak op de geluidsbox naast zijn stoel.

'Je bedoelt omdat... omdat Donald voor ontwikkelingshulp...?'

Ik knik. Mijn man was directeur van BrotherFood, een organisatie die hij acht jaar voor zijn dood had opgericht.

BrotherFood helpt boeren in derdewereldlanden met kleinschalige landbouwprojecten, biologisch of biologisch-dynamisch waar mogelijk. Natuurlijke bestrijdingsmiddelen, compost in plaats van mest – de boeren worden aangemoedigd om hun eigen kennis en die van hun voorouders te behouden en verder te ontwikkelen. Dat was beter dan westerse, moderne technieken over te nemen, zich te laten kapittelen door ingenieurs die lachten om zaai-, plant- en oogstschema's die door de stand van sterren en planeten werden geregeerd. Het ging Donald van begin af aan om uitwisseling, meer dan om kennisoverdracht. Wederkerigheid. Donateurs van BrotherFood ontvingen eenmaal per maand een pakket met koffie uit Guatemala, thee uit Sri Lanka, chocolade uit Ivoorkust en mangojam uit Sierra Leone; hoogwaardige producten die het gevoel van verbondenheid met de door hen ondersteunde boeren intensiveerden.

Moesten de donateurs hun papieren tas vol verantwoorde delicatessen aanvankelijk afhalen bij natuurwinkels, vier jaar geleden was het Donald gelukt de grootste supermarkt van Nederland voor zijn organisatie te interesseren. BrotherFood brengt tegenwoordig zelfs rijst, tafelsauzen, pindakaas en wijn op de markt en de producten worden niet eens in een aparte kast achter het brood weggemoffeld; ze staan gewoon in de schappen naast de andere merken.

'Het is een gezellig huis,' oordeelt Berkman. Er klinkt voorzichtigheid in zijn stem. Ik volg zijn blik, die blijft rusten op een terracotta pot met lavendel. De bloemen zijn allang uitgebloeid en water heb ik de plant niet meer gegeven. Dorre grijze sprieten staan schuin omhoog, alsof er haarlak in zit, alsof een föhn ze krachtig richting raam heeft geblazen. Een kapsel uit een andere tijd.

Gezelligheid, ja. Van mijn onderburen. Mensen die met bloemen en planten zeggen wat niemand over zijn lippen krijgt. Op het plastic stekertje van het tuincentrum staat dat lavendel al sinds de middeleeuwen bekendstaat om zijn kalmerende werking. Ook goed tegen spanningshoofdpijn.

'Maar het moet toch moeilijk zijn om nu alles alleen te doen.'

'Dat is het ook. Hoogstens beschouw ik het als een voordeel dat ik geen afscheid heb kunnen nemen. Ik kan mezelf nog steeds wijsmaken dat hij thuiskomt. Niet nu, straks. Volgende week. Heel vreemd. Je leest altijd dat een fatsoenlijk ziekbed behulpzaam is bij het verwerkingsproces of hoe dat heet. Het rouwproces. Donald is in zijn slaap gestorven. Zomaar. Na een feestje. Hij had niet eens veel gedronken, want de volgende dag wilde hij met Joy naar een edelstenen- en mineralenbeurs. Geloofde ik niet helemaal. Hij sprak met een dikke tong en waggelde onhandig...'

'Hij was dus wel thuis.'

'Ja, thuis. Bij mij. Ik weet nog dat hij, voordat we naar bed gingen, voortdurend met zijn hand over zijn wenkbrauw wreef. Het was te vroeg in het jaar voor muggen. Maar het voelde, zei hij, alsof hij net gebeten was. Nog geen jeuk. Een dunne naald, zei hij. Of dat je zon-

der het te merken tegen de deurpunt van een openstaand keuken-
kastje bent gelopen. Een zwaar, hangend ooglid. Toch een paar glazen te veel, dacht ik. Vond ik zelfs wel leuk. Zo vaak liet hij zich niet
gaan. Weet je wat ik kortgeleden nog dacht?'
    'Nee.'
    'Dat het jou net zo goed zou kunnen gebeuren. Bij een hoer.'
    'Bij hoeren slaap je niet.'
    'Dat weet ik ook wel.' Ik heb er plezier in Berkman zo aangedaan
te zien. Zijn ogen zijn rood, maar hij huilt niet. Uit piëteit met mij.
Om hem nog treuriger te maken, ga ik naast hem staan. Ik leg een
hand op zijn schouder, knijp erin. Hij buigt zijn hoofd en staart
naar de vloer. Gelukkig zegt hij niet dat hij mij moet troosten, in
plaats van andersom. Na een minuut of wat ga ik weer zitten. 'Soms
ben ik jaloers op hem,' zeg ik. 'Dat hij al mocht – en ik maar moet
wachten. Zoals je mensen hebt die al van kinds af aan weten dat ze
in een verkeerd lichaam zijn geboren, zo besef ik al sinds mijn kleutertijd dat ik überhaupt niet geboren had moeten worden. Niet in
dit lichaam? Niet in een lichaam. In geen enkel lichaam.'

Een uur later is Berkman vertrokken. Hij heeft een stilte achtergelaten waarin ik mijn eigen gedachten goed kan volgen. Natuurlijk
zal hij op weg naar huis, of in de loop van de volgende dag zijn conclusies trekken, dat kan ik niet tegengaan. Maar hier, in de stoel van
Donald, als bij de dode op schoot, heeft hij kalm geluisterd naar een
verhaal dat even kinderachtig als schandelijk is.
    Een verhaal? Fragmenten. Het topje van de ijsberg.
    In de nacht van Donalds overlijden ben ik vreemdgegaan. Niet
met één, maar met drie mannen. Met een vader van school, met
Ruben Herfst, met een oude vriend die we die avond op het feest
hadden ontmoet. Een droom waarin ik me liet verleiden, gespeeld
onwillig, het hart kloppend in mijn keel. Bijzonder pornografisch
was het allemaal niet. Glimmend vlees en ruige standjes bleven ach-
terwege. Wel werd ik gekust. Ik stroomde uit in vreemde open armen, was zo dicht bij de gezichten van de mannen dat ik hun wimpers kon tellen. Mijn tong kende iedere onregelmatigheid in hun
gebit.
    Ook ik had die avond niet veel gedronken. Toch danste mijn
bloed. Op het ritme van muziek die me onbekend voorkwam drukte ik mijn dijen tegen elkaar en voelde het daarbinnen zwellen.

Of ik mezelf in mijn slaap heb aangeraakt weet ik niet.

Of ik Donald, die naakt naast me lag, heb aangeraakt weet ik niet. Ik ben even wakker geweest, herinner me dat ik dacht: zal ik eruit gaan? Moet ik niet naar de wc? – maar wilde ik dat om een einde te maken aan mijn opwinding, of...? Heb ik echt alleen maar over seks gedroomd, of met vol bewustzijn doorgefantaseerd op een onschuldig gesprekje dat me te binnen was geschoten in de paar minuten dat ik wakker onder het donsdek lag?

Hoe lang heeft de doodsstrijd van mijn man geduurd? Was het een strijd? Vlak voordat ik klaarkwam werd ik wakker. Nee. Liet ik mezelf wakker worden. Zelfs in mijn diepste slaap geldt die zelfopgelegde regel: mijn orgasmes zijn voor Donald. Er was niets verbodens aan masturberen, noch aan komen in een droom, zolang ik daarbij in gedachten samen was met mijn wettige echtgenoot. Anders moest ik stoppen.

Rare, ondernavelse moraal. Een oprecht verlangen, dat ook. Ik bedrieg je in mijn verbeelding, per ongeluk misschien, soms tienmaal op een dag, maar nooit tot het einde. Mijn ziel geef ik niet weg. De metafysica van de begeerte, en inderdaad, ik heb mijn ziel (als die al bestaat, als ik die heb, of ben) keurig binnengehouden, maar aan mijn schuldgevoel verandert dat weinig.

Overspel is overspel, zelfs als er niet met vuur is gespeeld. Dromen zijn van lucht en water, zeg ik steeds. Dromen zijn onstoffelijk. Dromen zijn geen vis, geen vlees. Dromen is: duiken, zwemmen, drijven, vliegen, varen, zweven en zwermen – meer niet. Minder ook niet. Donald ging dood terwijl ik me onderdompelde in koorts en troost. Misschien kom ik niet aan verdriet toe omdat mijn zelfhaat alle ruimte opeist.

Ik ben een slet en een bedriegster.

Ware woorden van Sarah Miles. Maar anders dan Greenes personage moet ik blijven leven. De goede moeder uithangen. Schijngevechtjes voeren tegen de rotzooi, tegen deadlines, tegen mijn gebrek aan eetlust. Een slet en een bedriegster, en heilig word ik er niet door.

Zoals zijn vrouw Berkman had aangeraden een dagboek bij te houden, zo raadde hij mij daarnet aan het op te schrijven. Niet alleen deze ervaring, maar alles. Makkelijk praten.

Ik ben begonnen, meteen, bij Afrika. Weet precies wat daar aan het licht kwam. Mijn ondervoede lust. Ben nog niet moe. Maar ook mijn eigen geschiedenis moet zich houden aan de wetten die gelden voor mijn reportages. Al zal geen hond het verhaal dit keer lezen, ik kan mijn eigen eisen aangaande stijl en opbouw onmogelijk loslaten. Herlees de opening tot vijf keer toe, verander wat aan de woordvolgorde, corrigeer een 'slip of the keyboard', zoals Ruben dat noemt. Hij bedoelt een 'slip of the fingers'.

Nadat alle fouten zijn verbeterd, klik ik het document weg en start het patience-programma op.

Zo besluit ik de avonden waarop het me aan energie ontbreekt om mijn dag met een gefingeerde Donald door te nemen. Het beeldscherm wordt heldergroen en de speelkaarten komen tevoorschijn. Geen mensenhand die zo goed schudt, de rijtjes zo kaarsrecht neerlegt. Anders dan bij computerschaken of -dammen wordt nergens de suggestie gewekt dat ik tegen een ander speel. Mijn computer doet niet alsof hij kan denken. Logisch: patience is nooit een gezelschapsspel geweest. Ik speel tegen het toeval en wordt daar steeds beter in. Gok dat de kaart die vrij ligt, maar me nu nog zijn lichtblauwe rug toont, schoppenboer is. Waaraan meen ik dat te kunnen zien? Maakt het uit of ik gelijk heb? Ik houd van het gissen, aarzelen en hopen, zonder enige houvast of aanwijzing.

Vals spelen kan niet.

De kaarten worden niet beduimeld door mijn vingers. Kreuken niet. Geen merktekens. Ze blijven na honderd rondes nog steeds brandschoon, en draaien zich braaf om op commando van de muisklik. Alsof ik de God ben van het laatste Oordeel en de doden in hun kist tot leven wek, met minder dan een hand, een woord.

*

Nog steeds zijn er mensen in het park. Tussen de bomen langs het water zijn slingers gespannen. Kleurige vaantjes die in het licht van de lantaarns allemaal een andere grijstint hebben en zacht klapperen in de droge wind; vleermuizen die op hun kop hangen, hun vleugels vastgeplakt aan de balken van een leegstaande torenkamer. Op een deken in het gras zitten een paar jongens en een meisje. De laatste gasten van een feest dat veel omvangrijker moet zijn geweest, getuige de kratten en lege flessen om hen heen. Plastic bordjes, bekertjes, bestek, twee reusachtige thermoskannen waarin waarschijnlijk koffie heeft gezeten – op een uitgeklapt viskrukje ligt een gitaar.

Tijdens zijn korte wandeling naar huis zal Berkman nog veel van dergelijke kaalgeplukte gezelschappen tegenkomen. Aan de overkant van het meertje laat iemand zijn gitaar niet onberoerd liggen. Getokkel. Onzuiver, en zonder ritmegevoel. Een hoge vrouwenstem zingt. Namaaktalent, een geforceerde hitparade-snik, maar zo te horen is de artieste erg blij met zichzelf. Met dank aan weed en witbier.

Midden op de weg liggen tomaten. Vijf, zes. Tot moes gereden door fietsers, platgetrapt. Iemand die opgewekt naar een avondpicknick is gereden, de doos met alle in de haast bijeengegriste ingrediënten voor een salade Caprese onder de snelbinders. Iemand heeft ooit bedacht dat je met een plaid, een mand vol etenswaren en een paar flessen koude rosé je eigen tuinfeest kunt houden in gewoon maar het Vondelpark, en als een griep heeft dat idee zich verspreid. Zomer = vrijheid, vrijheid = eten en drinken in de openlucht, de openlucht = het park. Een stil plekje wordt niet eens meer gezocht, natuurbeleving evenmin; huid aan huid zitten mensen het leuk te hebben, in de geur van elkaars zweet en antizonnebrandmelk, tussen afgekloven karkassen van andermans gegrilde kippen en hun eigen sigarettenpeuken.

'Er is een taboe,' had Lot daarstraks gezegd, 'op het kennen en koesteren van taboes. Neem jouw prostitueebezoek. Je moet het me niet kwalijk nemen, maar ik heb het er met een vriendin over gehad. Je naam heb ik niet genoemd, al zou ze toch niet weten wie je bent... Die vriendin was verontwaardigd toen ze hoorde dat de reportage waar ik mee bezig was, over de buschauffeur en zijn vrouw, *eigenlijk* moest gaan over de onverschilligheid van de gemiddelde Nederlander ten aanzien van allochtonen. En terecht. Ik bedoel, haar boosheid. Maar dat ík verontwaardigd was, nog steeds ben, over jouw... Vond ze raar. Zei ze: "Je weet toch dat mannen..." Zei ze: "Juist de zedenprekers..." Werd het hele lesje weer eens voor me opgedreund, dat mannen seks en liefde nu eenmaal goed kunnen scheiden, dat er altijd die behoefte aan scoren bij komt, vooral bij degenen die toch al de godganse dag door testosteron worden opgedreven... Prestatiedruk, stressverslaving... Haalde ze er ook nog de behoefte bij om betrapt te worden... Freud, uiteraard ook Freud. Darwins survival of the fittest, recent hormonenonderzoek... En dan de blijde boodschap: "We mogen in onze handen knijpen dat er überhaupt hoeren bestaan. De wereld zou er een stuk onveiliger voor ons uitzien als het vak verboden zou worden. Want de behoefte aan onpersoonlijke, impulsieve seks blijft. Bij al die kerels, hoe beschaafd ook. Dus zou er veel meer worden verkracht, en daar moet je toch ook niet aan denken." En dan de persoonlijke toevoeging: "Ik zou het natuurlijk niet leuk vinden als ik ontdekte dat mijn eigen man... Ik zou hem alle hoeken van de kamer laten zien, of hem meteen de deur uit trappen. Denk ik. Aan de andere kant... Liever kom ik erachter dat hij een hoerenloper is dan dat hij al jaren een stiekeme verhouding heeft. Een vriendin heeft, verliefd is. Dat is pas bedreigend. Liever dat hij zijn ding af en toe in een anonieme vreemde parkeert dan dat hij alles, dus ook zijn gevoelens, met iemand deelt. Met iemand die hij waardeert om andere zaken dan alleen haar lichaam." De bekende riedel. En ik hoor mezelf ja en amen zeggen. Maar, Wieger, ik ben het er niet mee eens. Hoe kun je houden van iemand voor wie de behoefte aan seks gelijkstaat aan andere basale behoeftes, zoals eten en drinken? Hoe kunnen mannen, maar ook vrouwen, mijn vriendin voorop, zo makkelijk praten over...? Als het waar is dat seks niet meer is dan eten en drinken, waarom ligt het park dan niet vol met parende mensen? Waarom kijkt niemand ervan op als je op straat een ijsje eet, in een kroket bijt, terwijl...'

Berkman loopt het laantje in dat voert naar zijn eigen straat. In de struiken bij de uitgang zit een donkere gestalte. Diep in slaap, bemerkt Berkman als hij dichterbij komt. Met zijn rug leunt de zwerver tegen de spijlen van het hek. Aan zijn voeten ligt een zwarte bouvier. Of die ook slaapt kan Berkman niet zien. Hij heeft het niet op honden. Hoopt dat het beest niet zal gaan blaffen als het zijn voetstappen hoort. Het zweet staat in zijn sokken, zijn schoenen, in zijn handpalmen. Zal hij omlopen? De grotere uitgang nemen, bij de Van Baerlestraat?

Als hij hier lang blijft staan, aarzelend, wordt de kans dat het dier ontwaakt steeds groter. De geur van Berkmans vrees zal de natte neusgaten bereiken en misschien zal de hond geen kik geven, maar onmerkbaar op hem toe sluipen, opspringen, zijn vijand naar de keel vliegen. Berkman onderdrukt een zucht. 'Diep dooradem,' zegt Petra zodra ze, meestal eerder nog dan hij, een hond ontwaart. Op dit moment laat Berkman het Petra weer zeggen, zoals Lot Sanders haar overleden echtgenoot tegen haar laat praten. Hij ademt diep door, op Petra's advies, maar er verandert niets in zijn lichaam. Alsof zijn spieren in het slot zijn gevallen. Zijn borst schokt.

Er moet een verklaring voor zijn hondenfobie zijn. Voor alles bestaat een verklaring – Lot had er daarnet nog over geklaagd. In Bolivia had de familie Berkman een waakhond gehad: Gesus. Een geintje van zijn vader. Gesus, bescherm ons. Gesus, ontferm u over ons. Had het beest hem ooit gebeten? Tijdens een stoeipartij?

Berkman herinnert zich foto's van hemzelf als twee-, driejarige. Hij droeg een ribfluwelen tuinbroekje. Een belachelijk vilten indianenhoedje op zijn witblonde hoofd. Op de patio, tussen palmachtige planten met onwerkelijk paarse en roze bloemen, speelde hij met het enorme beest, lachend.

Toen nog wel. Maar misschien was er kort daarna iets gebeurd. Zelfs al zou Gesus niet daadwerkelijk gebeten hebben, dan nog kon een speelse uithaal met zijn poot een trauma... Berkman huivert. Trauma! Het is toch godgeklaagd dat dat woord te pas en te onpas van stal wordt gehaald. Mensen die een concentratiekamp hebben overleefd, ja, die hebben een trauma. Incestslachtoffers. Maar hij?

De zwarte hond verroert zich nog steeds niet. Is fobie niet ook al een te zwaar begrip? Waarom is hij te voet naar het feest gegaan, en niet op de fiets? Iemand die de hele dag aan zijn fobie denkt, denkt ook de hele dag aan manieren om zoveel mogelijk risico te vermijden. Zijn angst regeert Berkman niet. Wie is er op het idee gekomen hem een fobie aan te praten?

Vragen van hemzelf, nu weet hij dat het ook de vragen van een ander zijn. Verzet tegen de verregaande therapeutisering en normalisering van het gemoed. Met gebalde vuisten loopt Berkman langs de zwerver en het slordig gekrulde mormel naast hem. Ze blijven vast in slaap.

Toch durft Berkman zich pas bij zijn voordeur te ontspannen.

Het licht in de keuken is nog aan. Op de eettafel ligt een briefje. *Sorry dat ik alvast naar bed ben gegaan. Ik wil morgen een beetje fit zijn, de kinderen rekenen erop dat we gaan zwemmen. Heb je het leuk gehad? Kusjes van ons alle drie.*

Voordat hij naar boven gaat, neemt Berkman nog een boterham met kaas, een glas multivruchtendrank. 'Met toegevoegde vitamines' staat er op het pak. Een ijskast gevuld met verantwoorde producten. Na de geboorte van hun eerste kind is zijn vrouw een gezondheidsfreak geworden. Op het prikbord aan de keukendeur een formulier met de codes van gevaarlijke kleurstoffen, smaakstoffen en conserveringsmiddelen. Eronder een paar knipsels, over het hoge gehalte aan penicilline in rund- en varkensvlees, over kankerverwekkende chips, bedorven ofwel met zware metalen vervuilde supermarktvis, over de giftige chemicaliën in fruit, snijbloemen en cosmetica. Geen woord over BrotherFood. Petra ligt niet wakker van de ellende in de wereld, maar wil uitsluitend haar gezin van ziekte vrijwaren. Van dood.

Mocht hij of een van de kinderen onverhoopt leukemie krijgen, dan is haar geweten brandschoon. En het zijne ook, want de paar keer in de maand dat hij de boodschappen doet, houdt hij zich bij het opstellen van het lijstje nauwkeurig aan de aanbevelingen op het prikbord.

Berkman vraagt zich af of zijn vrouw op dit moment ook droomt van liaisons met vreemde mannen. Ze kan kreunen in haar slaap. Heel soms betrapt hij haar met haar duim in haar mond.

Sabbelgeluiden, een kwijldraad op haar kin. Gesteld dat Petra overspelig is, in haar fantasie, uitsluitend in haar fantasie, dan heeft hij niet het recht haar dat kwalijk te nemen.

Berkman tilt het deksel van het koffiezetapparaat om te zien of het al is gevuld. Aan alles is gedacht. Het digitale klokje is geprogrammeerd; om half acht stipt druppelt het kokende water door het filter, en tien minuten later staat er een dampende mok op zijn nachtkastje. Uitslapen mag, maar hij houdt er niet van.

Hardlopen wil hij. Niet eens om strak te blijven, een goede conditie te behouden – hij moet zijn indrukken eruit zweten, de zinloze gesprekken die anders in zijn hoofd blijven rondtollen, autonoom, alsof iemand een luciferhoutje tussen de repeatknop van zijn geheugen heeft gestoken, zoals kinderen dat vroeger deden bij elektrische deurbellen. Hij moet mensen verliezen, hun namen, functies, opinies, allemaal ballast, kleverige kauwgum onder zijn zolen, vaartverhinderaars. Hardlopen is de meest letterlijke manier om anderen de grond in te stampen. Mentale hygiëne.

'Het is zo vreemd,' had Lot gezegd, 'om door te leven met dit schuldbesef en te weten dat er helemaal niemand bestaat die mij iets verwijt. De vriendin die jouw hoerenbezoek hooguit vermakelijk vindt, maar eerder nog voor de hand liggend... Die mijn woede erover niet begrijpt en afdoet als naïef – diezelfde vriendin zou in lachen uitbarsten als ik ook nog eens was komen aanzetten met mijn eigen biecht. Ik heb Donald toch niet werkelijk bedrogen? Geloofde ik serieus dat ik de enige getrouwde vrouw was die wel eens erotische dromen had over andere mannen dan haar eigen man? Talkshows, damesbladen, zelfhulpboeken, overal hoor en lees je dat geen sterveling honderd procent monogaam is en dat degenen die dit wel van hun geliefde of van zichzelf eisen, iets zo wezenlijks ontkennen dat ze er op den duur ziek van kunnen worden. Paniekstoornissen, psychosen, neurosen, kanker zelfs... Een gezonde relatie valt of staat juist met de vrijheid om ten minste in je verbeelding af en toe... Totale eerlijkheid houdt geen mens vol. Ik weet het en heb het zelf ook vaak geroepen. Kon er niet tegen als Donald zei dat hij nooit... dat hij niet eens keek naar andere vrouwen. Maar nu haat ik mezelf. Om iets wat natuurlijk heet, normaal, menselijk. Soms denk ik: ik moet ermee naar een priester. Iemand moet zeggen dat ik een doodzonde heb begaan. Iemand moet schrikken, me bestraffend toespreken, veroordelen. Mijn wandaad net zo ernstig nemen, of liever nog ernstiger dan ik doe. Het gaat me niet eens om vergeving. Het interesseert me niet of ik wel of niet in de hemel kom – ik wil dat iemand zonder ironie zegt: "Jij bent fout." Een onmogelijkheid. Zelfs de meest conservatieve pastoor leest tegenwoordig psychologische studies en weet hoe het onderbewustzijn, ook het onderbewustzijn van vrouwen, werkt. Alleen ik voel mezelf een slet. Alleen ik leef met de pijn dat ik er niet bij was toen Donald... Terwijl ik naast hem lag, verdomme.'

Mocht alles opschrijven niet werken, zoals hij haar daarnet had aangeraden, dan kan het hardlopen Lot misschien helpen. Toch ook een vorm van loutering. Op de mat in de gang staan Berkmans Puma's al klaar. En boven, in zijn studeerkamer, hangen zijn broek en sportshirt over de rugleuning van zijn bureaustoel. Een paar badstoffen sokken, in elkaar gerold tot een bolletje, ligt op de zitting. Voorbereidingen die hij de afgelopen middag al heeft getroffen, voordat hij in een schoon overhemd naar de verhuisborrel was gegaan. Zelfdiscipline. Berkman knipt het licht uit.

In de badkamer neemt hij de tijd voor een precieze flosbeurt en mijdt het oogcontact met zijn spiegelbeeld daarbij niet. Hij weet dat Petra hem straks of morgenochtend zal vragen waar hij zo lang is geweest. Hij weet ook dat hij iets vaags zal zeggen over een etentje, collega's, nog meer collega's, erna naar het café. Leugens zullen het ditmaal niet zijn. Hij heeft bij een vrouw gezeten, die hij bij het afscheid vriendschappelijk heeft gekust, op beide wangen. Verder is er niets gebeurd. Ook bijgedachten heeft Berkman voor het eerst in jaren niet gehad. Van haar blik, figuur en de omvang van Lots borsten herinnert hij zich nu al minder dan van het silhouet van de zwarte bouvier in het park.

*

Het huis was zo slecht nog niet. In de vensters zat geen glas, dat was te duur geweest. Roestige spijlen moesten grijpgrage vingers tegenhouden. Achter elk vierkant raamgat hing een bedrukte, maar verschoten lap katoen. Wij zouden het armoedig noemen, zo'n fantasieloos blok steen, maar vergeleken met andere huizen in de stad was dit nog een tamelijk comfortabel onderkomen, koel en stil.

Het mannenvertrek werd voor Donald en mij in gereedheid gebracht. Dat wil zeggen: de broers die gewoonlijk in de kamer sliepen, rolden hun kapokmatrassen op, hun lakens en dekens, en vertrokken met hun spullen naar een huis verderop in de straat. Nadat ze zich daar hadden geïnstalleerd, hun bedden tussen die van hun buurmannen hadden gepropt, kwam een van hen terug om de oudste zus opdrachten te geven. Ze bezemde de betonnen vloer, legde stukken tapijt over de vochtige plekken, rolde nieuwe matrassen uit, maakte de veldbedden op met vaak versteld maar brandschoon linnen, gaf ons allebei een sloop waarin we wat kleren konden doen, truien en T-shirts, tot ons kussen de gewenste dikte had.

Speciaal voor mij werd er een gebarsten passpiegel tegen de kale wand gezet. Geen woord sprak de zus, maar ze lachte veelvuldig naar mij, en duwde me grinnikend maar gedecideerd weg als ik haar wilde helpen. Buiten vulde de jongen een scheepslamp met olie of petroleum, ik weet het niet meer, en hij toonde Donald hoe het ding te ontsteken. Ooit hadden ze elektriciteit gehad, ja, toen hun vader nog leefde. Nu was daar geen geld meer voor. De gloeilamp en de grote ventilator aan het plafond in onze kamer hingen lijdzaam aan hun snoer, in afwachting van betere tijden. Er moest een dag komen waarop de stroom weer betaald kon worden. Misschien bracht onze komst die dag dichterbij.

Donald was geen man van medelijden. Dat bewonderde ik in hem. Waar ik soms door mijn eigen sentimentaliteit werd aangevlogen, een traan als een bijtende zweetdruppel in mijn ooghoek voelde, schijnheilig welvaartsgif, bleef Donald overeind. Hij luisterde, keek, en ieder schrijnend relaas schreef een nieuwe jaarring bij. Als een boom, zo stond hij te midden van de klagende Malinezen. Al was de rode aarde van droogte gebarsten, zijn wortels wisten nog een druppel hoop aan te boren, je zag het sap door de stam schieten, treurig geel gebladerte kreeg glans, een denkbeeldige parasol spreidde zich boven de hoofden van omstanders uit. Zijn organisatie zou schaduw terugbrengen, gemeenschapszin, gemoedelijkheid, een overvloed aan vruchten; ik zag hoe hij na iedere bijeenkomst met boeren, handarbeiders en leraren weer sterker was geworden. Een rotsvast vertrouwen in zijn goede zaak.

De oudste zoon van de familie Traoré bracht Donald met zijn taxibusje naar de dorpen buiten Bamako. Soms ging ik met hen mee de binnenlanden in, ontmoette katoenboeren, logeerde in de rieten hutten of lemen huisjes die ook hier voor ons werden ontruimd, zat 's avonds op de grond rond een vuurtje waarop cashewnoten werden geroosterd, luisterde naar de zangerige verhalen, maar na een paar keer geloofde ik de lange tochten wel. Mopti, Segou, prachtige stadjes, met schitterende klei-architectuur langs de wegen – ik kende de hele Dogon-verkleedkist, de maskers, de dansen die werden verkocht als oeroude cultuur. Ik kende de toon van het licht, de overtochten in schommelende kano's over de brede, vuilniszakkleurige rivier, de drukte aan de oevers, het getors met visfuiken en netten, het spartelen van de baarzen, het gekakel van de vastgebonden kippen in een mand die per se naar de overkant moest, ook al was de veerboot daar veel te smal voor. Een paar keer had ik nu zelf in zo'n bootje gezeten, de enige passagier die niet angstig was want in het bezit van drie zwemdiploma's, terwijl Donald en onze chauffeur zich een paar meter verderop in het zweet werkten om de jeep door het ondiepe water naar de overkant te duwen. Eenmaal daar aangekomen volgden uren van vergeefs gesleutel om de motor weer aan de praat te krijgen. We wist alle drie dat het een kwestie van wachten was tot het vocht verdampt zou zijn, maar onze vriend wilde bewijzen dat hij geen luie neger was. Geen enkele tang uit zijn gereedschapszak bleef ongebruikt; hij had de spullen duidelijk niet voor de sier, dat we dat maar goed begrepen...

Waarom denk ik eigenlijk dat ik in Afrika moet beginnen, dat daar mijn lichaam... is bevrijd? Zo stuitend karikaturaal. Vijftigjarige Hollandse vrouwen die in Kenia en Gambia forsgeschapen oerlullen aan de haak slaan – ik had er zelfs nog eens een artikel aan willen wijden, maar geen zin gehad in weer zo'n reis. Dat het continent de zintuigen bespeelt, dat weten we nu wel. Dus ik begin opnieuw. En zeg tegen mezelf dat het allemaal niet goed hoeft te zijn. Ik schrijf dit niet voor publicatie. Voor Berkman doe ik het. Hooguit voor hem. Omdat ik niet meer zonder de gedachte aan ten minste één lezer kan? Nee. Of misschien ook wel. Voor hem. Ik moet beginnen met het weinige waar ik van houd.

Waar houd ik van? Ik houd van pubs. Het rode of donkergroene tapijt dat doorloopt tot in de wc's, de mahoniehouten toog die door ambachtelijke krullendraaiers is bewerkt tot het meubel oogt als een altaar in een barokke kerk, de spiegels erachter en het glanzende koper van de tapkranen; kneuterigheid uit vervlogen tijden, antieke kitsch, en daardoor weer plechtstatig.

Dezelfde eerbied die je voelt voor hoogbejaarde bouwvakkers, vissers, boeren en fabrieksarbeiders. Hun gelooide huid, de vochtige, starende ogen en de stramme, rechte rug geven de opa's alsnog een aura van wijsheid en gezag, harde zwoegers voor wie je buigt ook al praten ze plat, verkondigen ze dubieuze praatjes en luisteren ze in hun met rommel volgestouwde kamers naar Jordanese levensliederen – terwijl je hun jongere collega's alleen maar stompzinnig kunt vinden, seksistisch, smakeloos.

Ja. Pubs tonen de binnenkant van het oudemannenhart dat is gekalmeerd, de driften heeft omgezet in schemerige warmte, in een damp die alle onvolkomenheden van hen die zich er hebben genesteld aan het zicht onttrekt.

Ik houd van de trapjes op en af, de zitjes in hoeken en onder verlaagde plafonds – hier een gelagkamer voor families met peuters, de vloer is er van ongelakte planken en er staat een plastic kinderstoel opgeklapt tegen de muur, daar een salon voor de vaste klanten, achter een wandje van glas in lood sproeit een televisie schelle kleuren in de gezichten van de professionele drinkers. Eurosport, af en toe onderbroken door BBC News. Gele lampen met stoffige kappen, ingelijste foto's aan de muur, verkleurd zwart-wit, van vooroorlogse cricketteams, debatingclubs of illustere uitbaters van de zaak.

The Golden Fleece, The Eagle and Child, Lamb and Flag; veilige namen die hooguit verwijzen naar de afbeelding op het uithangbord, meer niet. The White Swan en The Black Lion zijn volkomen inwisselbaar. Ik houd van pubs en nadat mijn moeder, Joy en ik ons hadden geïnstalleerd in ons Yorkse hotel, liepen we door de regen naar het centrum van de stad, om een echte Britse lunch te gebruiken.

Te vet, te zout, een dikke rundersaucijs met een klodder zure, donkerbruine HP-sauce ernaast. Slappe friet en een *pint* Old Speckled Hen, Newcastle Ale of Guinness. Toppunt van thuiszijn. Van elders meer thuiszijn dan thuis.

Hits uit de jaren tachtig. Bittere cider van het merk Scrumpy Jack; alsof je een oude gabber bestelt, de bonte hond van het stel, uw gangmaker op feesten en partijen.

In een van de middeleeuwse straten vonden we een zaak die aan alle voorwaarden voldeed. Op het schoolbord buiten adverteerden ze met hun desserts en ik dacht aan Donald, die een diepe liefde had opgevat voor mijn warme apple-crumble met custard. Zag voor me hoe hij op zomerse dagen genoot van Eton Mess – een toetje van lobbig opgeklopte room, brokken mierzoet eiwitschuim, verse aardbeien en aardbeienlikeur. De lepel die hij naar zijn lippen bracht, bekeek hij door geloken oogleden. Vervolgens nam hij een hap, traag, en dan sloten zijn ogen zich helemaal. De room smolt op zijn tong, en tussen zijn tanden verkruimelden de stukken meringue, later voegde zich daar een uiteenspattende aardbei bij. Donald at alsof hij binnensmonds een lied oefende en bij iedere lepel bracht hij meer structuur aan tussen zalvig, bros, waterig en ten slotte stroperig, tot verhemelte en papillen meezongen met zijn verheven genot.

Daarna keek hij mij plotseling aan, als teruggekeerd uit een andere wereld, en ik meende dat ik zelf de Eton Mess was geworden, maar misschien hoopte ik dat alleen maar; in elk geval voelde ik me gekust tot onder mijn huid. Gegeten, gedronken. Leeg.

Mijn moeder zag dat de herinneringen aan Donald me naar de keel vlogen. Ze wist dat Donald en ik over pubs konden praten alsof we ze zelf hadden uitgevonden. Alsof ze uitsluitend voor ons waren gemaakt. Decors die plotseling uit het trottoir opschoten, compleet ingericht en volgestampt met bleke figuranten, zodra wij voet op Engelands bodem hadden gezet.

Ze pakte me bij mijn elleboog en leidde me naar binnen. Joy stond al aan een gokautomaat. Ze sloeg vergeefs op de lichtgevende knoppen.

Terwijl we op onze bestelling wachtten, maakten we plannen voor de komende dagen. Om beurten bladerden we in onze reisgids. In een rek naast onze tafel stonden folders met toeristische tips. Joy was bij ons komen zitten en schoof ons een paar flyers toe waarin reclame werd gemaakt voor Ghost Tours.

Drie, vier verschillende organisaties wierpen zich op als de perfecte gids door spookachtig York. Wilden we het gekrijs van vermoorde keukenmeiden horen? Het geklop en getik tegen de poortmuren waarbinnen drie monniken eeuwen geleden levend waren ingemetseld? Er was een geestentocht over het water, in een rondvaartboot – maar die begon pas om elf uur 's avonds, als het donker was. Op een ander velletje stond een foto van een groepje met bloed besmeurde kinderen, gehuld in armoedige weeshuiskleren, zittend op de trap naast de grote brug. Joy zag meteen dat dit geen gestalten van overledenen waren, het waren kinderen zoals zij, acteurs, met dezelfde brutale blik in hun ogen die ze kende uit de spiegel.

De meest aansprekende folder was zwart-wit. De grappigste, griezeligste tour voor het hele gezin, met een belangrijke prijs bekroond; op de foto stond een man met ernstig gezicht, holle zwarte ogen, met een kort, grijsdoorschoten baardje. Hij droeg een zwarte cape en een zwarte hoge hoed en leunde tegen wat leek op een grafsteen. 'Mag het, mama?'

Ik had mijn moeder aangekeken, mijn moeder keek naar mij. Was Joy er niet te jong voor? Zou ze erna de slaap nog wel kunnen vatten? Ik had als kind veel nachtmerries gehad, dat wisten we allebei nog goed. Maar mijn dochter was anders.

'Wat voor weer het ook is, u kunt elke dag aan de tour deelnemen. Verzamelen om half acht bij The Shambles,' vertaalde ik hardop en ik voegde eraan toe: 'Als we bijtijds eten kunnen we vanavond meteen meegaan,' op dezelfde vlakke toon. Alsof ook die zin in de folder stond. En niet door mijn moeder weersproken kon worden.

*

Als Berkman om kwart over negen terugkomt van het hardlopen, zitten zijn kinderen nog in hun pyjama voor de televisie. Petra is al aangekleed. Ze vraagt of hij nog iets nodig heeft; ze staat op het punt de boodschappen voor het weekend te doen.

Berkman kan niets bedenken. Hij kust zijn vrouw, pakt de krant van tafel, neemt hem mee naar zijn werkkamer en leest, onder het uittrekken van zijn sportkleren, de koppen. Om de kinderen niet te lang alleen te laten doucht hij vlugger dan anders.

Weer beneden vraagt hij of iemand zin heeft in een spelletje. Geen antwoord. 'Ganzenbord?'

Nu veert zijn zoon op. Hij doet niets liever dan ganzenborden. De gekte is begonnen na een bezoek aan Petra's opa, een man van in de negentig die nog steeds in zijn eigen huis woont, zelf schoonmaakt, zelf kookt en er prat op gaat dat hij nog dagelijks tien kilometer fietst, op en neer naar het graf van zijn vrouw. Rouw en gymnastiek gecombineerd; je wordt er kennelijk oud mee. Daarbij is mijnheer Rutgers geen zeurderig type. Al heeft hij een maand geen familielid gezien, gesproken, dan nog verwijt hij niemand iets. Hij begrijpt dat zijn kinderen en kleinkinderen hun bezigheden hebben en informeert ernaar met lichte spot in zijn stem, alsof hij blij is zelf verlost te zijn van verplichtingen – vooral van de sociale. Volgens Petra houdt hij nu meer van haar oma dan toen ze nog leefde en ook Berkmans schoonmoeder kan dat soms zeggen, kribbig: 'Mijn moeder krijgt tegenwoordig meer bloemen van mijn vader dan ze bij leven ooit heeft gehad.'

Het verwondert Berkman niet. Misschien geldt voor de meeste mannen dat ze hun gevoelens pas tonen als ze zeker weten dat die niet beantwoord kunnen worden. Beantwoord? Geïnterpreteerd. Gecorrigeerd.

Petra en alle vriendinnen die Berkman voor haar had gehad, bezaten de gave om beter dan hijzelf te weten met welke bedoelingen hij hun een brief had geschreven, een sieraad voor ze had uitgezocht, een vakantie had geboekt.

'Je bent niet stil omdat we afscheid moeten nemen, Wieger. Je bent stil omdat je moe bent. En je bent moe omdat je twijfelt. Aan ons. Aan jezelf. Weet je waarom jij onze weekends volplempt met enerverende uitstapjes? Omdat je dan geen twijfel hoeft te voelen.

Omdat je jezelf dan kunt wijsmaken... Als je echt van me hield zou je toch ook gewoon met me op de bank kunnen zitten? Zonder al die overdreven toestanden?'

Berkman weet niet eens meer wie dit gezegd heeft. Hij weet alleen dat vrouwen je leven woord voor woord herschrijven. Je gedrag van het moment, je voorbije daden, de herinneringen die je hun hebt toevertrouwd, je dromen en wensen. Petra doet het ook al bij hun zoon. Bruno houdt niet werkelijk van ganzenborden, zo'n oubollig bordspel is niets voor hem, hij speelt het alleen maar om indruk te maken op vriendjes die nog nooit een antiek object in handen hebben gehad.

'Als het maar niet gewoon is,' kon Petra zeggen. 'Als je maar opvalt, hè? Ga toch lekker voetballen, dat kun je ook hartstikke goed.' En Bruno verzette zich niet, want hij begreep dat zijn moeder, ondanks haar kritische toon, heimelijk trots op hem was. Morgen of overmorgen, over een paar jaar zou hij zijn afwijking gaan cultiveren. Zijn hang naar schoonheid zou worden overstemd door de hem aangeprate hang naar originaliteit en hij zou zelf niet meer weten of hij op zijn kamer Shostakovitsj draaide omdat de muziek hem roerde, of omdat zijn leeftijdgenoten op hetzelfde ogenblik niets beters wisten dan mee te bonken op de beat van ingeblikte techno.

Mannen worden niet geboren, ze worden gemaakt, denkt Berkman. Ze worden gemaakt door moeders en vrouwen.

Als Petra straks met de boodschappen thuiskomt en hij haar aanbiedt vanavond te koken, zodat ze langer bij het zwembad kunnen blijven, zal Petra zeggen dat hij dat alleen maar wil doen uit angst voor beschuldigingen over gisteravond. Maar lieve schat, ik ben niet boos.

Berkman gooit een vier. De ivoren gansjes van de kinderen zijn al halverwege de route. De zijne heeft nog geen stap gezet, want pas als je zes hebt gegooid mag je beginnen en juist die vermaledijde zes wil uit zijn vuist niet tevoorschijn komen. 'Jij kunt al niet meer winnen, pap,' zegt Bruno. Sophie, zijn dochter, kijkt hem onderzoekend aan.

'Dat vindt hij niet eens erg,' zegt ze tegen haar broer. 'Papa wil niet winnen. Hij wil alleen maar dat het opschiet. Toch? Dat er gauw iemand wint, maakt niet uit wie. Zodat hij weer iets anders kan gaan doen.'

Het is waar. Berkman weet het. Hij wil inderdaad gauw klaar zijn, maar om dat te verbergen juicht hij overdreven als de kinderen een beurt moeten overslaan, of zeven vakken terug worden gestuurd. Haha, hij heeft nog een kans... Bruno laat zich door het fanatisme en optimisme van zijn vader bedwelmen. Wordt kwaad over het leedvermaak van de achterblijver, en slaat met een gemene opmerking terug als zijn vader voor de zoveelste keer een vijf gooit. Hard tegen hard, zonder dat hij bemerkt dat Berkman in gedachten ergens anders is.

Sophie is nu al een vrouw. Acht jaar en ze begrijpt dat Berkman alleen spelletjes speelt om een hartelijke vader te lijken.

Ze vermoedt waarschijnlijk ook dat de haast die hij met dit potje ganzenbord wil maken, zijn wortels heeft in de haast die hij bij het vaderschap voelt. Berkman kan niet wachten tot zijn kinderen het huis uit zijn, liefst met allebei een gymnasiumdiploma op zak, en zich met iedere vezel van hun volgroeide lichaam verheugen op hun te volgen studies. Bruno en Sophie op kamers. Op wereldreis. Na een handvol mislukte liefdes een vaste vriend of vriendin, dan een baan, een nog betere baan, een eigen huis, kinderen. Het project eindelijk voltooid. Berkman wil resultaat van zijn en Petra's inspanningen zien. Oogsten.

Een objectieve bevestiging dat hij het goed heeft gedaan. Complimenten vertrouwt hij nooit. Wat anderen succes noemen, is niet meer dan gebakken lucht. Maar als je de wereld twee harmonieuze, vriendelijke, werklustige, intelligente volwassenen kunt schenken, heb je geen loftuitingen meer nodig. Dan zie je met eigen ogen...

Bruno's blauwe gans is nog maar twee stappen van de overwinning verwijderd. Als Sophie nu zes gooit, haalt ze hem in en komt haar de eer toe. Berkman hoopt op het laatste. Hij houdt er niet van als er vlak voor de finish nog een hoop gedoe ontstaat, met pasjes vooruit en weer achteruit en in het ergste geval een slag waarbij de gedoodverfde winnaar weer opnieuw moet beginnen. Bruno gooit een drie. Verkneukelt zich op wat komen gaat – hij vindt een verwarrende toestand tegen het einde van het spel juist het toppunt van spanning. Berkman gooit een zes en sist tussen zijn tanden: 'Hèhè, eindelijk. Jaha, jongens! Er kan nog van alles gebeuren...' Sophie gooit vier. Haar gansje staat nu pal achter dat van Bruno. Berkman hoort Petra thuiskomen.

De tassen uitpakken. Ze roept in de richting van de kamer of de kinderen eerst hun zwemgoed willen aantrekken, en daarna hun gewone kleren.

'Nog even dit potje afmaken,' roept Bruno terug. 'Ik ben er bijna! Als ik één gooi...' Hij rammelt met de dobbelsteen in zijn hand en gooit één.

Sophie feliciteert de uitzinnige winnaar met een slap handje en kijkt naar Petra, die de kamer binnen komt. Een blik van verstandhouding. God, wat zijn jongens toch kinderachtig. Bruno springt nog steeds op en neer, gooit de kussens van de bank in de lucht, vangt ze weer op, springt nu zelf op de bank, bijt in de kussens alsof het de gezichten van zijn aanbidsters zijn, fans die na de wedstrijd in de kleedkamer op hem hebben zitten wachten en nu verlamd zijn door de hartstochtelijke tongzoenen die hij zomaar uitdeelt, ziek van geestdrift als hij nog is.

Plotseling denkt Berkman aan de seminarist die hij in het vliegtuig heeft ontmoet. Door diens superieure houding had zich de vergelijking opgedrongen met een sporter die door iedereen fel wordt begeerd, juist omdat hij geen enkele emotie laat blijken. Het was niet onwaarschijnlijk dat deze Mark, Martijn, Marcel of hoe heette hij... Maurice in zijn jeugd precies zo had gedanst en geschreeuwd als Bruno nu. Meisjes en vrouwen om hem heen hadden gezegd: 'Stel je niet aan, het was maar een spelletje, toeval, een dobbelsteen werpen is geen kunst, man, je gedraagt je als een kleuter', en hij had zich de boodschap aangetrokken, de uitzinnige winnaar in zichzelf opgesloten, nee, in een diepe put gegooid. Van zijn jubel restte nog een vervormde echo.

Een onverstaanbare, vage klank die net zo goed voor een jammerklacht kon doorgaan. Het wonderlijke was dat dezelfde meisjes zo'n klacht heel aantrekkelijk vonden. Mannelijk. Melancholie als voorbode van oneindige wijsheid. Het spel werd voor hen pas interessant als een man ondoorgrondelijk heette, of liever: als er voor hen iets te doorgronden viel. Zo was het. Eerst dwongen ze je je eerste natuur in de ban te doen, daarna ontwikkelde je een tweede natuur die hoe dan ook mysterieus was: ze dekte namelijk iets wezenlijkers af. Vervolgens moest dit wezenlijke gevonden worden, opgediept en opgehelderd – liefst was de vangst een droevige; een tere, gebutste ziel die troost behoefde. En als je ten slotte naar waarheid beweerde dat er in de put niets meer zat dan een klein, blij jongetje, een overenthousiaste triomfator, kreeg je straf omdat je loog. Omdat je niets anders kon dan liegen, altijd.

Zo bezien had de priesterstudent de beste weg gekozen.

Hij kon levenslang in het stadium van de ondoorgrondelijke mooie jongen blijven. Om hem heen zouden mensen, vrouwen, blijven gissen en vissen naar zijn ware aard. En hij zou ze niet toelaten, niets geven. Dat was de rolverdeling. Hij was de trooster, en troosters mochten zelf geen troost aannemen, anders waren ze niet geloofwaardig. Maurice zou zeggen: 'God troost mij', als een parochiane op intimiderende toon over het door haar vermoede verdriet in zijn ogen begon. Daarmee was de kous af.

God troost mij, Christus troost mij, Maria troost mij – wat de priester ook aan transcendente hulpjes zou opvoeren, hij zou er alleen maar raadselachtiger en dus opwindender door worden. Hij was nooit te bezitten. Hij zou dus ook nooit iemand teleurstellen. Geen mens zou zeggen: 'Ik ken je nu zo goed, dat ik weet dat je liegt als we het over je gevoelens hebben.' Derde, vierde, vijfde, zesde naturen zouden Maurice worden toegedicht. Zonder dat hij er erg in had zou er over hem worden gespeculeerd – over zijn erotische fantasieën die, omdat hij ze niet mocht uitleven, toch duisterder en doorwrochter moesten zijn dan die van 'normale' mensen, over zijn liefde die zoveel ruimer moest zijn dan het kleurloze relatiegemodder waaraan 'gewone' mensen zich overgaven, zoveel lichter en warmer bovendien, omdat ze gedrenkt was in gouden kosmoslicht – hij zou omsponnen worden door verhalen die natuurlijk meer zeiden over de verlangens van de maaksters dan over hemzelf, maar dan nog. De priester kreeg op den duur een zevende natuur.

Die van de ideale minnaar.

Alles wat de priester zei en deed, verborg alles wat hij niet zei en deed. Iemand zou zich afvragen of Maurice bij het breken van de hostie per ongeluk dacht aan een ander lichaam dan dat van Jezus, en misschien wel menen dat Maurice 'alleen maar' priester was geworden om tijdens de uitvoering van dit soort vaste rituelen zijn geile fantasieën ten minste kortstondig te onderdrukken. Men beweert tenslotte van psychiaters dat ze voor hun vak gekozen hebben omdat er aan henzelf een steekje loszit, en van artsen wordt gezegd dat ze vaak al jong een neiging tot hypochondrie vertonen. Zelden valt iemand voor een beroep waarin hij een surplus kwijt kan, meestal moet het werk een tekort verhullen of aanvullen – het beroep als prothese voor een aangeboren handicap. Hoe dan ook,

degene die zich afvroeg wat er gedurende de mis in Maurice omging, zou zichzelf schamen voor die vragen, ze niet durven stellen
en daardoor zouden ze langer doorwoekeren, maar dat niet alleen:
de vragen zouden Maurice almaar onbereikbaarder maken, tot hij
net zo'n leeg, wit projectiescherm was als God zelf.

Berkman kijkt weer naar zijn eigen zoon, die nog ver verwijderd
is van enige erotische aantrekkingskracht. Hij weet niet of hij Bruno moet benijden. Petra en Sophie zullen hem altijd kinderachtig
blijven vinden, zelfs als hij is getrouwd, gepromoveerd, een aanstel-
ling als hoogleraar heeft bemachtigd, een lijvige roman heeft gepu-
bliceerd. Nieuwe vrouwen in Bruno's leven zullen de strijd aanbin-
den met zijn moeder en zijn zusje, in gedachten.

Simpel? Bruno? Wás hij maar een jongetje gebleven, dan was alles tenminste duidelijk geweest, maar Bruno is zo complex, verschrikkelijk! En Bruno zou niet meer weten wie de waarheid over
hem sprak. Kwam zijn verstrooidheid voort uit de jeugdige speelsheid die zijn moeder in hem bleef zien, of was hij opzettelijk een
warhoofd om sporen uit te wissen, zoals zijn geliefde beweerde?

Kan een chaotisch karakter niet gewoon chaotisch zijn, dus zonder dat er meer achter steekt?

Valt er iets door te hebben? Keek Sophie daarnet dwars door haar
vader heen, zag ze zijn ware drijfveren – of bestaan er geen drijfveren,
laat staan ware? Berkman is een man met haast. Dat is een feit. Zijn
haast is geen haast om ergens anders dan waar hij nu is te komen. Hij
eet niet snel omdat hij na de maaltijd wil werken en werken aange-
namer vindt dan eten. Hij werkt niet snel omdat hij een boek lezen
belangrijker vindt. Hij leest niet gehaast omdat hij daardoor meer
tijd overhoudt voor seks of sport of wat dan ook. Hij heeft met haast
ganzenbord gespeeld, niet omdat hij wel iets beters te doen heeft en
daar gauw mee wil beginnen; wat hij ook aanvat, het moet gewoon
snel klaar zijn en een reden daarvoor kan hij niet geven. Er zijn ook
mensen die alles traag doen en niet omdat ze nu zoveel waarde hechten aan een meditatieve, spirituele of zinnelijke beleving van hun
bezigheden; het is een kwestie van afstelling, meer niet.

Maar als je dat zegt, is er niemand die je wil geloven.

Zelfs Berkman durft niet te geloven dat alles zo eenvoudig is als
hij zojuist bedenkt. Hij is gecapituleerd voor dieptepsychologie,
terwijl hij niet eens zeker weet of er iets als een psyche, of er iets als
diepte bestaat.

Het huis moet wennen aan zijn galmende voetstap. Zondagse stilte op zaterdag. Pas nu zijn gezinsleden weg zijn, ziet Berkman dat de werkster de ramen heeft gelapt. Het licht valt smetteloos binnen, niet gefilterd door stof en vette kringen. Kruimels van de croissants van de kinderen rond de stoelen die nog voor de televisie staan. Het is de bedoeling dat hij nu een doekje pakt. Uit de doos met de handige, in vocht gedrenkte parkettissues. Even de boel aanvegen als iedereen weg is, zo doet Petra dat ook.

Het is op dit soort ogenblikken dat Berkman een erectie krijgt. Alsof zijn pik hem erop moet wijzen dat hij wel iets beters te doen heeft dan godverdomme schoonmaken. Dan poetsen volgens de regels van zijn vrouw. Niets mag spontaan en op zijn eigen manier. Maar o, wat zal ze tevreden zijn als haar orders zijn opgevolgd, en ze zal de boel op doortrapte wijze omdraaien door te doen alsof hij impulsief en met een overvloed aan echtelijke zorgzaamheid in zijn borst aan het vegen is geslagen: jij, jij ziet ook alles, lief.

Ja, denkt Berkman. Ik wel. Ik zie alles tot mijn ogen ervan branden. Ik wel. Maar zie jij dit? Dat ik zeven keer op een dag naar bed wil, met iemand, met jou, maakt niet uit met wie? Moslims moeten vijf keer bidden en dat is geen sinecure. Eerst moeten ze zich ritueel wassen, hun voeten, hun handen, de zachte plekken achter hun oren, hun geslachtsdelen – dan moet het matje uitgerold, het Oosten bepaald en ten slotte storten ze zich 'ter aarde', met hun hoofd richting Mekka, de residentie van Allah de Almachtige. Alleen zo kan Hij hen verstaan, Hij die de vaste formules toch al eeuwen kent, ja, nota bene Zelf heeft opgesteld. En toch, toch bewonder ik de miljoenen die dagelijks zonder twijfel knielen en bidden. Niet eens in een klooster ver weg van de bewoonde wereld. Niet onder leiding van een abt of voorafgegaan door klokgelui; de moslim bepaalt zijn eigen tijd, trekt zich terug in de eigen stille ruimte, komt daar zijn plichten na om vervolgens weer door te gaan met waar hij mee bezig was, zonder vrome kop en zonder kwezelige praatjes. Handen uit de mouwen in shampoofabriek, shoarmatent, tankstation of kantine; voorwaar, een *ora et labora* dat geen kalm pastoraal landschapje nodig heeft om te kunnen worden volgehouden.

Noem het toewijding. En precies zo eer ik mijn lust, zonder jou ermee lastig te vallen. Ik buig voor mijn gemoed dat warm is en vol en dat in me opstuift als het zachte witte zand waaruit kristal geblazen wordt... Ik, ik buig daarvoor, eerbiedig, nederig – terwijl jij me een denker noemt, een beschouwer, iemand die graag boven de dingen staat. Het overzicht bewaart.

De kruimels kunnen hem gestolen worden. Berkman wil nu wel porno zien. Liefst lesbische seks – geen mannen.

Hij kent de namen van de sites uit zijn hoofd. Knoopt op de trap zijn spijkerbroek al open, sluit de gordijnen van zijn werkkamer, zet de computer aan. Alleen al de gedachte aan wat hij straks zal gaan zien doet het bloed nog sneller kloppen. In zijn slapen, zijn knieholtes, zijn liezen.

Vrouwen die elkaar zoenen. Rode en roze lippen, flonkerend van gloss, een stroop van onuitsprekelijke hymnes die ze straks op elkaars tong zullen leggen. Gefluister zonder taal. Gebeden, opwellend uit een heilige bron. Was de ontmoeting in Lourdes tussen Maria, de dame in het wit, en de arme Bernadette Soubirous niet ook erotisch van aard? Hoe het arme kind moest graven, in klamme, zwarte, vieze aarde, opdat... Ja, eerst nog viezer worden. Dat is de weg naar verlichting. Nog dieper de wormstekige bodem in. Mest in mest.

Ze weten het, deze vrouwen. Ze geven het elkaar door. Hier, voor zijn ogen ziet Berkman het gebeuren. Een donkerharige schone legt haar handen in de geschoren schoot van een angstig blondje. Duwt haar dijen uit elkaar. De camera volgt de vinger die een clitoris vindt, tussen purperen, smalle schaamlipjes. Eroverheen strijkt, rolt, draait, en dan naar binnen gaat bij de nu schaamteloos natte... Borsten die over borsten glijden. Tepels als bruine zonnen, die elkaar lijken aan te kijken. Die in elkaar kijken, en dan weer tegen elkaar in kijken – blind van dorst naar elkaars sap. Nergens het stoten en rukken dat bij mannen hoort. Geen staccato, maar een flakkeren van duizenden kleine vlammen. Een wolk van donker vuur. Inderdaad als in een Mariakapel. Zacht golvend waxinelicht, deinend op een zuchtje wind. Op zijn adem. Zo is het.

Hij zet, door te kijken, hun wereld in beweging. En neemt er niet aan deel, kent zijn plek erbuiten, met geen hand bezoedelde hij ooit hun lichamen en toch trekt hij zijn handen ervan af, van het vlees, van de moeders die hier elkaar en niemand anders bevruchten, onbevlekte ontvangenis op onbevlekte ontvangenis, onbevlekte geboorte op geboorte, barensweeën die alleen zij herkennen en hoe ze hijgen, hoe ze schreeuwen... Volmaakt zichzelf, nu plotseling dochters van elkaar, los van enige bekommernis om uitgelopen oogmake-up of... Inwijding op inwijding.

Drie Aziatische meisjes masseren de billen van de blonde, likken haar om beurten, onder haar borsten, oksels, in haar kieren, en haar mond hapt als die van een vis, naar lucht en zee, en sluit zich om een puntige tepel, en verdwijnt dan in een struik glinsterend schaamhaar en je ziet haar lichaam spartelen, gelukzalig of in doodsnood, allebei, wanneer ze doorheeft dat wat zij bij de andere vrouw teweegbrengt, in hetzelfde moment aan haar wordt teruggedaan.

Meteen nadat Berkman is gekomen ziet hij Petra voor zich. Zijn hoeren, zijn meisjes van zijn werk, dat wil zeggen, degenen met wie hij meer deed dan vergaderen. Waarom vindt hij in geen van deze vrouwen wat hier op de site vanzelfsprekend lijkt? Een opgaan, een verloren gaan in eigen lust?

Ze kunnen het niet omdat hij erbij is. Zijn aanwezigheid werkt hoe dan ook remmend. Met een man in hun nabijheid, om hen heen, tegen zich aan, spelen ze hooguit scènes na. Uit beschaafdere films dan deze. Hun overbewustzijn registreert vetplooien, bobbels en putjes, rouwrandjes onder de nagels, een ontsierende, tienmaal opengekrabde muggenbult op hun bovenarm – omdat hij het allemaal zal zien, excuseren ze zich bij voorbaat. Hij, de kritische kijker, die gewend is een kunstwerk minutieus te bestuderen, en nog een keer, voordat hij tot een oordeel komt... Hij moet ook zo kijken naar hen, dat kan niet anders. Dat menen ook degenen die niet weten wat zijn vak is.

Juni

Hoeveel avonden in de week hij het doet, weet ik niet. Ik denk niet elke dag aan hem en 's nachts, in een droom, is hij nog nooit aan me verschenen. Hoewel ik hem daartoe wel in staat acht. Ik weet niet hoe hij heet. Ik weet niet of hij in het oude centrum van York woont, of in een uit geel baksteen opgetrokken nieuwbouwwijk ver buiten de middeleeuwse stadsmuur. Hij is vader van drie of vier kinderen. Op de foto die hij me toonde droegen ze kleren uit de jaren twintig van de vorige eeuw. Ik herinner me een jongetje met een strooien hoed, een meisje met een zijden strik in het krullende haar.

Met een druk op een knop van zijn computer had hij full colour omgezet in zwart-wit. Daarna had hij met de muis het zwart geleidelijk laten overgaan in sepiabruin. Past Images heet zijn winkel. In Nederland was ik al op de hoogte van het bestaan ervan; bij de hotelvouchers zat een reclamegidsje met bezienswaardigheden, winkels en interessante horeca-gelegenheden. Inclusief kortingsbonnen voor een authentieke Pakistaanse maaltijd, een gratis pint bij besteding van vijftien pond in die-en-die pub.

Ook Past Images bood reductie. Toch heb ik voor mijn eigen foto het volle bedrag betaald. Om geen koopjesbeluste calvinist te lijken, maar vooral omdat ik, hoe zal ik het zeggen, onder de indruk was van de fotograaf. In plaats van hem een uitgescheurd hoekje papier te overhandigen om daarmee drie pond zestig minder te hoeven betalen, gaf ik hem een fooi. Liever nog had ik hem iets van mezelf gegeven. Een haarlok, een oorbel. Het liefst van alles had ik hem mijn hele leven gegeven, mijn lichaam met alle past images die daarin rondstromen.

Weer of geen weer, driehonderdvierenzestig avonden per jaar worden belangstellenden voor de Ghost Tour om half acht opgehaald bij The Shambles, een Efteling-achtig steegje volgestouwd met doorgezakte vakwerkpandjes waarvan de stenen zuchten in hun voegen. Alleen op kerstavond hebben de dolende doden even pauze.

Om kwart over zeven glommen de keien van The Shambles nog van de regen. Maar de meihemel was kalm, wolkeloos en verzadigd van het geel dat oud papier zo waardevol laat lijken. Dat maakt dat je een tweedehandsboek, hoe goedkoop ook, met meer achting behandelt dan een gloednieuwe roman. Geen kruimels tussen de bladzijden, geen ezelsoren vouwen.

Winkeliers hadden de tralieluiken voor hun vensters laten zakken. De etalages van de winkels in The Shambles bewezen dat iedere ondernemer die zich hier had gevestigd, wist hoe hij munt kon slaan uit het sentiment dat nostalgie heet. Behoudende bejaarden en geschiedenisgeile Amerikanen konden hun lol op. Snoepgoed uit de tijd van Charles Dickens.

In de vitrine van de bakkerij waar hippe Italiaanse sandwiches werden verkocht, stonden manden vol gevlochten broodkransen, bleke scones en lachende mannetjes van real British gingerbread.

De design-edelsmid lokte klanten met schaakspelen van zilver en ivoor; de stukken verbeeldden figuren uit de zo legendarische *War of the Roses*. Voor een miniatuurwapenschild met symbolen die hoorden bij je geslachtsnaam draaide hij zijn hand niet om, net als de dames van de naaiwinkel ernaast. De Johnsons, McCarthy's en Stewarts konden hun familiewapen binnen een paar uur op willekeurig welke stof laten borduren, maar een handgebreide trui van echte Yorkshire wol was natuurlijk ook een prachtig aandenken. Zeepjes met de geur van pioenrozen, lavendelkussentjes en lelietjes-der-dalen-bodymilk, thee met de aroma's van christmas pudding en lemon curd moesten de kopers ervan doen geloven dat ze straks de ouderwetse haardvuurwarmte, de wollige sluimer van het overzeese eiland meenamen. Een donkerte, een sfeer die hun eigen huis zou omtoveren in een statig, over voorbije intriges steevast zwijgend, hoorbaar zwijgend, grauw Victoriaans kasteel.

Joy vroeg zich af aan welke kant van The Shambles we moesten wachten op onze gids. Waarschijnlijk maakte het niets uit, maar ze rende nerveus op en neer om de man met de hoge hoed als eerste te ontwaren. Mijn moeder riep haar terug toen een paar Australische toeristen hun opwachting maakten bij het pleintje waar de steeg op uitkwam. Een ouder echtpaar met een volwassen zoon die met liefde de paraplu van zijn moeder droeg en later steeds een foto zou maken als zijn vader daar om vroeg.

'Joe ar kowing es wel? Ai mien wis dis toer?'

Ik schaamde me voor mijn moeder. Voor haar bemoeizucht. Haar steenkolenengels, dat ze nota bene met avondcursussen had bijgespijkerd. Ze beweerde glashard dat zij de beste leerling was van de conversatielessen. Ze had het nog steeds over Joe Jorruk. Maar dit was niet Amerika.

De zoon en ik lachten naar elkaar. Als onschuldige ter dood veroordeelden, door onzichtbare tralies. Er voegden zich meer mensen bij ons. Italianen, Duitsers, een clubje Engelse meisjes van halverwege de twintig, hun witte gezichtjes uitbundig opgemaakt. Een vrijgezellenavond die zou eindigen in een disco, met een optreden van een mannelijke stripper. Wie de aanstaande bruid was kon ik niet zien. Op de hoek van het verder doodstille plein was schijnbaar uit het niets een groep ontstaan. Mensen die verlegen met elkaar fluisterden. Op hun horloge keken.

Joy was uitgerend. Ze viel hijgend tegen haar oma aan. Nog vijf minuten. Ik stak een sigaret op. De zoon staarde naar een paar meeuwen die een frietzak uit een prullenbak visten. Mijn dochter keek met hem mee. Door de toon waarop hij haar vragen stelde, begreep ze dat de jongen het dapper van haar vond dat ze aan een Ghost Tour durfde deel te nemen. Mijn moeder zei dat Joy pas acht was, but uffreet fur naffing.

Toen liep, nee, waaide hij voorbij. De gids met de hoge zwarte hoed. En het was niet de man met het baardje die op de folder stond, op de posters aan weerszijden van The Shambles. Deze man had het hetzelfde donkerblonde haar als ik, dezelfde kleine groene ogen die ik dagelijks in de spiegel zie. Maar anders dan ik, trok hij met zijn rechteroog. En hij keek mij aan, en keerde zijn rechterwang naar me toe, en het oog vernauwde zich nog meer, het ooglid trilde nerveus en vals en duivels maar een knipoog werd het niet, geen *flirtation* – de blik fileerde me en ik voelde me een vis die van staartpunt tot kop werd opengeritst, in één snelle beweging, het mes op de graat. Het mes op de graat, ja dat, en ik voelde voor het eerst goed dat ik botten had, dat ik onder mijn huid een skelet was, een kundig gebouwde stellage van krijt of karton. Verpulverbaar.

'Kijk dan,' zei ik tegen Joy, die nog steeds in gesprek was met de Australische jongen, waarbij mijn moeder tolkte. Ze draaide zich om, zag de gids, zijn wapperende zwarte cape, zijn hoed, zijn trillende oog... Haar grootspraak verdampte. Maar de gids vluchtte weg in een zijstraat, wuivend met de ene hand, in de andere hield hij een ingeklapt laddertje en Joys vrees veranderde onmiddellijk in ongeduld, want wanneer zou hij gaan beginnen? Was het al half acht?

Drie minuten over half acht stond hij voor ons. Uit welke gang hij opnieuw tevoorschijn was gekomen wist ik niet. In de korte tijd tussen de eerste wervelende ontmoeting en deze officiële had ik maar één ding gedacht, gevoeld: ik moet jou. Jij mag alleen van mij zijn. Ik eis dat ik jouw bezit word. Ik ben al jouw bezit. Je weet dát en hoe je me beet hebt – dacht je dat ik niet ook zo griezelig met mijn oog kon trekken? Weliswaar niet met mijn rechter, zoals jij, maar met mijn linker? Ik heb je trucjes door, sir Ghost Tour, en ik snap hoe je het 'm flikt, avond aan avond tref je licht te raken vrouwen als ik in hun merg en ik weet nu al dat je me jaloers gaat maken door de andere dames in ons groepje meer aandacht te geven dan mij, door die muizerige landgenotetjes van je te laten gillen, ook al zie je dwars door hun verf, hun spijkerjasjes en lurex hemdjes en panty's heen dat ze tot in elke vetrol dom zijn... Ja, ik ken het spelletje en vooruit, je mag het spelen, smeerlap, je weet zelfs dat ik dit denk, ik zie je groeien van mijn schrik, 'wie heeft wie als eerste door' heet deze kinderachtige hofmakerij voor anderhalf uur en ik trap er niet in, nee, ik trap er niet in; ik ben er al veel eerder ingetrapt.

Achter me stond mijn moeder. Voor me stond mijn dochter. Ik hoorde niet bij hen. Ik luisterde naar de kleine man op zijn uitgeklapte keukentrapje. De onbewogen plechtstatigheid van David Bowie. De opgejaagde, smeulende drift van Richard Burton. Hysterie als een pan rijst in een dekenkist. Het broeien toegedekt met glaswol.

We begrepen spoedig dat de tour ironisch van aard was. Onze gids dreef de groep al na dertig meter lopen onder de overkapping van een lampenwinkel bijeen – hij genoot van de gehoorzaamheid waarmee we zijn bevelen opvolgden en reageerde met nog strenger uitgesproken bevelen op onze lacherigheid, opdat we er maar van doordrongen raakten dat wij de geinponems waren, waar hijzelf rotsvast geloofde in de zielenkrankheid van alle voor hun tijd gestorvenen.

'I have to warn you… Please don't laugh! I have tot warn you for the haunting spirits you may meet in this area… You shall think that it is funny to hear some wicked sounds, but for them… there's nothing funny about it. They are looking for you, so beware and behold and consider yourselves as a strong bond of living souls, because they cannot contact the living… Therefore: give each other your hand and yell…' We schreeuwden. Onwennig. Joy had de Australische moeder een hand gegeven, de moeder hield die van een Duitser met alpinopet vast, diens andere hand schoof in de brede hand van een kaalgeschoren Griek met bierbuik, ikzelf greep de linkerhand van de zoon en zag hoe zijn rechterhand reikte naar die van een meisje uit het vrijgezellenclubje. Ze straalde omdat ze de toespeling op een songtekst van Robbie Williams had ontdekt. 'Leuk hè?!' riep mijn moeder boven alles uit. Waarschijnlijk dacht ze terug aan de 'vredescirkels' die ze in de jaren tachtig samen met andere linkse demonstranten had gevormd rond legerbasis Woensdrecht. Waar ik zelf aan dacht ben ik vergeten. Ik dacht niet. Gaf geen antwoord.

Het oog bleef me aankijken. Ik lachte even vaak als de anderen, maar kon of wilde de gids niet grappig vinden. Zijn macht over ons, al na vijf minuten, was subliem. We volgden de zwarte, satijnen mantel door poortjes en gangen. Voor zomaar een herenhuis in zomaar een straat werd het trapje weer neergezet. De gids vertelde een gruwelijk verhaal over de eertijdse bewoners van het pand. Een meisje, ongeveer van Joys leeftijd, woonde hier alleen met haar vader. De man kon niet omgaan met het verlies van zijn vrouw en meed het huis. Avond aan avond kwam hij stomdronken uit het café en hij was alleen present als hij zelf een feest gaf, om rondjes terug te betalen, om oude maten te vriend te houden.

Van zo'n feestavond thuis werd zijn dochter erg blij; eindelijk hoorde ze haar vaders stem weer eens door de gangen galmen en… Mijn moeder zat op haar hurken en vertaalde voor Joy. Ik vroeg me af of de geschiedenis niet te pijnlijk voor haar was. Het onderwerp van het verhaal was een halve wees, net als mijn dochter. Kon ik de gids een teken geven? Moest ik hem zeggen: 'Pas het een beetje aan, dit is lastige materie'?

De gids merkte niets. Niet aan mij, niet aan mijn moeder, niet aan Joy en vervolgde zijn monoloog. Tijdens weer zo'n dronken bal thuis had het meisje haar vader geroepen. Ze had daarbij over de balustrade boven aan de trap geleund. Haar vader hoorde haar niet. Wilde ze een nachtkus? Wilde ze hem waarschuwen voor een paar vechtjassen in de hoek? Vroeg ze hem om een slokje water? Terwijl hij deze mogelijkheden opperde, had de gids een wijnglas gevuld met water uit de binnenzak van zijn cape getrokken. Kreten van verbazing. Hij nam een slok alsof er niets aan de hand was, en je zag hem denken aan het meisje dat twee, drie eeuwen geleden vergeefs naar haar vader had geroepen. Mededogen. Het ooglid bewoog niet. Met een paar gebaren boetseerde de gids een kindergestalte in de lucht en sloeg zijn armen, zijn mantel om haar heen. Ik kon het verdriet van het meisje ruiken. Geur van roest, van zeeschuim, van geronnen bloed. Ze had dieper en dieper voorover geleund... Haar vader ging zo op in de brallerige gesprekken dat hij haar niet hoorde, of nee, was zelfs naar buiten gegaan om het relletje te sussen. In elk geval was het meisje naar beneden gestort, haar hoofdje klats! op de marmeren vloer.

Wie nu naar het raam daarboven keek, kon wellicht haar spookgezichtje zien. 'Please, don't stare too long, the family who lives here now is not very charmed of this tour...' Toch moesten we naar boven kijken. Naar een doodgewoon raam waarachter doodgewone, vuile vitrage. Hoogstzelden, beweerde de gids, vertoonde het meisje zich, maar ze liet altijd merken dat ze nog aanwezig was... Er plonste een scheut water in de gezichten van de mensen op de eerste rij. De gids reageerde geschrokken.

Even bootsten wij zijn schrik na. Lang leve koning Pavlov. Iedereen in de groep begreep dat Joy recht had op de primeur. Ze juichte dat ze de gids dóórhad: 'Jullie zien toch ook dat zijn glas nu leeg is, ik heb stiekem helemaal niet naar dat raam gekeken, geesten bestaan niet, en dus... Dus zag ik dat hij het zelf deed, ohhoh, wat een neppert, hij deed het gewoon zélf!'

De gids had zijn laddertje al ingeklapt, ging ons weer voor en speelde dat hij Joy niet hoorde.

Net als de bezopen weduwnaar wilde ik mijn dochter ook niet horen. Ik voelde de druppels op de revers van mijn jas. Druppels uit zijn glas. Druppels uit een voorgeborchte van het hiernamaals. Hij mocht dan zelf hebben gegooid, daarmee hadden we nog steeds geen antwoord op de vraag: hoe vervoer je een glas water onder een wapperende cape?

Aan hun lot overgelaten kinderen, gestorven in eenzaamheid, zonder liefde – die bleven nog jaren na hun dood spoken, leerden we. Ik dacht aan Afrikaanse aidsbaby's. Aan Donalds reisverslagen. Hij had het betreurd dat zijn organisatie zich niet ook nog eens met weeshuizen kon bezighouden. Pas als alle projecten op volle toeren draaiden, zou hij de doelstellingen kunnen verbreden. Maar dan had hij het over een periode van twintig jaar verder in de tijd, wanneer hij zelf een jaar of zestig, tweeënzestig was.

Over de pest sprak de gids. Hoe ouders hun huis ontvluchtten nadat ze hadden ontdekt dat hun dochter – alweer een dochter – de eerste tekenen van de ziekte begon te vertonen. Broertje en zusje lagen te slapen, midden in de nacht zochten vader en moeder hun waardevolle spullen bij elkaar, lichtten het jongetje van zijn bed en vertrokken met hem naar elders, maar niet nadat ze deuren en ramen hermetisch hadden vergrendeld. Weer wees de gids op een raam. Ditmaal gooide hij niet met water. De woorden deden het werk.

Ik waande mezelf het besmette meisje dat wanhopig door de gangen van het enorme huis had gerend, bonkend op deuren, rammelend aan de luiken. Dat in de keuken misschien nog een stuk brood vond, een bodempje melk onder in de kan, maar het was te weinig, altijd te weinig... Alleen ik kreeg het koud van het verhaal. Alles wat de man vertelde, ging over mij. Ik was ziek en kon mezelf amper verzorgen, ik zou op een dag doodgaan, te vroeg, niet geveld door de pest, maar door uitputting, frustratie.

Hoorden we de roep van het meisje, vroeg de gids en ik hoorde in elk geval de echo, die niet vanbuiten op me toe kwam; in mijn keel klonk de weeklacht, die leek op de hoge kreet van de pauwen die we de volgende dag in de tuinen van Castle Howard zouden zien. Na nog een blik op de spiegelende vensters te hebben geworpen, liepen de mensen door. Joy huppelde aan mijn moeders arm. Ik wilde blijven. Waken op het stoepje voor de ingang. Tot het weer zou gaan regenen, tot de nacht inviel. Er was hier geen geest, geen in gevangenschap gestorven meisje en toch wilde ik haar bevrijden. Als niemand keek – dan kon het.

Een legioen vergeslagen Romeinse soldaten marcheerde eens in de zoveel tijd voorbij. Tientallen mensen hadden het stampen van de laarzen gehoord. Eerst in een kerk, maar toen die was afgebroken, ging het dreunen onverminderd door. In zand, in gras, in de kelders van de huizen die zeventig jaar later op de plaats van de kerk waren gebouwd. Ook de nuchterste onder de bewoners had geklaagd over het lawaai van het nachtelijke leger en guess what? Pas tien jaar geleden hadden archeologen inderdaad de beenderresten van de Romeinen gevonden en alle sporen wezen op een gewelddadige veldslag...

Op elke betoverde plek riep de gids iemand uit het publiek bij zich die hij, na wat ongein over diens nervositeit of gespeelde ongeloof, over opgetrokken wenkbrauwen of natte handpalmen, een opdracht liet uitvoeren. 'I am looking for a tall, strong man who can lift this girl up onto his shoulders, so that she will be able to look right over the fence and report to us what's going on there under the trees...' Had de wettige echtgenote van de gespierde Griek er geen moeite mee dat haar man nu een andere dame optilde? Nee? Was het huwelijk nog wel spannend? Zeker weten?

Toen het meisje weer op de grond stond en zei dat ze niets vreemds had opgemerkt, keek de gids haar spottend aan en fluisterde: de rest van de groep wel, nietwaar? Hier, op de weg, hadden we in het lage zonlicht toch werkelijk de schaduw van een tweekoppige reus gezien. Hè, wat jammer nou, het was een uitzonderlijk griezelige vertoning geweest. Volgende keer beter.

Aan het einde van de tocht moest het publiek zelf voor monster spelen. De gids attendeerde ons op een veredelde pizzeria aan de overkant van de straat. Veel marmer en messing. Fresco's van heuvels aan zee, begroeid met oleanderstruiken en cipressen, beschenen door botergeel halogeen. Place to be voor fashion victims. Zagen we de champagnekoelers staan? Hoorden we die loungemuziek? 'But we can make it a real hotspot, oh yes!' Of we zo meteen rustig wilden oversteken en als één man onze neuzen tegen de ramen van het restaurant wilden drukken. Daarbij niet lachen, dat verpest de sfeer. Haal de spanning niet onderuit. Jullie zijn hongerige doden. Jullie zouden het leven met grote teugen uit die halsjes willen zuigen, alles om weer een uurtje vrij te zijn, een lichaam te hebben... Dus. Jullie staren naar binnen. Met dodelijke ernst. En als ik kuch, zetten jullie het op een brullen en je trekt de meest nare grimassen die je in huis hebt. Begrepen?

Er was niemand die tegen de opruiing protesteerde. Mijn moeder zei: 'Dit kun je eigenlijk niet maken', maar Joy trok haar mee naar de overkant en op het commando van de gids liet zelfs de zure Duitser zich gaan, veranderde de verlegen grijnzende Japanner in een bruut. Zijn hoofd werd rood, toen weer lijkbleek, het zweet brak hem aan alle kanten uit en terwijl hij schreeuwde veranderde zijn elegant-magere lichaam in dat van een kogelronde sumoworstelaar, werden ledematen, nek en buik volgepompt met kokende drift.

De restaurantgasten giechelden minzaam. Een ober stopte even met het raspen van de Parmezaanse kaas, een jongen in krijtstreeppak zette zijn glas wijn onaangeroerd terug. Zijn tafelgenote keek me verstoord aan. Haar vriend had opeens meer aandacht voor de gekken buiten dan voor haar. Hij zwaaide naar Joy, die nog steeds met haar tong uit haar mond op en neer stond te springen. Was hij juist bezig geweest het aanzoek te formuleren? Ik schaamde me. Naast me hoorde ik de Australische man tegen zijn vrouw zeggen dat het wel therapie leek, deze act. 'Remember that hairy guru in the seventies?'

De Australiër had gelijk. Niet alleen deze doorgeregisseerde uitbarsting was therapeutisch van aard geweest; met alle anekdotes, alle handelingen had de gids geprobeerd een nagel achter mijn ziel te krijgen. Ongevaarlijke Monty Python-humor, practical jokes, vlijmende zelfkritiek op de Britse volksaard, verstolen venijn over het antisociale beleid van Blair – een enige vent vond mijn moeder de gids, wat een verfijnd taalgevoel had hij ook, vast een groot bewonderaar van Edgar Allan Poe, net als zij, en dan die heerlijke stiff upperlip... 'Hij zal ooit toch wel zoiets als toneelschool hebben gedaan, denk je ook niet?' Ik geloof dat ik op alles ja heb gezegd.

Na de grap bij de pizzeria was de aandacht op.

Toch bracht de 'heerlijke stiff upperlip' ons nog naar een donker gebouw, een oude brouwerij of fabriekshal, er was iets met een watermolen geweest, de term industriële revolutie viel, het was gaan waaien en ik kon de gids amper verstaan, maar hier, zei hij, hier werden weeskinderen dag en nacht afgebeuld door een sadistische directeur die er geen moeite mee had de zwakke arbeidertjes te doden zodra ze uitsluitend nog in de weg liepen. Opgeruimd staat netjes, en welbeschouwd verloste je de arme zielen uit hun lijden...

Toen een argwanend jongetje de gruwelijke waarheid had ontdekt, was er een opstand onder de kinderslaven uitgebroken.

Het bericht over het misbruik lekte naar buiten, en de mensen uit de omgeving wilden de fabriek bestormen om met eigen ogen... Maar niemand vond een kind.

Het keukentrapje kraakte. We moesten ze herdenken, vond de gids. Honderd kinderen, minstens. Hij vouwde zijn handen voor zijn borst. Sprak geen gebed uit, maar de neergeslagen ogen en gebogen schouders drukten alle eerbied uit die een priester maar kan hebben. We stonden aan een groeve. Hoorden het water dat werd opgetild en weer neerviel uit de schoepen van het denkbeeldige waterrad. Rondom ons streken spreeuwen neer.

De fabriekshal stond in het midden van een gloednieuwe woonwijk. Vinex-architectuur. Achter een langgerekt, smal raam werd een gordijn opengeschoven. Een meisje in badjas, jonger dan Joy, keek naar het groepje rouwenden op het plaatsje voor de monumentale hal en lachte. Zij zag deze vertoning iedere avond; een groepje mensen in de schemer, en 's winters in het donker, onder het licht van een gerestaureerde gaslantaarn, dat kinderen herdacht die misschien nooit hadden bestaan. Na zijn zwijgende requiem sloeg de gids de ogen ten hemel. Hij klaagde aan. Alle engelen en heiligen achter de purperen wolken die dit onrecht hadden toegestaan. Die niet hadden ingegrepen op het ogenblik dat de fabriekseigenaar de weesjes levend had begraven. Had laten stikken in vloeibaar beton. Want zo waren ze gevonden. Ingegoten onder de grijze vloer van de hal, terwijl van de moordenaar nooit meer iets was vernomen. Ik dacht aan Dutroux.

Het woord seks was niet gevallen. Maar in het rechteroog flikkerde nu ook opwinding. Een begeerte die hooguit een seconde aanhield, en in die seconde op me oversloeg. Binnenbrand. Steekvlam. Joy keek naar me, maar ik durfde niet terug te kijken. De vogels vlogen op. Het fototoestel van de Australische jongen flitste automatisch – het apparaat herkende het oranjeblauwe schijnsel boven de leistenen daken niet meer als daglicht.

'Waarschijnlijk... waarschijnlijk moet ook hij die zo wreed, zo gevoelloos... Waarschijnlijk moet ook hij dolen!' riep de gids.

'Waarschijnlijk doolt hij nog steeds... Nog steeds klampt hij zich vast aan onschuldige voorbijgangers... En niet om vergeven te worden!' Geen toespeling op hoge hoed en zwarte cape. Nog eenmaal keek de gids de kring rond, totdat de goede verstaander begreep dat alleen hij de kindermoordenaar kon zijn.

Applaus. Op de hoek van de straat konden we afscheid nemen van de gids. Al tijdens het wandelingetje naar het eindpunt verloor hij zijn waardigheid. Hij werd een van ons, weliswaar in verkleedkleren, maar zijn dramatische gebaren vielen van hem af, zijn voetstap klonk niet dwingend meer, het laddertje in zijn hand gaf hem iets van een treurige weekendklusser. Een huisvader die op bevel van zijn vrouw op zijn vrije zaterdag de kozijnen opschuurt en van een nieuwe laag verf voorziet. Mijn teleurstelling was compleet toen hij zich omdraaide en voluit lachte met een open blik, bij elke fooi die hem in de hand werd gedrukt. Op de valreep nog sluikreclame voor Past Images, zijn fotowinkel in The Shambles. 'There you can find me. If you dare.'

De truc met het trillende ooglid was uitgewerkt, dat wist hij zelf ook. Wat restte was volgens mijn moeder een gezellige man en volgens Joy iemand die veel leek op meester Hans, de gymleraar die zijn lessen gebruikte om een onemanshow te kunnen opvoeren. Onhandig bungelend in de ringen, gillend, struikelend over de evenwichtsbalk. Na drie keer wist je het wel met zo iemand, maar god, wat vond hij zichzelf leuk.

Een flinterdun verhaaltje. Een ver dragende stem, archaïsche woordkeus. Krachtige gestiek, gevoel voor spanningsbogen. Een geboren dirigent – van een amateurkoor. Zes goochelkunstjes in anderhalf uur, niet bijster veel, maar foutloos uitgevoerd. Oefening baart kunst. Hoewel we meer hadden gekregen dan een toneelstukje tussen de schuifdeuren, zou de acteur een karakterrol nooit kunnen spelen; dit was een afgebakend typetje, zonder anarchistisch of in elk geval vrijzwevend innerlijk leven. Ik wist zeker dat het personage geen enkele keer met zijn vertolker aan de haal was gegaan. Verwarring, ho maar.

Terwijl wij in het donker in de stromende regen terugliepen naar ons hotel, zat hij alweer thuis. Op de bank, met een kop koffie en de afstandsbediening binnen handbereik. Maar hoe kon het dan dat het precies in de negentig minuten die de Tour duurde droog was gebleven?

Twintig minuten ervoor was de regen opgetrokken, tien minuten erna was er weer een bui losgebarsten. Toeval. Natuurlijk.

En toch hoorde ik Kate Bush het nummer 'Cloudbusting' zingen. Een mars, niet van verslagen Romeinse soldaten, maar van elektrische violen en synthesizerdrums. De hese sopraan die zong: 'And every time it rains, you're here in my head...'

Ik zong met haar mee, zacht, ik zong dat ik mijn jojo in de tuin had verstopt, wartaal zong ik, dat ik wist dat er iets goeds stond te gebeuren, dat ik een vader had die regen maken kon en regen wegmaken kon en dat alleen ík hem geloofde, en ik dacht: de daddy in het liedje is geen wonderdoener, het is het geloof van de dochter, het geloof van het meisje in die man, dat het werk verricht – tegen natuurwetten in.

Onze kamers bevonden zich in een voormalig koetshuis. Joy en mijn moeder hadden een eigen voordeur, ik moest door een gemeenschappelijke ingang naar mijn kamer één verdieping hoger. Een smalle galerij. Een balustrade.

Ben jij bij me?

Ik dacht 'jij'. Ik dacht jij en doelde daarmee niet op Donald. Met mijn natte jas nog aan ging ik op het smalle eenpersoonsbed zitten. Onder me hoorde ik een kraan stromen, een wc doortrekken. Mijn dochter ging slapen, mijn moeder las misschien nog wat. Een telefoontje met mijn vader vond ze te duur, ook al had ik gezegd dat ik de rekening betaalde.

Lekker huwelijk. Twee ouders die er al in mijn vroegste kinderjaren trots op waren dat ze allebei een eigen leven leidden. Mijn vader stemde VVD, mijn moeder PSP – dat moest allemaal kunnen. Ruzies, meningsverschillen hadden ze nooit.

Nooit?! vroegen de vriendinnen van mijn moeder, ik hoorde de afgunst in hun stem, en mijn moeder antwoordde: 'Nóóit.'

Dan wilde ik roepen dat de dames dezelfde kalmte konden bereiken als ze leerden hoe je onverschillig langs elkaar heen moest bewegen. Als planeten die door de zwaartekracht keurig in hun baan bleven. En ik was de zon in het veilige midden. Vond het een wonder dat ik überhaupt verwekt was. Ik, rond mijn dertiende al aartsromantica en cholerieke dwangmasturbante...

Ik had een asbak van het schrijftafeltje gepakt en naast me op de sprei gezet. Een sigaret opgestoken. Kaarsen had ik me in en uit laten gaan. Een opgerolde pocket, Pietje Bell, had ik in mijn onderbroek gepropt en tussen mijn benen geklemd als de nood echt hoog werd, en dan reed ik daarmee tegen mijn matras aan, zodat de rug van het boekje me ritmisch klaar schuurde. Voorwaar, toen al een intense liefde voor het geschreven woord. Vies, vies meisje.

Dat om haar fantasie te prikkelen in het Hite-rapport las, in een boek dat ze op haar moeders hobbykamer had gevonden en dat de titel *Liefde kent geen taboes* droeg. Het zag er ongelezen uit. Er stonden tips in als ijsblokjes rond tepels en in mijn gedachten deed ik het met alle vrouwen die ik kon verzinnen – alleen om mijn maagdelijkheid en liefde te bewaren voor de Ware van het andere geslacht.

De omgekrulde, beduimelde Pietje Bell-pocket is nooit gevonden. Ik bewaarde hem achter een stapel truien en het kan best zijn dat mijn moeder het boekje daar wel eens heeft zien liggen en iets heeft opgemerkt over mijn slordigheid – de gedachte dat het dienstdeed als opvrij-attribuut is nooit bij haar opgekomen. Maar dat ik *Liefde kent geen taboes* na gebruik vergeten was op haar plank terug te zetten, ontdekte ze al na een dag of drie, bij het verschonen van mijn bed.

Een warme zomermiddag. Ik was veertien. De grote vakantie was nog niet begonnen. Ondanks de proefwerken was iedereen in een even losse als landerige stemming. Het klaslokaal een aquarium, door de neergelaten zonneschermen gevuld met limonadekleurig licht, waarin we zweefden, een paar centimeter boven onze stoelen. Waarin we deinden als wieren en kronkelden als palingen. Schoolkampflauwekul met bubblegum, frietvorkjes en bananenschillen. Agenda's die met zwarte merkstiften alsnog werden volgekalkt. Karikaturen van leraren en ranzige moppen schuin over verouderde huiswerkopgaven heen.

Een sfeer die me tegenstond. De opdringerige geur van andermans zweet benam me de adem en ik vond het vreemd dat al mijn medemeisjes zo zonder gêne in korte rokjes en shirtjes konden rondspringen, zich kennelijk niet bewust van een geil oog.

Van mijn geile oog. Van geilheid.

Ze hadden toch allemaal moeders die, wanneer een truitje te veel buik en borst bloot liet, onmiddellijk over de mannen begonnen die bij de aanblik van zoveel vers, zongekust vlees nare bijgedachten kregen. 'Ik vind die kleertjes je prachtig staan, dat figuurtje! Maar ik... Ik denk nu even aan degenen die met zoveel schoonheid niet kunnen omgaan. Hè? Voor zulke mensen moet ik je waarschuwen, leuk of niet. Mannen zijn heus allemaal niet verkrachters, maar ze zitten wel anders in elkaar dan wij.'

Geen vriendin die zich iets van dit soort prekerij had aangetrokken. Alleen ikzelf liep er decent bij, ook toen al, en negeerde opmerkingen over mijn knalrode kop. Ik wilde geen aanstoot geven en niet omdat ik zo braaf was, integendeel: ik vertrouwde geen mens omdat ik begreep dat ik zelf niet te vertrouwen was.

Staken jongens en mannen echt anders in elkaar dan wij?

Welk wij?

Ja, er moest een wij zijn, want gezusterlijk bespraken de meisjes uit mijn klas de probleemrubrieken in de popbladen, en gezusterlijk velden ze hun oordeel over de schrijfster van de ingezonden brief over zelfbevrediging. Ze was vast moddervet of anders broodmager, misschien had ze een bril, een buitenboordbeugel, rood kroeshaar of alles tegelijk en sliste ze ook nog, met veel spuug erbij; er moest hoe dan ook iets met haar aan de hand zijn, iets waardoor ze zich buitengesloten voelde, en uit pure verveling dan maar de hand aan zichzelf had geslagen, haha.

Dat jongens van onze leeftijd waarschijnlijk regelmatig masturbeerden was ook een vies idee, maar jongens konden daar nu eenmaal niets aan doen. Die hadden ballen vol zaad en dat moest er hoe dan ook uit. Gebeurde het niet door eigen hand, dan spoten ze wel in een droom hun lakens nat. Je mocht alleen maar hopen dat je zelf niet in zo'n droom voorkwam.

Gelukkig, zei Julia, bestonden er 'van die boekjes' en wat hadden we gegruweld, en gegild van het lachen toen Milo er foto's had uitgescheurd en ze boven de wc's had geplakt, weet je nog? Bah, wat een lelijke dikke tieten en dan van die yoghurt ertussen, was dat nou sperma, zou die vrouw op de andere foto, die met die enorme paarse knots tussen haar lippen, daar echt iets van hebben ingeslikt? Dat was het toontje en ik was opgelucht dat niemand had gemerkt dat ik destijds als enige stil was geweest bij het aanschouwen van de beelden die ik aan de binnenkant van mijn hoofd veel vaker zag dan me lief was. Wie had er ooit een camera in mijn brein ingebracht?

Ik wist dat de meisjes zowel hun lol als verontwaardiging meenden. Sommigen gingen met een jongen al wel wat verder dan tongzoenen en één klasgenote mocht, als ze volgend jaar nog steeds hetzelfde oudere vriendje had, van haar moeder aan de pil. Heel stoer vond iedereen. Ze werd benijd. Maar begeerte bleef in alle openhartige gesprekken een gevoel dat pas wakker werd door de aanraking van een reeds bronstige jongen. Op zichzelf bestond het niet. Kon het niet bestaan. Niet bij ons, bijna-vrouwen. De maan geeft pas licht als de zon erop schijnt en wij, 'wij' waren toch even dromerig en passief als die witte planeet? Spiegels, reflectors, meer niet.

De schrijfster van de brief had de code gebroken. En de psychologe die haar had getroost met een halfzacht 'je bent helemaal niet raar' had natuurlijk gelijk toen ze op deze zin de raad liet volgen dat drie keer op een dag wel een beetje erg veel was: 'Probeer je aandacht ook op andere zaken te richten. Ga naar buiten, winkelen met vriendinnen, sporten, kies een leuke hobby, anders brengen je behoeftes je nog in een isolement.'

Zo was het maar net, vond het clubje. De recensie was unaniem, het tijdschrift verdween in een prullenbak op het plein, iemand gaf een potje lippenbalm met meloensmaak door, lekker spul. Mooi lichtroze, met subtiele glitters. Staat je goed.

Wat is er mis met isolement? had ik me afgevraagd. Wie is er treuriger: het meisje dat zich overgeeft aan oprechte, soevereine lust die opflakkert zonder prikkel van buitenaf, of de trendy trut met een zwart nethemdje over haar gescheurde T-shirt, met een opzichtig kruis van strassteentjes in haar rechteroor, die haar kamer heeft behangen met posters van de vrijgevochten popster Madonna, maar zelf niet eens weet wat vechten is, wat vrijheid zou kunnen betekenen – omdat ze ook op de schaarse momenten waarop ze alleen is een levensgroot w i j in de spiegel ziet?

Begin juli en ik kwam thuis na een dag lang hangen, gapen, meelachen. Mijn moeder bracht me een glas koude melk in de tuin en ging bij me zitten, in de schaduw. 'We moeten eens ernstig met elkaar spreken.'

Ze had bij het instoppen van het hoeslaken Liefde kent geen taboes achter mijn bed gevonden. Wat moest ik met dat boek? Dacht ik soms dat je eerst theoretische kennis nodig had om...

'Je hebt toch nog niet eens een vriendje? Je klaagt er zelf over dat anderen in de brandgangetjes maar wat aanrotzooien, dat de gesprekken alleen nog maar over, nou ja, van die dingen gaan, al dat behaagzieke, terwijl jij, jij, jíj tenminste romans leest, maar voor literatuur interesseren "die anderen" zich niet... Die anderen. Jij hebt het altijd over "die anderen", als kleuter had je al die hautaine houding, jij was beter, intelligenter, weet ik veel wat, mevrouw de koningin, en wat vind ik achter je bed? Nou?'

Wat had ik moeten antwoorden? Mam, ik lees dat boek niet om straks goed beslagen ten ijs te komen, het is geen voorbereidend huiswerk voor een toekomstige relatie, het woord alleen al, relatie – ik lees, ik blader in dat boek omdat de woorden, de woorden bezit van me nemen, vlees worden, direct van oog naar onderbuik gaan, begrepen?

Nee. Mijn moeder mocht veel van me weten, maar niet dat ik... Nooit. Opbiechten wat de werkelijke reden voor het vluchtige lezen in *Liefde kent geen taboes* was, zou bovendien een verkrachting dichterbij brengen. Geloofde ik. Als mijn moeder wist dat mijn verbeelding door en door erotisch van aard was, wist een paar dagen later iedereen het. Niet dat ze zou roddelen, maar gewoon: een bekentenis aan haar was steevast een bekentenis aan de hele wereld, desnoods aan God. Daardoor werd ik vogelvrij verklaard, ook dat besefte ik. Een willig slachtoffer, door elke gek te nemen. Je lust er toch wel pap van? Je hebt er zelf een beetje om gevraagd, nietwaar?

Korte rokjes, opengewerkte panty's en diep uitgesneden truitjes waren gevaarlijk, maar altijd minder riskant dan een naar alle kanten open fantasie die op haar hoogtepunt niet rekende met moraal. Die je handelingen toonde waarvan je, direct na je orgasme, ook wel wist dat je ze in werkelijkheid alleen maar angstaanjagend en vernederend zou vinden. Ik vreesde dat ik met het prijsgeven van mijn geheimen ook de kans op misbruik zou vergroten. Als het toeval niet hielp, zou de moederheks er in hoogst eigen persoon wel voor zorgen dat haar dochter alsnog kwaadschiks haar lustleven opgaf. Jij moet lijken op wij. En wij zullen je troosten als je onverhoopt... 'Sommige levenslessen zijn helaas bikkelhard en je bent vaak genoeg gewaarschuwd, schatje.' Ik kon het haar horen zeggen. Kon het alle meisjes en vrouwen horen zeggen. Pluralis majestatis.

En mijn vader, en de leraren, de jongens: nymfomane.

Smeerpijp. Exhibitioniste, masochiste. Hoer.

'Als je belangstelling hebt voor de boeken op mama's kamer, kun je me er ook gewoon om vragen. Ik leen je alles wat je wilt. Dat weet je.'

Ik had geknikt. Dacht aan de korte verhalen van Guy de Maupassant, aan *De Avonden* van Reve, aan *Lucifer* van Vondel, dat ik onlangs nog op mijn leeslijst had gezet. Om al die boeken had ik beleefd gevraagd, zoals het hoorde. Mijn moeder de bibliothecaresse. Maar porno pikte je. In het geheim. In het donker. Het boek onder je pyjamajasje. Sluipen op de overloop. Doorbladeren met je zaklamp onder het dek. De steel van de zaklamp gebruiken als dildo, het lichtje nu uit, of het witte schijnsel dansend over je eigen borsten – magische woorden als vochtige vulva en zwellend lid voorlopig niet meer nodig. Voorstellingen hadden ze me gebracht, even angstaanjagend levendig als de geesten die sommige paragnosten konden oproepen. Dat ze dat werkelijk niet begreep. Luisterden de buren mee? Het kon me niet schelen. Ik keek naar het perkje dat ze zojuist had geschoffeld. Hoopjes droog onkruid in het gras. Ergens in de verte hoorde ik een sproeier. Een paar kwetterende kleuters in een badje.

'Je snapt dat ik woedend ben.'

'Ja mam.'

'Je hebt mijn vertrouwen geschonden.'

'Ja.'

'Met mij valt toch redelijk te praten. Ik ben niet als andere moeders, die lukraak van alles verbieden. Als je me duidelijk had kunnen maken waarom jij dat boek...'

'Ja.'

'Waarom jij dat boek meende nodig te hebben, terwijl je neerkijkt op de meisjes in je klas die...'

'Sorry.'

'Dankjewel. Maar sorry is hier niet genoeg.'

'Nee.'

'Ik heb je vader op zijn kantoor gebeld. We hebben het er in alle rust even over gehad en papa vindt ook...'

Zuchtende struiken. De melk werd bitter in mijn mond. Aanstaande zaterdag, 13 juli 1985, zou ik *Live Aid* niet mogen zien. Geheiligde dag der dagen, waarop ik me al sinds Kerstmis van het jaar daarvoor had verheugd.

Tranen schroeiden mijn keel dicht. Iemand anders, mijn draagster nota bene, had voor mij besloten dat mijn verlangen naar een rechtvaardiger wereld, naar menselijkheid en onbaatzuchtige liefde het moest afleggen tegen de verlangens van mijn lichaam.

Als ik niet zo stom was geweest om bij een gejat boek te masturberen, had ik erbij kunnen zijn. Bij alle muziek die alle egoïsten met empathisch bewustzijn zou schoppen. Bij de messiaanse passie die, met dank aan Bob Geldof, in miljoenen westerlingen zou worden losgewroet. Maar ik was zondig, zondig; mijn hunkering naar verboden toverwoorden had het gewonnen van mijn minstens zo intieme heilsverlangen. Liefde kent misschien geen taboes – liefde was en is zelf het taboe. En het was moederliefde die me dat bijbracht. Goedschikser kon bijna niet.

We vonden een plaats op de tweede verdieping van de donkerblauwe touringdubbeldekker, een bank pal boven de chauffeursstoel. Grandioos open uitzicht. Eindpunt: het havenstadje Scarborough. Al bij het ontbijt had ik Simon & Garfunkels liedje over de markt aldaar in mijn hoofd. Lieflijke stemmetjes, maar ze zeurden maar door – parsley, sage, rosemary and thyme. Boodschappenlijstje dat me terug naar mijn slaap wilde voeren. Kruidenhypnose. Op mijn bord lagen een hoopje roerei, een halve gebakken tomaat en twee geblakerde worstjes, maar ik zag de plantjes voor me. Brosse krulpeterselie. Wollig, grijsgroen salieblad, rank als konijnenoortjes. De naalden van de rozemarijn, prikkelend parfum dat opsteeg uit een uitgevallen kerststukje, en de minuscule tijmblaadjes die met plukjes tegelijk aan de dorre, dikke bruine steeltjes leken vastgeplakt. Dauwdruppels, fonkelend als sterrenstof.

Doe me in godsnaam een boerderij hier ergens in Yorkshire, had ik gedacht. Laat me hier maar achter. En laat me toch suf aanklungelen in een modderig tuintje, breng me desnoods een paar ganzen en alles komt goed. Parsley, sage.

De zon verfde de doodstille dorpen waar de weg doorheen sneed in pastel. Bloesemende bomen, blikkerende vensterruitjes. Hier en daar een kerk met een lage, vierkante toren zonder spits. Steen met de kleur van eikenschors en als een eik had het bouwwerk zich diep in de grond onder de grazige weiden gedrongen; rondom braken grafstenen uit de bodem, alsof ze ooit door sterke boomwortels omhoog waren geperst. Geen symmetrische rijen, maar molshopen her en der, ingedroogd, fossiel al.

Rosemary and thyme. Waren we die dag westwaarts in plaats van oostwaarts gegaan, dan had ik een bezoek kunnen brengen aan het graf van Sylvia Plath in Heptonstall. Uit de reisgids begreep ik dat de tocht ernaartoe ingewikkeld was. Gedoe met boemeltjes, een lange taxirit vanaf het dichtstbijzijnde grote station, of anders, vanaf het perron aan de rand van een uitgestorven boerengehucht, een wandeling van misschien wel anderhalf uur over ongeplaveide paadjes, langs kronkelende lage heggen van gestapelde keien, langs slome schapen, over krakende bruggetjes, heuvel op, heuvel af. Gesteld dat we in één keer, dus zonder te verdwalen, het doel bereikten, dan nog zouden mijn reisgenoten niet begrijpen waarom we ons zoveel moeite hadden getroost voor het bekijken van een simpele zerk. 'En dan heeft dat mens ook nog zelfmoord gepleegd?!'

Ja, zelfmoord. Ramen en deuren hermetisch gesloten, alle kieren afgeplakt, de gaskraan van de oven open. Dichteres, maar ook nog moeder, *moeder* van twee jonge kinderen, echt, je hebt me goed verstaan, mam, jij mag het niet snappen – mijn heelal is ruimer.

Er zijn mensen die er een einde aan maken omdat ze zich dag en nacht bewust zijn van hun tekortkomingen. Perfectionisten, die elke stap die ze zetten onmiddellijk erna betreuren. Behalve hun schoenen is door te lopen ook de grond onder hun voeten bezoedeld en ze staren vol afschuw naar de vale afdruk die ze hebben achtergelaten. Angst voor hun eigen vuil. Voor andermans geroddel. Zelfmoord is dan: het oordeel drie passen voor blijven. Na je dood mag iedereen roepen wat hij wil, maar er is één troost: jij hoeft de kritiek niet meer te horen. Ook de kritiek in je hoofd verstomt. Wie er niet meer is, hoort niet meer dat hij tot op het bot mislukt is, hoort niets meer. Niets. Geboorte ongedaan gemaakt, keurende blikken opgelost in damp. Vluchtpoging geslaagd.

Maar Plath en de terugtrekkende beweging rijmen op elkaar als aarde en mist. Zij levensbang? De permanente vrees tekort te schieten, door de mand te vallen? Nee. Pijn aan het surplus. Een etterend too much. Te veel scheppingsdrift, te veel ontroering, te veel liefde, als je dat woord zo nodig moet gebruiken, te veel

begeerte, vuur, te veel wil tot macht, of te veel wil tot overgave
– want hoe paradoxaal ook, er is één punt waarin die beide
strevingen samenkomen.

Een brede winkelpromenade als in elke Europese
provinciestad. Boetiekjes, cd- en speelgoedwinkels, giftshops,
voordeeldrogisterijen. Er stond een straffe zeewind die de wolken
bij elkaar dreef, waardoor de hemel boven de hoofdstraat voor
een paar minuten verduisterde. Daarna scheurde diezelfde wind
het dek weer open en gutste er lakenwit zonlicht omlaag. Een
douche van fijngesponnen katoen die ook de geluiden dempte. We
sloegen rechtsaf. Een kromme keienweg die omlaag ging richting
boulevard en zee. Morsige herbergjes en met feestverlichting
volgestouwde gokhallen. Geur van suikerspin en gefrituurde vis.

Op het strand stonden alleen een man en een pony; een paar
meter langs de vloedlijn op en neer op de rug van het beest kostte
één pond vijftig. Joy voelde zichzelf er te oud voor.

Mijn moeder zei: 'Het lijkt alsof alles deze vakantie een beetje
tegenvalt' en keek me schuldbewust aan.

Het was de op een na laatste dag van ons verblijf in Engeland
en York had ons minder geboden dan we hadden gehoopt. De
'levende' Vikingenstad onder de grond, Jorvik, was knap gemaakt.
Bewegende wassen poppen vlochten er manden, klopten op een
aambeeld bijlen uit gloeiend ijzer, voerden kippen, bakten brood,
alles met veel oerlawaai, zelfs de stank heette waarheidsgetrouw,
maar na drie kwartier stond je weer buiten. Europa's grootste
spoorwegmuseum bestond uit een paar kale, reusachtige hallen
vol glimmend gepoetste treinen. Hier en daar konden kinderen
een knop indrukken om naar een filmpje te kijken, ze konden
plastic namaakpost sorteren en de snelheid van het spelletje
opvoeren, hun eigen record enveloppen lezen breken, er was een
uitstalling van antieke plaatsnaamborden, cateringserviezen, van
luxetreinmeubels, wc's, treinleeslampjes en treinbeddengoed,
en ieder halfuur een demonstratie met een stoommachine, maar
tussen de wagons hing een grijze stilte, die nog eens werd versterkt
door enkele gekostumeerde poppen die op een leeg perron stonden
te wachten, een koffer in de hand, of vanuit een verlichte coupé naar
langssjokkend publiek staarden, schijnbaar in afwachting van een
krantenjongen of verkoper van puddingbroodjes; ook poppen.

Het open, gemotoriseerde treintje dat ons van het museum terugbracht naar het centrum stopte pal achter een lijkauto. De kleine witte kist was tussen de bloemen nog goed te zien, net als de foto die erop lag. Lizzy, zwarte vlechten, tien jaar. Reden voor mijn moeder om Joy en mij om beurten ontroerd tegen zich aan te drukken, alsof ze ons bestaan aan het gekiste meisje te danken had.

Alleen het tripje naar Castle Howard was de moeite waard geweest, ook omdat het die dag echt warm was, een graad of tweeëntwintig, en de taxirit door glooiende knalgele koolzaadvelden en langs vervallen, middeleeuwse cottages ons al het idee gaf dat we van de echte wereld langzaam een filmdecor waren binnen gereden waarin iedere beuk, iedere braamstruik een bedoeling had. Een opgeruimde omgeving zonder wanklank of zelfs maar wangedachte; de anonieme scriptschrijver had ons en de chauffeur, die hier nota bene al dertig jaar woonde, geen andere tekst toebedeeld dan: 'O, o, o, wat paradijselijk.' De verzaligde glimlach die we tentoon moesten spreiden hield chaotische invallen en pijnlijke herinneringen tegen. Gebarricadeerd bewustzijn. Zen. Het grijsgele, door de tijd dof gepoetste kasteel een baken in een vloed van glitterend groen. Borders vol hyacinthen en narcissen, de meeste al bruin en slap, maar boven hun verlepte stelen straalde het blauwe en gele nabeeld van de bloemen die ze een paar weken geleden hadden gedragen. Fantoompracht. Rondom een quasi-Grieks tempeltje in een van de uithoeken van het landgoed bloeiden rode, roze en paarse rododendrons, daarachter begon een klein dennenbos. Hoge stammen, dicht op elkaar, geritsel van vogels, een eekhoorn misschien. Mijn moeder fotografeerde Joy terwijl ze uitkeek over een spiegelend meer in de diepte onder het tempelbergje, Joy vroeg haar of ze het bruggetje van boomstammen er ook op kreeg en de kalm grazende, beige oerkoeien – ik zette een paar stappen in het bos en opeens zag ik de geestengids weer voor me, nu in een lichtblauw overhemd, een spijkerbroek, hij greep mijn handen en we waren schandelijk verliefd, kotsmisselijk, slap als vaatdoeken en tussen de bomen legde hij me neer, ik protesteerde nog en...

Gadverdamme. Van de ene minuut op de andere had ik genoeg van alle aangeharkte lieflijkheid. Van mijn eigen verbeelding die zo nodig weer een pathetische draai aan deze lentemiddag moest geven. Spleen, hunkering, angst, masochisme; de hele santenkraam aan Brontë-emoties kreeg vat op me. Als betrof het een virus dat samen met de pollen door de lucht dreef, op zoek naar iemand zonder weerstand.

Het is toch treurig dat ik energie moet peuren uit de meest traditionele fantasie denkbaar, dacht ik. Dat ik als een bakvis dweep met een doodgewone Brit die waarschijnlijk alleen in zijn rol als reisleider door het schimmenrijk autoritair is, maar die thuis, als alle mannen van zijn generatie, braaf de aardappels schilt, de baby verschoont. Wat wil ik? Me uitleveren? Natuurlijk niet. De sukkel moet zeggen dat hij mij haat omdat ik zijn hele leven in de war gooi of weet ik veel, zijn achilleshiel heb gevonden. Hij moet dreigen, me tegen de muur zetten, een hand opheffen, me uitschelden. Ik wil een klap in mijn gezicht, wakker worden, tranen verbijten, sorry zeggen op z'n Engels, want in de letterlijke vertaling van het Engels wordt sorry iets existentieels, een zijnsmodus: Ik ben sorry.

En daarmee breek ik hem. Ik moet de man zien die ik nooit zag, diens gebarsten ogen. Schaamte eis ik. Mijn eigen schaamte wil ik terugzien. Niet alleen in hem, in allemaal.

Alles was een beetje tegengevallen, had mijn moeder gezegd. Maar Scarborough was van bovenaf prachtig. De vesting hoog in de duinen, de loodgrijze zee in de verte, de beroete arbeidershuizen, schuin aan de overkant, etagegewijs tegen heuvels gebouwd, zodat ze zelf weer nieuwe bergen vormden, bewoonbare bergen in een damp die licht gaf – ik had zoveel meer gevonden dan ik had gezocht, mijzelf in alle soorten steen, gestolde beelden van het lichaam dat ik was... Mijn eigen zerk was opengegaan. Tijdens de Ghost Tour.

Tijdens de tocht, meteen na het met kraanwater besprenkelde verhaal van het balustrade-slachtoffertje, had de gids ons naar een zuil tegenover York Minster gebracht. Omdat we nog maar net in de stad waren, hadden we de gebeeldhouwde kathedraal nog niet gezien. Het was een gouden stad, een woestijnkashba met daarin lange, smalle gotische ramen, zwarte gaten, die in het avondlicht oprees als uit het niets, als het wonderlijke leempaleis in Djenné, Mali. Ik had mijn ogen niet van die kerk kunnen afhouden en hoorde amper wat de man nu weer voor tragisch verhaal opdiste. Er was uiteraard weer iets met een gekwelde vrouw.

Het woord *suicide* viel en de gids toverde een mes tevoorschijn. Afgesleten houten handvat, breed, roestig lemmet, uitlopend in een scherpe punt. Ideaal voor het fijnhakken van wortels, pompoen, prei, bleekselderie en pastinaak. Maar de gids sloeg het mes in zijn pols, het snijvlak drong diep in zijn huid en vervolgens maakte hij zagende bewegingen, met een van pijn vertrokken gezicht. Dikke rode verf gulpte langs het mes en de vrouwen in de groep, mijn moeder incluis, slaakten kreten van afschuw. Wat een smerige troep!

Net als Joy vroeg ik me af hoe de truc werkte. Waarschijnlijk zat er in het lemmet een soort luikje, boogrond, dat openklapte als je het mes tegen je pols drukte. Het mocht dan lijken alsof het ijzer zich stevig in het vlees kliefde, in werkelijkheid wrong je je pols gewoon in de vrijgekomen uitsparing en met een nagel aan de hand die het mes vasthield, prikte je het in het heft verstopte plastic zakje namaakbloed open, zoals je dat ook doet met de gratis zakjes sambal die je krijgt bij een Chinese afhaalmaaltijd.

Dit was Britse keukenpret. Op de middag voor Kerstmis haalde de gids ditzelfde mes tevoorschijn bij het bereiden van de kalkoen, en deed dan net of hij het al dode dier nog een keer slachtte, waarbij de ketchup in het rond vloog. *Morbid medieval fun* en met een paar vellen van de keukenrol veegde je aanrecht en blote vogel zo weer schoon.

De gids had het mes met moeite uit de onzichtbare wond gewrikt, en trok een met kant afgezet wit zakdoekje uit zijn mouw. Daarmee veegde hij de verf van zijn pols, van de boord van zijn overhemd. Natuurlijk kreeg Joy het als aandenken. Straks en alle avonden hierna moest ze het zakdoekje onder haar kussen leggen; het zou haar beschermen tegen kwade geesten en de goede juist aantrekken. Als ze het ritueel dagelijks uitvoerde, werden al haar wensen vervuld. Terwijl de gids mijn dochter vaderlijk toesprak, keek hij mij aan. Hij kon niet weten hoe vaak ik zelf met een mes... uitsluitend in gedachten.

De vrouw die zichzelf had omgebracht, lag begraven onder de zuil waar wij nu omheen stonden. Het bloedbad ten spijt – ze was niet dood geweest op het moment dat ze werd gekist, iemand had haar horen ademen, en dezelfde persoon (de man met wie ze een buitenechtelijke verhouding had?) had later, toen ze al onder de grond lag, een vaag geklop gehoord, waarna hij op onderzoek was uitgegaan. Rond middernacht, bij het blauwe schijnsel van een smalle maansikkel... Een spade, graafbewegingen. Spijt, hunkering, kom terug, kom terug, ik neem je terug... We vluchten samen en bouwen elders, ver van hier, een nieuw leven op, onder een andere naam... Ja, je leeft nog, ik hoor het, ik kom je halen, al moet ik je terugkeer met mijn eigen leven betalen...

De radeloze graver had dat beter niet kunnen denken, want plotseling waren de bebloede armen uit de aarde omhooggekomen en hadden de handen hem bij de keel gegrepen, gewurgd en mee in het graf getrokken.

Het kon niet anders of iedereen in de groep had op dat moment aan de slotscène van de verfilming van Stephen Kings *Carrie* gedacht. Ik dacht aan *Carrie*. Aan de bleke meisjeshanden die door de steen heen braken, de tastende vingers, de vriendelijke vingers, de onschuldige vingers, en hoe ze reikten naar een andere hand, naar een andere onschuldige hand, voor een onschuldige aanraking. Reikten, niet eens naar liefde maar naar menselijke warmte, menselijk contact. Toch een ontroerend einde, moest de kijker denken en precies op dat ogenblik nam het behekste dode meisje wraak voor al die keren dat ze bespot en gehoond was, ze hoefde dat tuiltje excuusmargrietjes op haar graf heus niet, rot op met die laffe daad van klasgenootjes die nooit haar vriendinnen waren geweest. En de onschuldige handen, de onschuldige nagels, witte maansikkeltjes, persten zich in het halsje van de bezoekster tot het bloed er aan alle kanten uit droop. Knikkergrote druppels rode dauw op de bleke bloemetjes. Een levende dode onder, en een dode dode op de zerk. 'The End'. Die margrietjes konden trouwens ook lelies zijn geweest. Of fresia's. Of rozen.

Donald vond zelfmoord immoreel. Goed, mensen in het hart van een zware psychose, die kon je moeilijk toerekeningsvatbaar noemen. Hetzelfde gold voor degenen die werden gemarteld door traumatische herinneringen aan oorlog, incest, huiselijk geweld. Maar zelfmoord omdat iemand 'het leven niet meer aankon' of gebukt ging onder zijn eigen tekortkomingen, onder een gebrek aan liefde? Luxeproblemen. Allemaal verveling. Eigenlijk zou je al die lui met serieuze plannen eens een maand naar Congo moeten sturen, naar Sierra Leone, Birma, Tibet, Tsjetsjenië of waar mensen ook maar dagelijks te maken hebben met terreur, armoede, honger, ziekte. Vond hij. Dan piepen ze wel anders.

'Vrouwen die hun man voor hun ogen afgemaakt hebben zien worden, met machetes, met bajonetten, die door dezelfde soldaten tot tien keer toe zijn verkracht, waardoor hun baarmoeder nu buitenboord hangt, als een brandende ballon tussen hun stokkenbenen, wier huis is geplunderd en vervolgens in brand is gestoken, oma en de kinderen nog binnen; we hebben ze toch ontmoet? In het opvangkamp aan het werk gezien, gesproken? Kijk, als zulke vrouwen al met hun nachtmerries en pijnen kunnen leven, als ze zelfs nog kunnen vechten voor die ene baby die hun zus heeft nagelaten, als ze ondanks alles nog geiten willen hoeden, cassave willen planten, oogsten, malen en koken om maar weer wat eten te hebben, als ze in de avonduren nog de tijd vinden om een schooltje op te zetten of wat was het, een zeepfabriekje?, als mensen dát allemaal kunnen en daarbij ook nog zingen, dan moeten al die depressievelingen zich kapot schamen dat ze ooit hebben overwogen zich van kant te maken.' Ik kon het Donald horen zeggen. Had er niets tegenin te brengen.

Toch dacht ik minstens eenmaal per week aan zelfmoord. Ik, die inderdaad de sterke Liberiaanse boerinnen had gezien. Die achter hen aan was gewaggeld, kilometers door kniehoog, snijdend gras, steunend onder de jerrycan met troebel water op mijn hoofd.

Een depressie heb ik nooit gekend. Er was alleen maar die gedachte (eigenlijk vooral een beeld: leeglopende polsen, mijn lijk op het plakkerige keukenzeil): wegwezen. Ophouden. Dood jij. Geen romantiek. Maar ook geen greintje medelijden met wie ik zou achterlaten. Verveling? Stierlijke.

Het hele leven verveelt me al jaren. De wereld verveelt me. Orgasmes, ja. Die vervelen nooit. Er kortstondig uit geblazen worden. Met een klaroenstoot uit de eerste en laatste jas van je eigen huid, de storm in, zelf de storm zijn. Alle innerlijke stemmen tegelijk aan het juichen en krijsen gebracht. Geest en niets dan geest. Alles voelen, niets meer voelen dan totale leegte. Ontledigd worden. Dat. Gevuld worden, voor een paar seconden, met iets anders. Geen overtuigingen, geen meningen, oordelen, ideeën, maar volstromen met ragdunne droomstof, ether. Een zeepbelzacht, vloeibaar landschap en tussen de immer dansende heuvels drijven je herinneringen als engelen door elkaar, over elkaar, een orgie van onversneden openheid, onschuld, overgave, ontvankelijkheid, ontroering.

Hemel, hemel. De totale afwezigheid van hiërarchische structuren. Van ordening, logica. Van afscheidsangst. Van een geweten. Van... en dat snapte jij niet, dat mocht jij van jezelf niet snappen, Donald, van moraliteit. Juist van moraliteit.

Als we bij mijn of zijn ouders op bezoek waren kwam de doodsgedachte op. In groepen. Tussen de andere ouders op het schoolplein. Maar vooral als ik alleen thuis was – een half artikel op mijn opengeklapte laptop, even naar de wc, ketel water op het vuur voor poedersoep waar ik geen zin in had, toch alvast maar de ontbijtboel afwassen, en dan het scherpe mesje waarmee Donald een sinaasappel voor Joy had geschild in het sop; doe het nu, doe het gauw. Een luxewens, zeker.

In Afrika zou ik wel anders piepen. Als ik zelf een burgeroorlog had overleefd, malaria, hongersnood en tien doodgeboren kinderen te boven was gekomen, zou ik nooit met mijn fruitmesje hebben gespeeld, laat staan met de gedachte. Donald had gelijk. En ook al konden al die duizenden derdewereldhelden en -heldinnen me niet ter verantwoording roepen, ik schaamde me tegenover elk van hen. Hoe durfde ik te verlangen naar dezelfde dood die zij dag en nacht met alle kracht in hun vroegoude lijf op afstand probeerden te houden? Ik schaamde me tegenover iedere kankerpatiënt, tegenover iedere zwaargehandicapte die ik ooit had ontmoet of op tv had gezien. Ik mocht niet dood willen. Ook al vond ik leven vaker een plicht dan een recht, dan nog moest ik die plicht naar eer en geweten vervullen. Van een God?

Volgde er een Dag, een Uur des Oordeels? Als het bestond duurde het twintig minuten en heette het simpel het Journaal. Daar, op het beeldscherm, verschenen ze, de aanklagers, de rechters. De zielenwegers. Hun potje kokend in een geïmproviseerde tent van stronken en paardendekens. Op de vlucht voor guerrilla's, kinderen en waardeloze huisraad op hun rug. Jammerend bij het puin dat een aardbeving van hun stad had overgelaten. Op apegapen op brancards, zwartgeblakerd na een bomaanslag, en toch nog bij machte om om water te roepen, om een vermiste zoon of koe. Of ze nu lijdzaam zwegen, zich op zangerige toon bij Allah beklaagden, of jankten als een in de flank getrapte hond, wat ik hoorde was een vraag om rekenschap.

Donald zei het ook, in ieder interview. 'Wij moeten rekenschap afleggen.' Dan doelde hij op de keuzes die je maakte, in je hoofdrol als consument. Als je weet dat grote cacaoverwerkende industrieën als Nestlé hun grondstof van slavenhouders betrekken, koop hun chocolade dan niet. Denk ruim. Voel je verbonden met de hele wereld. Kijk over je eigen korte-termijnverlangens heen naar de toekomst. Rekenschap, rekenschap.

Ik geloofde dat ik aan al die moedige overlevers ook rekenschap moest afleggen voor mijn schandelijke verlangens zelf.

Maar waren mijn vermeende rechters wel zo moedig en veerkrachtig? Waren het niet eigenschappen die wij graag aan de overlevers toedichtten, zoals we onszelf wijsmaakten dat onze kat het aanvoelde wanneer we bedroefd waren en dan bij wijze van troost op onze schoot sprong?

Een medelijdende kat is wishful thinking. De kat wil zelf aandacht. De kat weet: als mijn huisgenoot zich overgeeft aan zijn somberheid, vergeet hij mij misschien ook te voeden. Instinct is dat.

Het gehoorzamen aan een instinct heeft niets met veerkracht en moed te maken. Het dier is slaaf van zijn rammelende maag, en de menselijke overlever is in zoverre een dier dat ook hij alleen nog maar de noden van zijn lichaam voelt, zonder daar enige gedachte bij te hebben. Overlevers zijn machines. Die tijdens de zware arbeid soms prachtig zingen, dat is waar. Die, hoe creatief, met lege olievaten een kraamkamer bouwen – aandoenlijk om te zien, een handig hulpmiddel bij het relativeren van je eigen zorgen. Vergeleken bij hun toestand is je leven een kabbelende feelgoodmovie met hoogstwaarschijnlijk een gelukkig einde waarbij je, omringd door dierbaren, tussen smetteloze lakens aan een nauwkeurig afgestelde morfinepomp ligt, die je langzaam en in prachtige kleuren laat wennen aan de eeuwige roes van het niet-zijn. Vergeleken bij 'die mensen' mogen we niet klagen.

Vinden 'die mensen' dat zelf ook? Zouden ze werkelijk neerkijken op onze verlangens, gesteld dat ze die kenden? Zouden ze mijn fantasieën afkeuren? Als spotternij opvatten? Hoe durf jij dood te willen?

Wat ik me vaak heb afgevraagd tijdens de nieuwsflitsen was: zou er tussen al deze slachtoffers niet één iemand zijn die heeft gedacht: wat een verlossing, deze ramp, deze vuuraanval, nu hoef ik er tenminste niet zelf een einde aan te maken. Een man of vrouw die er toch altijd al tegenop had gezien om oud te worden, en nu opgelucht was dat het lot met wapens of orkaangeraas toesloeg? Overal moeten mensen rondlopen zoals ik, die zichzelf op gezette tijden dood wensen. Die hopen op de dag dat ze eindelijk weg mogen. Die vinden dat ze nu wel klaar zijn met hun opdracht, zo er al een opdracht is, en geen zin hebben om in ouderdom en eenzaamheid te wachten tot de bel gaat. Die zo bang zijn dat degenen aan wie ze gehecht zijn eerder gaan dan zij en ze de pijn van het gemis niet zullen overleven, dat ze liever zelf als eerste... Verveelde mensen, luxepaardjes – ook in Afrika, in India. Zelfmoordklanten, en het enige wat ze misschien van de daad weerhoudt zijn al die religies die van zelfmoord het grote taboe hebben gemaakt, groter dan incest, verkrachting, overspel en zelfbevrediging bij elkaar.

Godsdienstcritici beweren dat mensen religie in het leven hebben geroepen om zich met de dood te verzoenen. Het hiernamaals als troostrijk verzinsel, dat niet alleen het verlies van je geliefden draaglijk maakt, maar ook het miezerige leventje dat je hier leidt. Later word je voor je gemodder beloond en zie je al je vrienden en verwanten terug. Ik geloof dat ik soms ook geloof. Vaag. En mijn geloof verzoent me niet met de dood, maar boezemt me vrees in. Ik heb mijn geloof zelf in het leven geroepen omdat ik wil, hoop, zeker weet dat je met zelfmoord niet wegkomt. Misschien staat er een straf op, kom je in de hel, maar zo erg hoeft het niet: dat je blijkt door te leven, voor altijd, dat is al een straf.

Als ik echt dood had gewild, had ik ook wel andere manieren overwogen. Een overdosis, een strop, gas, een sprong van een hoog gebouw, of voor een sneltrein. Maar ik dacht alleen aan snijden. Macbeth: 'Is that a dagger which I see before me? Come, let me clutch thee.' Red jezelf. Kras jezelf maar aan flarden. Al het inwendige eruit, de ultieme aderlating, frisse lucht voor al mijn dromen, de hitte bevrijd uit dat versteende lichaam dat het vervloekte zo verklonken te zijn aan één man, aan één kind, aan één plek in het universum.

Twee zondagen na Berkmans bezoek neem ik Joy en het vriendinnetje bij wie ze heeft gelogeerd en dat gisteren bij ons heeft geslapen, mee naar het strand van IJmuiden. Dienst en wederdienst. Ik hoop dat de ouders van het meisje hun kindvrije weekend uitbuiten. Neuken moeten ze, tegen de klippen op, zolang het nog kan. Waarom orden ik mijn gevoelens, de herinneringen aan gevoelens met behulp van mijn Ghost Tour-verslag? Ik geloof dat de gids me zo fascineert omdat hij mij misschien in contact kan brengen met mijn zo abrupt gestorven man. Een medium? Nee. Een sjamaan.

Iemand moet mij een sprookje vertellen waarin Donald de Altruïst, de Lankmoedige, de dromen van zijn vrouw heeft gelezen, ze niet heeft herkend, macaber en koud vond, een zelfzuchtige hel, en van walging en schrik is bezweken – 'Hou dan toch van MIJ!' zoals het meisje dat reikhalzend naar vaderliefde over de balustrade tuimelde.

We stappen in de Marnixstraat op de bus naar IJmuiden, naar het rustige strand waar Joy zo graag met haar vader kwam. IJmuiden is van hen, ik ben er nog nooit geweest. Donald maakte op zijn vrije dagen vaak uitstapjes met Joy, om mij te laten schrijven. Of zonder in-de-weg-lopers te laten dweilen, wassen, stoffen, ramenlappen, zodat ik net als hij op maandagochtend meteen kon werken, niet afgeleid door vuil.

In de bus heeft Joy het niet over haar vader. Thuis ook zelden. Alleen als ik boos op haar ben, heeft zij Donald achter de hand. Verongelijktheid over een in haar ogen onterechte berisping mondt uit in tranen om pappie, terwijl ze Donald bij zijn leven nooit pappie heeft genoemd. Het hoort erbij, zeggen deskundigen. Iedereen vindt Joy een sterk meisje. Ze is al als krachtpatser geboren, eelt op haar ziel en onder haar voetzolen had onze baby, terwijl ze nog geen stap had gezet. Soms heeft het er de schijn van dat ze het overlijden beschouwt als een vuurdoop. Een meesterproef. En ze daagt me uit tot een wedstrijd. Wie treurt het minst?

Ze slaapt met haar vaders T-shirt onder haar kussen en ruikt soms zomaar midden op de dag aan het sleetse tricot, maar dat is het dan. Aan foto's kijken heeft ze geen behoefte. Aan een goed gesprek evenmin. Op haar tekeningen blijft de zon uitbundig schijnen, de kinderen lachen er, de bloemen staan rechtop, in alle huizen zijn de gordijnen open. Nergens kruisen en kisten, geen zwarte en paarse krassen, geen strepen, spijlen, geen vogels in een kooi. Meeuwen en adelaars vliegen nog steeds met wijdgespreide vleugels tussen de lichtblauwe wolken, omdat dat hun gewoonte is en niet omdat papa ergens daarboven woont, hij een ster is geworden of zo.

Het vriendinnetje, van top tot teen in het roze, laat Joy trots haar badpak bedrukt met tekenfilmelfjes zien; graatmagere monstertjes met veel te grote ogen in hun gele gezichtjes. Met de zwart geaderde vleugels van prehistorische libellen. Joy geeft geen reactie en legt het meisje uit dat we nu langs populieren rijden, en verderop langs het water staan wilgen, kijk, een esdoorn, een Amerikaanse eik – daar heeft ze thuis een prachtig, donkerrood blad van, zelf gedroogd tussen de bladzijden van een oud telefoonboek.

Ik bewonder mijn dochter. Ze laat zich nooit laatdunkend uit over de rages waarin andere meisjes zich collectief onderdompelen, koopt voor verjaardagspartijtjes van haar vriendinnen de barbie-acessoires die de meisjes zo graag willen, de kraaltjes, kleertjes, touwtjes en spiegeltjes die in de mode zijn, zonder dat ze er zelf naar taalt. Als het getrut haar te veel wordt, begint ze onverstoorbaar over haar eigen hobby: de natuur. Een halfjaar voor Donalds dood is ze vegetariër geworden en niet omdat ze vlees niet lekker vindt. Maar er kwam een dag, meende ze, dat je een keuze moest maken. Als je echt houdt van planten en vooral van dieren, van rupsjes en poezen, van regenwormen, bijen, honden en schapen, dan kun je niet willen dat dieren worden doodgemaakt om op te eten. Sentimenteel gedoe kwam er niet bij kijken. Vis bleef op het menu, en af en toe maakt ze een uitzondering.

Bij mensen die niet weten dat ze vegetariër is, eet ze gewoon vlees en geniet er dan ook van. Op vakantie mag ze best eens een knakworst. Ostentatief lijden onder je eigen beslissing is nergens goed voor. Op de avond van haar vaders uitvaart bestelde ze bij de Italiaan spaghetti bolognese en bedelde om een paar plakjes salami van mijn pizza – de volgende dag nam ze weer tofuspread op haar brood, en een seitanburger bij de rijst met doperwten. Luchthartig consequent. Een kleine Donald met staartjes.

We leggen onze handdoeken dicht bij het water. Ik druk Joy op het hart dat ze niet te ver in zee moet gaan. Ze heeft al twee diploma's, maar haar jongere vriendinnetje is nog bezig met lessen voor haar A en ik wil niet dat ze door mijn dochter wordt opgejut om de grote golven te tarten. 'Smeer je goed in en ga een beetje ballen in de vloedlijn. Zwaai terug als ik naar jullie zwaai, dan weet ik dat je me nog ziet.'

Als Donald erbij was geweest, had ik me zeker ook uitgekleed en in een badpak gehesen, al was het maar om niet onsportief te lijken. Nu houd ik alles aan. Mijn zwarte rok met rozen, de witte blouse die ik vorig jaar bij Marks & Spencer heb gekocht, op de terugweg van de toiletten op de bovenste verdieping. Je gaat zo'n zaak niet in alleen maar omdat je zo nodig moet. Witte blousejes komen altijd te pas. York, alweer.

Mijn moeder had die middag met Joy de stadsmuren beklommen, na een eerdere poging met z'n drieën. Het was goed gegaan tot we bij een stuk waren gekomen waar de muur nog maar één opstaande rand had gehad. Hoe breed het pad ook was, de gedachte dat je er aan de open kant zo af kon vallen, de diepte in, gaf me kletsnatte handen. Hoogtevrees, correcter: dieptevrees, is de enige angst die er nog resteert.

Mijn verkrachtingsfobie is verdwenen nu Donald dag en nacht bij me is. Of: nu ik geen erotische fantasieën meer heb. Sinds ik weduwe ben durf ik weer alleen door het park te lopen, alleen met een wildvreemde man in een lift te staan, alleen door het donker te fietsen, zonder mobieltje in de aanslag. De fobie is in het niets opgelost, maar niet uit het niets verschenen.

Op mijn zeventiende ben ik aangerand op een doodstille polderweg. Mijn moeder had haar gelijk gekregen. Ik was van mijn fiets gesleurd door een man in een saaie, acryl Wibra-trui. Met een saai, uitdrukkingsloos gezicht had hij mij in zijn in de berm geparkeerde, saaie, rode Alfa Romeo getrokken. Hij had zijn handen onder mijn rok en in mijn panty gewurmd en met een saaie, vlakke, Noord-Hollandse stem geroepen dat ik er zelf toch om had gevraagd, wie gaat er anders zomaar een beetje door de weilanden fietsen, in januari nota bene, als je niet doet wat ik zeg schiet ik je dood, in de achterbak ligt een pistool, ze gaan je hier niet vinden, niemand gaat je vinden, ach kom op, ik wil me alleen even aftrekken, of wil jij het bij me doen?

Moedig was ik op het moment zelf.

Ik heb geschreeuwd, ik verzon een tragisch verhaal over een depressie en dat ik juist op weg was naar een vriend die me kon helpen, als het goed was kwam hij deze kant op, kwam hij mij op zijn brommer tegemoet, ik weet niet meer wat ik aan ellende opdiste, maar het werkte. Toen de man aan zijn gerief gekomen was, opende hij het portier en duwde me uit zijn wagen, maar niet nadat hij zijn hand aan een tissue had afgeveegd en hem naar me uitstak, om alleen maar even excuses te maken. Even dit, even dat. Ik heb de hand nog aanvaard ook. Trillend. Mijn fiets opgeraapt. Geen nummerbord genoteerd. Ben als een idioot naar huis gereden, heb nooit aangifte gedaan. Was al blij dat mijn moeder me de ruzie, die de aanleiding voor mijn vluchtactie was, onmiddellijk vergaf en haar armen om me heen sloeg. Om te vergeten at ik vier boterhammen met opgewarmde hutspot en ging daarna naar bed, waar ik almaar dat nerveuze gesjor aan die piemel voor me zag, tot ik begreep wat de witte klodder op mijn schoen was geweest. Ik had dus niet met haarconditioner gemorst. Vond het al zo vreemd dat ik de vlek niet eerder had opgemerkt.

Jaren later las ik in de krant over een verkrachter die precies dezelfde strategie hanteerde als mijn aanrander, en de beschrijving van zijn uiterlijk kwam overeen met wat ik onthouden had. Ik moest op die middag in januari een van zijn eerste slachtoffers zijn geweest. Geen pistool, dat dacht ik toen ook al, maar tot wurgen en het in het kanaal dumpen van de geschonden lijken was hij wel in staat geweest.

Was het te danken aan mijn verbale geweld dat ik destijds was ontkomen? Dat ik alleen maar voor het eerst een masturberende man had gezien, maar niet was verkracht, zelfs maagd had kunnen blijven?

Mijn fobie wortelde volgens vriendinnen in mijn schuldgevoel jegens de slachtoffers. Onbewust vond ik natuurlijk dat ik moest boeten voor het verzuimen van mijn meldingsplicht. Een andere theorie was dat ik te veel medelijden met de dodelijk saaie dader had. 'Iemand vergeven is één ding, maar jij, Lot, jij probeert de man te begrijpen. Jij praat zijn gedrag goed, terwijl je boos moet zijn, razend! Ook al was het een armoedige burgerlul die waarschijnlijk nooit op een normale manier aan een meisje komt, dan nog mag hij niet zomaar iemand van haar fiets sleuren. Hij kan toch ook naar de hoeren gaan? Dan levert hem dat nog maar een extra deuk in zijn toch al zo wankele egootje op, zoals jij beweert – zo'n man heeft met zijn poten van je af te blijven, minderwaardigheidscomplex of niet. Jij trekt hem op schoot. Jij vergoelijkt wat hij heeft gedaan. Zo kom je nooit van je angst af. Jij houdt hem bij je, troost hem, en dacht je dat hij daar iets van merkte? Die vent is gewoon al die jaren doorgegaan!'

Allemaal waar.

Onverschrokkenheid en veerkracht zijn mijn deugden niet. In Afrika durfde ik alleen te liften, alleen in hutten te slapen, als Donald nog even ergens anders was, ik ben wel eens in een als hotel vermomd bordeel wakker geworden, pas in het ochtendlicht zag ik dat ik de avond ervoor onder de douche met mijn blote voeten in gebruikte condooms had gestaan, maar bij stille Europese mannen, in stille treincoupés, in stille auto's, onder stille viaducten, op stille industrieterreinen ben ik doodsbang. Seks heeft nooit problemen opgeleverd, tussen twee serieuzere liefdes door heb ik zelfs een paar one-nightstands gehad met tamelijk onbekende mannen, ik heb me wel eens laten vastbinden en slaan door een vriendje, uitdagen kan ik, het spel spelen kan ik, kon ik, maar enkel in een tot mijn kruin toe dichtgeritste plastic bodybag van een aura, waar geen baltsgeur uit kon ontsnappen, die mijn loopsheid opsloot in mijzelf.

Toch nog een vrouw geworden; mijn angst hield de wellust in balans. Waar ik toch nog eens onmatig was geweest, sloeg een paniekaanval keihard terug, tot de weegschaal weer loodrecht hing.

Na Joys geboorte mocht ik zes weken niet met Donald naar bed. Vroedvrouwen en vriendinnen zeiden dat het heel normaal was dat kersverse moeders geen zin hadden, de borsten waren er voor de melk, beneden zeurde een uitgehaald borduurwerkje van ijzerdraad nog na, o wee de man die bij zijn vrouw aandrong, met stoïcijnse stijve pik – wat een gebrek aan empathie!

Maar Donald gedroeg zich voorbeeldig en kuste en streelde me zonder enige opwinding. De tederheid zelve. Onbaatzuchtige kneepjes, zachte papa-kusjes. Hij lepelde kwark op mijn ontstoken tepels en at de rest van de bak zelf leeg, gezellig op de rand van ons bed. Hadden we nog van die gaasjes nodig?

Hij kon wachten. Zo goed dat het me woedend maakte. Ik niet. Dus deed ik het veertien dagen na de bevalling toch maar met mezelf, met mijn pyjama en onderbroek aan. Ik drukte het dikke vloeiingsverband gewoon steviger in mijn kruis, het bekende ritme, en ontdekte dat het litteken van de knip me een extra clitoris had

135

opgeleverd. Sinds Joy er is kom ik twee- en soms drievoudig klaar, een prachtig kraamcadeau en duurzamer dan ik had verwacht. Misschien was de gynaecoloog die me had gehecht toch niet zo'n zwijn geweest als ik dacht, toen hij met een knipoog naar mijn man had gezegd: 'Zullen we het weer lekker strak maken, daar?'

Na mijn orgasme had ik me vies gevoeld. Getrouwde vrouwen horen niet te masturberen, maar moeders overschrijden echt een grens. Ik was met Joy naar buiten gegaan, zij in een zakje dicht tegen mij aan, de panden van mijn jas om haar heen. Een tintelende, reinigende voorjaarslucht en al zou ze nog geen kip van een paard kunnen onderscheiden, toch liep ik toen al met haar naar de kinderboederij, terwijl ik zacht 'Shalom chaverim' neuriede en andere, woestdroevige joodse liedjes.

In het weitje stonden de geiten met hun lammeren. In haar buitenhok lag de enige zeug, obsceen zwanger, te slapen. Het was één uur. Alle kinderen zaten op school, alle peuters deden hun middagslaapje. In de stal was alleen een flegmatieke, zwakbegaafde jongen aan het werk. Caviahokken verschonen met behoud van uitkering, dat was het idee. Hij murmelde in zijn vlasbaard, ik meen dat ik hem toelachte, mijn blik weer op de konijnen richtte en Joy vergeefs uitlegde dat de dikke Vlaamse reus in de hoek Hendrik heette, toen de jongen de zak stro ineens op de grond zette, met kordate passen naar de staldeuren liep, ze met een klap dichttrok en vergrendelde. Ook met een pasgeborene tegen je borst was je niet veilig. Horror. De jongen kwam dicht bij me staan, zwijgend.

Ik dacht aan de tuinman, of was het de jachtopziener, uit *Lady Chatterley's Lover* – ik had nooit begrepen dat een vrouw op zo'n gespierde mompelaar verliefd kon worden, het boek walgend uitgelezen, zoals ik later ook walgend naar de film *The Piano* had gekeken, want dat de hoofdrolspeelster haar gepolijste, afstandelijke Sam Neill verruilde voor de grommende, harige, primitieve Harvey Keitel kon alleen maar bedacht zijn door een frigide regisseuse, die als een papegaai nabauwde dat seksuele aantrekkingskracht iets dierlijks was. Dat zelfs geciviliseerde, klassieke wijsjes pingelende vrouwen *deep down* alleen maar een aapmens wilden.

Het sikje kon niet verhullen dat de jongen een saai gezicht had. Een saaie, lege blik.

Het zweet brak me uit. Ik hoopte dat Joy zou gaan huilen, maar ze lag stil tegen me aan en keek van onder haar mutsje vertrouwend naar me op. We zouden eraan gaan, zij en ik, de tanden blikkerden tussen het rossige baardhaar, het kon niet anders of de jongen rook dat ik nog geen uur geleden...

'Schattig kindje,' zei hij.

Ik duwde hem weg, gilde: 'Laat me eruit!' Nu maakte ik zelf mijn baby wakker en ik besefte de onredelijkheid van mijn angst, als mijn paniek maar niet haar eerste trauma werd, ik vreesde mijn eigen vrees, de hitte werd koorts, knieën en kuiten werden licht als helium, mijn benen werden onder me weggeblazen, maar ik mocht niet omvallen, niet met mijn dochtertje tegen me aan, niet haar zalvige schedeltje met de nog open fontanellen hier op de betonnen vloer... Als een krankzinnige in een isoleercel rammelde ik aan de deur. De jongen hield me niet tegen, schreeuwde niet terug.

Hij schoof de grendel open toen hij zag hoe mijn handen beefden, en zei op de drempel dat hij de deur had gesloten om mijn kindje niet op de tocht te zetten. Zijn broertje had een longontsteking direct na zijn geboorte ternauwernood overleefd, vandaar. Ik luisterde niet. Rende weg. Hield Joy dicht tegen me aan gedrukt. Ze had wel kunnen stikken.

Pas op de markt, tussen de mensen, hervond ik rust. Dubbele schaamte nu. Ik had mijn lust niet kunnen bedwingen en mijn angst evenmin. Wie weet hoezeer ik de jongen had gekwetst.

Later had ik te doen met mijn kind, dat zo nodig een meisje had willen worden, terwijl ik toch echt een jongen had besteld.

Het was prettig dat ik met Donald over al deze gektes altijd kon praten, zonder bang te hoeven zijn dat hij me zou uitlachen of de aanvallen zou stuk analyseren. Ik mocht een feller, onbetrouwbaarder libido hebben dan hij, ik mocht angstaanvallen hebben, ik mocht zelfs zo nu en dan 'weg' willen; al die wisselende stemmingen kwamen en gingen weer, brachten hooguit leven in de brouwerij en, vond hij, een diep begrip voor de wonderlijke roerselen van anderen. Dat zag je aan mijn interviews.

Nooit de dooddoener: 'Je moet zeker ongesteld worden.' Donald stelde geen therapieën voor, ik hoefde niet tegen mijn obsessies te vechten en precies dat ontnam ze hun macht over mij. Donald en ik wisten allebei dat ik nooit zou vreemdgaan, nooit ook maar één zelfmoordpoging zou wagen, nooit van een paniekaanval in een psychose zou belanden. Omdat ik in de kern optimistisch van aard was, altijd wel weer ergens hulp vond.

Weet hij dat ik tegenwoordig alleen nog maar hoogtevrees heb? Dat ik de laatste resten van de andere vrees heb overwonnen, zomaar, door te doen alsof hij bij mij is?

Mijn moeder had vorig jaar, net na zijn dood, met Joy over de stadsmuren gelopen, York helemaal rond, zodat ik eens 'lekker kon shoppen' en ze was blij geweest dat ik ergens een blouse had gevonden. Eindelijk iets nieuws: voor haar het bewijs dat ik de draad weer begon op te pakken. Wie winkelt, bestaat.

De meisjes rennen het water in en weer uit. Waarschijnlijk is het nog erg koud. Ik open een pakje sigaretten, steek er een op, kijk om me heen. Ik moet beginnen bij het concrete begin: debatcentrum, Palestijns-Israëlische kwestie, Said en Conrad en Greene en goed dan, Stavrianos. Bij Donalds in de steek gelaten gitaar. Bij onze bevlogenheid. Maar die van hem was sterker.

Alsof ik alleen maar op de golven hoefde te gaan liggen, en dan vanzelf zou aanspoelen waar de God in wie ik niet geloofde me hebben wilde. Dat kan onmogelijk hier zijn. IJmuiden. Wie wil er naar IJmuiden? Liever vaar ik in een plastic opblaasbootje naar de overkant.

*

'Ik vind het hier en daar kitsch,' zegt Berkman.

'Ik ook,' zeg ik en schaam me dat ik hem het verhaal heb gestuurd.

'Het is natuurlijk niet voor het blad...'

'Je wilde dat ik het opschreef. Dus dat heb ik gedaan. Misschien zijn vrouwenemoties, of emoties in het algemeen wel kitsch. De manier waarop jij jouw hoerenloperij rechtvaardigde, vond ik ook kitsch.'

'Jij-bakken, altijd leuk. Je schrijft niks over je rouw.'

'Dan lees je niet goed.'

'Ben je verliefd op die man van de Ghost Tour?'

'Ik denk vaak aan hem. Denken, daar is niets mis mee. Soms, als ik 's avonds op de klok kijk en het is tien over half acht, tien voor acht, dan denk ik aan York. Vraag ik me af of hij nu de tour leidt, stel ik me voor waar hij staat, wat hij zegt. Later op de avond kijk ik naar BBC 1 of 2 en verbeeld me dan dat hij en ik hetzelfde zien. Veel verder gaat het niet. Sinds Donald er niet meer is, heb ik nooit meer van die dromen die ik had toen hij... Nu opeens kan ik het wel. Monogaam zijn. Begeerteloos zijn. Verdomme.'

Net als de vorige keer zit Berkman in de leesstoel van mijn man, maar hij zit niet meer bij hem op schoot.

De afgelopen weken kwamen we elkaar opeens overal tegen. Ik ging de muziekwinkel in de Van Baerlestraat uit met de *Scottish Fantasia* van Bruch, hij kwam binnen. Voor een nieuwe uitvoering van Wagners *Ring*, natuurlijk, omdat dat hoort in zijn kringen. Drie dagen later: ik op een tramhalte, hij fietste langs. Ik zag hem kibbeling eten bij een viskar in het centrum, of hij mij zag weet ik niet. Hij depte zijn lippen met een rood papieren servetje. Pas bij de eindvoorstelling van de cursus streetdance die Joy al sinds november volgt, begreep ik dat een van de medeleerlingetjes zijn dochter is. Alle lessen heb ik dus dicht bij Berkmans' vrouw in de kantine gezeten. Ik kon aan hem merken dat hij niet van gangstarap houdt. Ik houd er mijns ondanks wel van. 'Candy Shop' en 'Just A Lil Bit' van de al door negen kogels geraakte Amerikaanse neger 50 Cent vind ik zulke goede nummers dat ik, zonder het Joy te vertellen, diens cd *The Massacre* heb gekocht. Intro: de drum van vurende machinegeweren. Ratatata! Brekend glas, gesmoorde doodskreten. Geweld kan muziek zijn. Een paar nummers later zegt de zanger op fluistertoon dat hij je broekje alleen maar even omlaag doet, weer omhoog, alles zachtjes en toch dwingend, 'As you like it' – daarachter een oosters deuntje op repeat. 50 Cent snapt goed hoe ik het wil, maar ik wil niets meer.

We troffen elkaar een paar dagen geleden in de drankenwinkel in de Kinkerstraat. Berkman was nog niet aan de beurt. Ik kocht een fles single malt. Auchentoshan, driemaal gestookt. Zag hem denken: nu al een nieuwe vriend?

Een uur later belde hij me. Ja, het hielp, zei ik, alles opschrijven. Het is geen literatuur, maar ik wil graag dat je het leest. Ik stuurde hem alleen het eerste deel toe, per e-mail.

'Ken je James Salter, de bundel *Last Night*? Die houdt het kort.'
'Nee.'

'Sorry dat ik er nog een keer over begin, die sfeerstukjes over Engeland zijn niet onaardig, maar je omzeilt je verdriet. Nee, Donald zelf. In je...'

'In mijn verhaal. Mijn kitscherige verhaal. Wil je nu wel een glas whisky? Mooi woord hè, Ook-hun-tosj-hun. Een milde, met iets van mandarijnenschil aan het eind. En ik doe er geen water bij, geen ijs.'

*

Op de uitvaart van zijn vader had Wieger Berkman, de oudste zoon, een toespraak gehouden die iedereen behalve hemzelf tot tranen had geroerd. Tijdens het schrijven noch tijdens het voorlezen was hij ook maar één tel aangedaan geweest, zoals een professionele zangeres ook niet volschiet bij een naar de hoogste noten reikende mineurpassage in haar lied. Aan de hand van een paar dierbare voorwerpen uit zijn vaders studeerkamer (brokken lava afkomstig van de Vesuvius, een tas met daarin een verrekijker en een verzilverde zakflacon), wat foto's van citroenbomen en oleanders, gemaakt tijdens de reizen door Zuid-Italië, en het door zijn vader te pas en te onpas geciteerde gedicht 'Hebben en zijn' van Ed. Hoornik, had hij het karakter van zijn vader proberen te schetsen, in het volle bewustzijn dat zijn keuze voor deze aandenkens arbitrair was geweest. Op heimwee naar Bolivia waren zijn ouders beiden nooit te betrappen, van dat korte avontuur restte niet eens veel bewijsmateriaal – als Berkman die episode in het leven van zijn vader had genoemd, was de enige reden daarvoor dat hijzelf net buiten La Paz verwekt was en geboren, dat hij er zijn eerste stappen had gezet en had leren spreken.

Maar het ging in een In Memoriam niet om jezelf.

Behalve van het landschap onder Napels had de oude Berkman ook veel van Cornwall en Wales gehouden. Maar het verhaal moest toewerken naar het tonen van de reproductie van Arnold Böcklins schilderij *Die Toteninsel*, dat in een goedkope wissellijst boven zijn vaders propvolle bureau had gehangen en dat iedereen in de aula kende – zo, en alleen zo kon Berkman beweren dat zijn vader nu, op hetzelfde vlot als de in doeken gewikkelde vrouwengestalte, naar hetzelfde door steile rotsen en magere cipressen getekende Ischia afreisde. Zijn geliefde eiland, waar Capri, Sardinië en zelfs Sicilië bij verbleekten.

Al geloofde Berkman zelf niet, hij vond dat hij het aan zijn vader verplicht was een perspectief te bieden. Niemand kon bewijzen dat mensen een onsterfelijke ziel bezaten, maar ook niemand kon bewijzen dat bij het sterven alles ophield.

'Zijn is de ziel, is luisteren, is wijken. Is kind worden en naar de sterren kijken. En daarheen langzaam worden opgelicht' had Hoornik geschreven en zijn vader, die zich na zijn expattijd als werktuigbouwkundig ingenieur had laten omscholen tot leraar wiskunde, vond dat mooi omdat het zo wáár was.

Terwijl Berkman het gedicht had overgeschreven, was voor het eerst tot hem doorgedrongen dat de dichter in de strofe ervoor een flagrante misser beging. 'Hebben is hard. Is lichaam. Is twee borsten. Is naar de aarde hongeren en dorsten. Is enkel zinnen, enkel botte plicht.'

Ten eerste waren borsten allesbehalve hard, ten tweede: je mocht willen dat het leven 'enkel zinnen' was. Er was toch maar één ding dat een eventuele ziel verlangde – en dat was een eeuwigheid van enkel zinnen? Zinnen vormden toch het scherpste contrast met botte plicht? Met aarde hadden zinnen niets te maken, eerder met sterren, de Melkweg, lichtgevend poeder, haast vloeibaar. Astrale substantie die het lichaam vrijmaakte van zwaartekracht.

Zijn vader had niet aan close reading gedaan, zoveel was duidelijk. De openingszin had hem verleid elk kritisch vermogen bij voorbaat tussen haakjes te zetten en die luidde: 'Op school stonden ze op het bord geschreven. Het werkwoord hebben en het werkwoord zijn' – Gefundenes Fressen voor elke docent in hart en nieren.

Na de toespraak had Callas geklonken. De beroemde aria uit Glucks *Orfeo ed Euridice*. Als alles klopte, beelden, woorden, muziek, geloofde het publiek met waarachtigheid te maken te hebben, waar rationele constructie en niets anders het gemoed manipuleerde. Ook wie het wiskundige geheim van de gulden snede niet kent, merkt dat het werkt. Harmonie die geheel ten onrechte voor diepgang wordt aangezien.

Gisteren had Lot hem gevraagd of hij wel eens een uitvaart had georganiseerd en Berkman had de herinneringen aan zijn In Memoriam uit zijn geheugen opgediept. Lot leek vooral geïnteresseerd in Capri, waar zijn ouders jaren achtereen een huisje hadden gehuurd

– voordat ze Ischia ontdekten. 'En jij?' had hij gevraagd. 'Hoe heb jij dat met je man...?'

De arme Donald werd, zo bleek na zijn verscheiden, omringd door zwevers die geloofden in karma en reïncarnatie, in nulpunt-velden en andere kosmische krachten en Lot had moeten aanhoren dat haar man helemaal geen leegte achterliet. Want juist door de dood werd zijn innerlijke energie, zijn potentieel, zijn Licht van alle materiële kluisters bevrijd, kon zijn mensenliefde vrijelijk over de aarde rondstromen blablabla – terwijl het gat van zijn fysieke afwezigheid vanzelf zou worden opgevuld met andere milde gaven uit het universum. De wet van de communicerende vaten. Van de uitwisseling van atomen tussen samensmeltende moleculen... 'Of ik het goed navertel weet ik niet,' had Lot gezegd, 'maar het leek wel natuurkunde, die theorie. En je bent op zo'n moment te zwak om weg te lopen.'

Anderen lijfden de dode Donald in bij hun radicale politieke tegenbeweging, Donalds beste vriend kwam niet verder dan: 'Het is zwaar klote, maar in mij leef je voort, jongen, pas maar op.' Donalds moeder, rooms tot in elke vezel, beweerde dat ze het nooit toevallig had gevonden dat haar zoon op Pinksteren was geboren, niet alleen een zonovergoten dag dat jaar, maar ook het feest van de verbroedering, in vurige tongen spraken en verstonden mensen uit alle windstreken opeens dezelfde taal, was dat niet ook wat hij met zijn werk tot stand had gebracht, en zijn uit Texas overgekomen broer had geëist dat er een gebed werd uitgesproken dat Donalds zonden zou wegwassen, zodat hij op de Dag des Oordeels meer kans had om ingedeeld te worden bij de schapen dan bij de bokken. 'Een soort Jehova's getuige is hij, maar het heet geloof ik anders. Ze doen daar ook aan exorcisme.'

Na haar relaas van de moeizame totstandkoming van de dienst voor Donald, had Berkman aan alle door hem verzorgde avondjes en symposia gedacht. Allemaal uitvaarten. Sprekers die ieder op hun beurt meenden het meeste verstand en de beste kijk op het onderwerp te hebben. De constante in alle bijdragen: het belang van een open dialoog. Maar de kunst van het luisteren leek te hoog gegrepen.

Berkman bekijkt zijn vrouw, die zit te telefoneren met een vriendin. Ze heeft zich diep in de kussens op de bank genesteld, haar benen opgetrokken, en nipt van een glas vlierbloesemlimonade met toegevoegde ginseng. 'Moet je ook eens kopen,' heeft ze zojuist tegen Barbara gezegd. 'Je voelt je er echt fitter door.' Waarschijnlijk is het nog waar ook, want vanochtend, de kinderen waren al naar school, had Petra erop gestaan weer eens getweeën hard te lopen, net als vroeger. Mocht het haar bevallen, dan zou ze de keren daarop alleen gaan rennen, of anders met Marlous. Echt, ze wilde Wieger niet zijn solitaire pleziertje afpakken, maar één keer samen kon toch wel? Zijn tempo had Berkman niet hoeven aanpassen. Na een kwartier had Petra steken in haar zij gevoeld, ze had gehijgd: 'Loop jij maar door', en Berkman had zijn vrouw opeens erg opwindend gevonden, zo rood als ze was, met opgezwollen wangen en in de joggingstof trillende billen en borsten – bijna lelijk van uitputting.

Hij was doorgerend. Had af en toe over zijn schouder achteromgekeken, zijn vrouw stond tegen een boom geleund en rekte haar kuitspieren. De gestalte werd kleiner en kleiner, hij voelde haar bewonderende blik in zijn rug alsof ze hem een duw gaf, wind mee, hij zag hoe ze zich opmaakte om weer te lopen, eerst een paar huppels op de plaats, daarna trok ze een sprintje. Hem inhalen zou niet meer lukken. Het laatste deel van het parcours bleef Petra tien, soms vijf meter achter hem aan rennen, nu wel in een constant ritme. Het was niet meer duidelijk of zij hem voortduwde of dat hij haar trok. Maar hun verbintenis klopte weer, dit was wat het moest zijn. Thuis had hij meteen met haar naar bed gewild. Ze opperde nog 'eerst douchen' maar liet zich vermurwen. Natuurlijk was het geen extase geweest waardoor ze loenste, met haar ogen rolde, zuchtte en kreunde. Het was wat in sporttermen een 'cooling down-oefening' heette, maar dan een lekkere, had ze na afloop grinnikend gezegd, de tandenborstel in haar mond. Straks kwam ze nog te laat op de vergadering van klassenouders, 'O-ho, wat stout zijn wij' – zulke dingen zeiden hoeren en de meisjes met wie hij een affaire had gehad goddank nooit. En toch, Berkman had Petra het olijke achteraf-commentaar vergeven; ze had hem tenminste voor drie kwartier zijn spontaniteit gegund. Dat hij na de werklunch in het Tropeninstuut via de Wallen naar zijn kantoor fietste, een korte tussenstop op een frêle Nigeriaanse om in stijl te blijven, doet niets af aan het vakantiegevoel. Er is iets hersteld. Als Berkman nu bezwijkt, laat hij zijn vrouw de perfecte herinnering na.

Met zijn mobieltje in de hand loopt hij de tuin in. Geen van de buren zit buiten. Berkman kan ongestoord bellen. En roken. 'Waarom voer je het niet gewoon in?' had Lot gisteren gevraagd, toen hij het door haar gedicteerde nummer op een papieren zakdoekje noteerde. Antwoord had hij niet gegeven. Ze had niet doorgezeurd, niet willen weten wanneer hij het onderzoek zou starten, hoe hij het zou aanpakken, wat hij zou doen als de vrouw argwaan kreeg.

'Hullo?'

'Spreek ik met Mara?'

'Ja. Mara Styler. Met wie...'

'Wieger Berkman. Ik hoop dat ik niet stoor. Ik heb u vandaag al eerder geprobeerd te bereiken, maar u nam niet op. En wat ik wilde vragen, dat is te veel om in een voicemailbericht in te spreken. Dus.'

'Ik ben net terug uit Londen.'

'Als ik het goed heb begrepen werkt u voor een fabrikant van Fair Trade-chocolade. Green & Black's. Klopt dat?'

'Dat klopt een beetje. Ik wérkte voor Green & Black's, ik ben nog steeds aan de firma verbonden, maar ik heb alweer een paar jaar een eigen adviesbureau. Bedrijven die willen overschakelen op biologische Fair Trade kunnen bij mij terecht, om samen te kijken naar de mogelijkheden. De expertise heb ik bij Green...'

'And Black's opgedaan. Ja, dat bedoelde ik ook. Dat heb ik gehoord. Gelezen. Op uw website.'

'Goed om te horen. En wat doet u eigenlijk?'

Berkman hoort zichzelf de bekende riedel afsteken. Hij eindigt met de vraag of Mara Styler binnenkort beschikbaar is voor een lezing over haar werk, te houden tijdens een avond in de themareeks over globalisering en de rol van Europa. Tussen alle filosofen, kunstenaars en schrijvers eens iemand uit de praktijk, dat kan alleen maar verfrissend zijn. Berkman haat het woord verfrissend. Hij hoort en gebruikt het iedere dag, kan niet meer anders, als een verstokte roker verslaafd aan de smerige smaak tegen zijn verhemelte. De vrouw vindt het verzoek eervol, maar aarzelt omdat ze niet zo'n prater is. Dat wil zeggen, niet voor groepen. Haar Nederlands...

'Als u liever in het Engels spreekt is dat geen enkel bezwaar. Misschien kunnen we elkaar eens ontmoeten? Een vrijblijvend voorgesprek? Ter oriëntatie?'

Ze blijkt makkelijk over te halen. Pas nu, terwijl ze even wegloopt om haar agenda te zoeken, steekt Berkman een sigaret op. Lot moest eens weten. Mara zelf moest eens weten. Ze heeft geen directeur van een cultureel centrum aan de lijn, maar een detective die haar, desnoods tussen de lakens, zal ondervragen over haar verhouding met Donald, de charismatische man die hij uiteraard veel beter voor zijn themareeks had kunnen vragen, maar die helaas dood is.

Even had het er de schijn van gehad dat Joy op het strand van IJmuiden verdwaald was. Lot had angstig in de golven gestaard en was opgelucht geweest toen haar dochter weer terecht was. Ze had samen met de meisjes een zandkasteel gebouwd. Als kind had Lot daar al een hekel aan gehad, aan spelen met zand, niet omdat je er vies van werd, zoals haar ouders dachten, maar omdat de bouwsels zo zelden leken op de forten en paleizen die je in gedachten had. Lukte een brug of onderaardse tunnel wel, dan werd perfectioneringsdwang je fataal; wilde je juist een mooi ornamentje aanbrengen, de boel een beetje gladder wrijven, verkruimelde het kunstwerk waar je bij stond. Wist Wieger dat er Tibetaanse monniken bestonden die de meest toverachtige mandala's schilderden met enkel gekleurd zand? Dagen waren ze bezig aan één zo'n symmetrisch met symbolen gevulde cirkel, op een tafel, de vloer of een ander plat vlak, en als het dan eindelijk voltooid was, bliezen ze de korrels voor zich uit, de lucht in. Onaangedaan. Dat was precies waarom Lot niets, en Donald veel met het boeddhisme op had.

'Hij had zeker enthousiast met ze meegegraven. Dus nu moest ik doen alsof. Voor Joy. Als jouw vrouw er niet meer zou zijn, zou jij ook al die dingen met je kinderen doen die zij normaal gesproken... Toch?'

Rond vieren hadden ze de bus terug genomen, om half zes Nicky thuisgebracht, haar ouders hadden de hele dag gepuzzeld op de hypotheek voor hun nieuwe huis, om acht uur hadden Lot en haar dochter gegeten en gedoucht. In bed had Lot Joy tijdens het voorlezen opeens gevraagd waarom Mara haar niet even was komen begroeten, ze was toch een kennis van het hele gezin?

'Jij had ook naar haar toe kunnen gaan,' had Joy gezegd. Volgens haar dacht Mara dat Lot haar meteen al had opgemerkt, maar geen zin had in een gesprekje. Lot had dat begrepen. Er waren meer mensen die haar meden, nee, niet uit angst voor een confrontatie met een zielige nabestaande, maar zogenaamd omdat zij, de weduwe, zelf iets onbenaderbaars uitstraalde.

'Was het maar waar, Wieger. Straalde ik maar wat uit.'

Lot had televisiegekeken, haar mail gecheckt, aan haar verhaal gedacht, een stukje geschreven en weer gewist. Een spelletje opgestart. Ze had Joy naar de wc horen gaan. Naar binnen geroepen voor een laatste kus. Slaap je nog niet?

'Volgens mij ben ik verbrand.'

Joy had haar rug naar Lot toe gedraaid. Lot schoof haar pyjamatruitje omhoog, zei dat ze mooi bruin was geworden, je zag precies waar haar badpak had gezeten, maar de huid was echt niet rood. 'Trouwens, anders had je onder de douche al last gehad.' Ze kreeg een glas water en had gevraagd of er nog wat op televisie was. Lot zei dat ze niet zo moest zeuren, het was tien voor tien. Even wat drinken, dat mocht, maar daarna was het echt tijd om te slapen, probeer het nou niet te rekken, morgen moet je weer naar school.

'Misschien zei ik het te streng, want in plaats van een weerwoord te geven begon ze te huilen, met diepe uithalen die in geen verhouding stonden tot mijn poging tot onverzettelijkheid. Ze duwde me van zich af en trok me even later naar zich toe, legde haar hoofd op mijn schoot, kwam weer omhoog toen ik zei dat mijn rok geen zakdoek was, veegde haar neus af aan haar mouw. Zin om er iets van te zeggen had ik niet. Liefst had ik zelf meegehuild, de tweede stem, de altpartij onder iets wat nu bijna op krijsen leek en me terugvoerde naar haar babytijd.' Lot had naar adem gehapt. 'Probeer me maar niet... Donald ging vreemd. Hij ging vreemd. Hij wel.'

In de opstartfase van zijn organisatie had Donald niet willen weten van voorgangers in zijn tamelijk nieuwe branche. Maar toen de eerste projecten hun vruchten begonnen af te werpen, nam hij het advies van zijn medewerkers serieus. Er was niets mis met voorbeelden. Je kon hooguit leren van eerder gemaakte fouten. Als je je verbonden wilde voelen met de minsten der mijnen, moest je je ook verbonden durven voelen met andere Europese non-profitorganisaties met dezelfde doelstellingen, in plaats van arrogant zelf het wiel willen uitvinden.

Oogkleppen zijn funest, had zijn economievriend hem voorgehouden. Ga met die lui van het Max Havelaar-keurmerk praten, met de directie van de derdewereldwinkel, van de Body Shop, van Weleda, van de kledinglijn die staat op het gebruik van eerlijke katoen en gifvrije verfstoffen en mordicus tegen kinderarbeid is. Oké, jij wilt méér, jij wilt dat de consument een duurzamere relatie met de producenten aangaat, maar leg je oor dan in elk geval bij de kenners van de ins en outs te luisteren.

De Benelux-vertegenwoordigster van Green & Black's had hem meegenomen naar de cacaoboeren in Belize, naar de chocoladefabriek in Italië en daar was hij tot over zijn oren verliefd geraakt op de Maya Gold-repen, zo puur en extravagant van smaak, met net dat delicate vleugje gekonfijte citrusschil; zo moest het. Geen derderangsrommel voor het goede doel, waarbij de koper bleef denken: ik heb wel eens lekkerder geproefd, maar ja, over de aanschaf van dit product hoef ik me tenminste niet schuldig te voelen – dat was calvinistische zelfkwellerij. Nee, de smaak moest overtuigen, de connaisseur moest niets anders meer willen, consumenten moesten in de eerste plaats in de ban raken van het product zelf, en zich dan pas verheugen in de ideologie erachter.

Mara was op haar beurt meegereisd naar de mangojamfabriekjes, de kokos- en ananastelers in West-Afrika, naar de nieuwe rooibostheeplantages en de wijnboeren in Zuid-Afrika. Niets om je druk over te maken. Donald leefde voor zijn werk, dat had Lot zelf gezien. Op reis taalde hij niet naar romantiek, laat staan naar seks. Toen zij zelf met Afrikanen op het een of andere stoffige binnenplaatsje palmwijn met de smaak van zuurkool had gedronken, naar een krakend cassettebandje met de *Greatest Hits* van Phil Collins had geluisterd en voor de duizendste keer de sterrenhemel bewonderde, schreef Donald binnenshuis aan zijn bedrijfsplan, tussen vuistgrote kakkerlakken, een mottige deken om zijn schouders. Het werk ging voor.

Bovendien was Mara vier jaar ouder dan Donald, erg Brits en dus erg vormeloos. Vet, sluik bruin haar, zware wenkbrauwen, een pafferig wit gezicht met sproeten, streepdunne lippen en ogen zonder duidelijke kleur. Schattige babyhandjes had ze, met kuiltjes onder haar onderste vingerkootjes.

Ze was bejaardenverzorgster geweest in haar geboorteplaats Newcastle, had in haar vrije tijd doorgeleerd voor verpleegster, tijdens haar werk in een ziekenhuis eerst haar middenstandsdiploma gehaald, toen een thuiscursus pr en marketing gevolgd, ze had een Oxfam-winkel in York (of all places) gerund en was ten slotte in aanraking gekomen met een Londense jongen van Green & Black's, die haar weliswaar aan een mooie baan had geholpen, haar had ingewijd in het leven in een metropool, maar haar had verlaten toen hij erachter kwam dat hij eigenlijk op mannen viel.

'Ze heeft het hier allemaal zitten vertellen,' had Lot gisteren gezegd. 'Ik heb voor haar gekookt. Ik dacht nog: zo'n arme, alleenstaande vrouw, zo'n *selfmade hero* die door haar gedrevenheid zoveel mist, en dan ook nog moet wennen in een vreemd land... Die moet ik extra gastvrij ontvangen. De hele dag heb ik in dat kleine kutkeukentje gestaan. En jezus, wat had ze zich opgetut. En ze sprak... Ja, dat had me moeten... Ze sprak verduiveld goed Nederlands. Maar ik dacht nog: voor iemand die zo snel leert, die ook al Spaans en Frans spreekt, is dat misschien niet eens zo gek.'

Aan troost had Lot geen behoefte. Maar helpen kon Berkman haar wel. Ze wist ook feilloos hoe.

Juli

Eén dag voor ons vertrek naar huis besefte ik dat een bezoek aan Plath's graf er echt niet meer in zat. We hoefden York pas om drie uur te verlaten om op tijd op de luchthaven van Leeds-Bradford te zijn, maar 'even snel op en neer', zoals ik de avond ervoor nog had geopperd, vond mijn moeder toch een te groot risico. Stel dat je uren op een taxi terug moest wachten... 'Joy wil graag een foto bij Past Images laten maken, heeft ze me gisteren nog gezegd. Als ridder. Een foto van jullie allebei, in middeleeuwse dracht... Enig toch?'

'Ook nog van ons allebei?! En jij dan?'

'Middeleeuwse oma's bestaan niet. Ik wacht buiten wel tot jullie klaar zijn. Ik heb al even geïnformeerd, en de foto's kun je een uur nadat je ze hebt laten maken ophalen. Dus. Kunnen we mooi nog even ergens koffiedrinken. Tussendoor.'

Na het ontbijt checkten we uit en zetten onze koffers in de bewaakte garderobe van het hotel. Langs villa's, een halfvergane bioscoop, afhaalrestaurant en zijstraatjes met arbeidershuisjes, waarin het altijd november leek, liepen we voor de laatste keer naar het centrum. Voor en achter ons gingen mensen in feesttenue – de paardenraces waren de avond ervoor begonnen, gisteren was het al dronkenschap alom geweest, om vier uur 's middags moest een gladgeschoren zakenman zich vasthouden aan verkeersborden en lantaarnpalen, zijn lopen was het stuiten van een dodelijke val geworden, ik had gevreesd voor een kotsbui pal voor onze voeten. Nu was iedereen weer ontwaakt uit de kater. Vrouwen droegen hoedjes in de zoete pasteltint van hun japon, ik had de combinaties al bij Marks & Spencer zien hangen. Hun mannen hadden een schone das om, goedkope glimsatijn, maar passend bij het toilet van hun dame. Gemoedelijke conversaties waar ik nauwelijks iets van verstond. Onderkoelde grappen van de bassende mannen, schaterlachende vrouwen.

Op een vreemde manier maakten de paardenraces het afscheid zwaarder. Uit een witte voorjaarslucht vielen kleine druppels. Te weinig voor een regenboog. Zilveren vonken, koud als sneeuw. Ik wilde, moest in Engeland blijven. Een nieuw leven, een andere naam, liefst ook nog een verzonnen verleden, waarin ik op kostschool had gezeten, had rondgehuppeld in een onpersoonlijk, nachtblauw uniform compleet met schuingestreepte stropdas. Denken in nieuwe woorden – dat.

De avonden na de Ghost Tour was ik niet direct naar mijn kamer gegaan. In de lounge met bordeauxrode muren, de ruime, schotsgeruite crapauds en de groenglazen leeslampen had ik nog een whisky gedronken. Of twee. Thuis dronk ik nooit sterkedrank. Het kruikje korenwijn dat Donald een paar maanden voor zijn dood had aangeschaft om een verkoudheid te bezweren was nog voor de helft gevuld – een slok had ik er nooit uit genomen, ook niet als de wijn op was.

Ik had gevraagd om een bekend merk dat ik in mijn studietijd wel eens bij een vriend had gedronken. Jameson. Maar de hoteleigenaar adviseerde me een Glenfiddich, en de avond erna een Glenlivet, een Highland Park, een Oban. Hij en zijn Schotse vrouw hadden me alles over single malts verteld, me ingewijd in iets heiligs, durfde ik al een Islay aan, op hun kosten mocht ik een gemberachtige Bunnahabhain proeven. Daarna nam ik een bijtende, naar zeewind geurende Bruichladdich en ten slotte een Laphroaig. De geur herinnerde me aan teerzeep, ik zag het glazige, donkerbruine stuk voor me dat mijn oma me een keer had gegeven, rook jodium, proefde de machinekamer van het schip waarmee Donald en ik van Ghana naar Sierra Leone waren gevaren, de korst in veelgebruikte, ongewassen asbakken. De smaak van schrale aftershave en ingedroogd zweet, van mannengedachten, onpeilbaar, van dood. Van alles wat donker was. De smaak van de kleur zwart. Laphroaig is vloeibare nacht. Met iedere teug verlies je jezelf; de drank komt niet in jou, jij komt in de whisky, lost erin op als een aspirinetablet in water, als een vallende ster in inktblauwe wolken, bij de laatste slok smaakt Laphroaig naar eenzaamheid.

De mijne. Smaakt Laphroaig naar de loodzware stilte tussen de tonen van Chopins *Marche funèbre*. Naar de ontroostbaarheid die er al was voordat ik Donald leerde kennen, trouwde, moeder en weduwe werd. Laf-rooi-ik.

Laf rooi ik het wel. Behalve een blouse had ik de afgelopen week ook een whiskyencyclopedie gekocht, om mijn nieuwe hobby thuis te kunnen voortzetten. Ruiken en proeven. Vluchtige indrukken benoemen. Betere term voor sterkedrank: *spirits*. Noteren, weer proeven, opnieuw benoemen. Geur van hars en natte wol. Nee. Hooi moet het zijn. Nee, gras voordat het hooi wordt, nog net niet geel maar al wel door een meedogenloze augustuszon gedroogd. Sultanarozijnen, vanille. Vanille? Carameltabak, want ook een vleug rook. Knisperend of juist vettig? Eerst knisperend. Geroosterde noten. Havervlokken. Dat is het: mueslikoekjes. Pas daarna fluwelig, iets van stroop. Melasse. Koude, te lang getrokken thee. Met citroensap, een drupje citroensap, niet te veel. Hoe je het korstje op je geschaafde knie er weer af pulkte, opat, stroef spul tussen je tanden, doffe, zilte smaak, en daarna je bloedende knie aflikte. Die grondtoon: van roest. Of turf?

Zelf over whisky schrijven, al was het zonder pen en papier bij de hand, inwendig praten over whisky, als een jachthond met natte neus speuren tussen het groen, naar het juiste woord voor de juiste herinneringen, en daarna lezen hoe anderen hun impressies hadden verwoord; nog eens wat anders dan interviews en reportages maken.

Niemand die achteraf kon zeggen: 'Zo heb ik die opmerking niet bedoeld.' Maar ook lezers konden je niet aanwrijven dat je met die-en-die beschrijving van een interieur, een sfeer, *eigenlijk* iets anders, iets verwerpelijkers had willen tonen. In het schrijven over whisky geen diepere lagen. Of uitsluitend diepere lagen. Zintuiglijke indrukken ja, maar geen interpretatie van die indrukken. Als de whisky je gras liet proeven, noteerde je 'gras'.

Lange sprieten helmgras in de duinen, beijzeld. Pluizig blauwgroen gras op een open plek in een dennenbos of geurig, vochtig gras op een versgemaaid gazon, een zweem van bitter paardenbloemsap: met gebeurtenissen hadden de herinneringen aan al die soorten gras en groen niets te maken, noch met jeugd, zoals rottend eikenblad niet per se iets met ouderdom. Gevoelens, maar geen duiding van die gevoelens. Mooier dan de mooiste wijn is whisky, geheimzinniger en vuiler, niet bang voor drinkers met rouwranden onder de nagels, niet bang om, zoals Laphroaig, naar motorolie te smaken. Zo moet ik het zeggen: whisky is eerlijker en dubbelzinniger dan wijn. Is graangeest, brood en wijn in één, is aarde, landschap, lucht en mens tezamen. Water, vuur en rook en dauw. En teer. En teer. Is groen en zwart. Maar goud.

151

We hoefden niet in ons ondergoed te staan. Een jongen met een bloempotkapsel en een dikke bril op zijn neus hielp Joy in haar maliënkolder van grof zilverdraad, maar niet nadat hij haar een paar prinsessenjurken had getoond. Ze werden met een vastberaden knikje afgewezen. Twee jonkvrouwen op een foto, dat werd zo... zo dromerig. De Ghost Tour-gids, die kennelijk van achter een gordijn naar onze conversaties had staan luisteren en plotseling, tot mijn schrik of grote vreugde, midden in zijn studio stond, was het met haar eens geweest.

'En als jij nou in zo'n jurk gaat en ik in een ridderkostuum?' had ik nog voorgesteld, denkend aan Jeanne d'Arc. Joy bleef bij haar besluit en verruilde haar sneakers voor zwartleren slofjes, ze stak haar armen in de lucht zodat de jongen haar over haar zilveren pak een wit hemd met daarop een rode Franse lelie kon aantrekken. Daarna knoopte hij haar een rode mantel om, haar haar ging in de capuchon van de maliënkolder. Terwijl ze een zwaard uitzocht, een echte, van ijzer, trok ik mijn jas uit.

De gids, nu onze fotograaf, wendde zijn blik af, alsof het uitdoen van een jas al onbetamelijk was. De koningsblauwe, velours jurk met de gouden biezen en het zwarte, met gouddraad geborduurde frontje die ik voor mezelf had gekozen, had meer weg van een schort. Over mijn trui en rok ging hij, met linten werd hij achter op mijn rug dichtgeknoopt. Het was voor het eerst in jaren dat iemand mij aankleedde. Ik dacht aan mijn vader, die me zo vaak van zwemles had afgehaald. Altijd als hij mijn haren had gekamd, plukje voor plukje de klitten eruit, droogde het in krullen op. Zijn knokige vingers die zonder haast mijn blouse dichtknoopten. Mijn das trok hij nooit te strak om mijn keel, de veters van mijn schoenen strikte hij precies goed. Mijn wreef werd niet pijnlijk afgeknepen, ook zaten mijn schoenen nooit te los om mijn voeten – als mijn vader ze mij had aangetrokken leken mijn Piedro's nieuw en minder plomp, gemaakt om uren achtereen op te dansen. Nooit zei hij: 'Kun je dat nou nog niet zelf?', we hoefden niet op te schieten, in de kantine kreeg ik nog een chocolademilkshake, jas, muts en das moesten weer uit en af, een kwartier later weer aan – toch, het hele gedoe was prettiger dan op schoot getrokken en geknuffeld worden; hier was aandacht in plaats van gulzigheid in het spel.

De fotograaf beroerde mijn rug amper. Maar hij was dichtbij, door de stof heen kon ik de warmte van zijn handen voelen. Ik kreeg een riem om, de man verschikte wat aan de plooien van de jurk, liep om me heen, rimpelde de stof bij mijn heupen, trok haar bij mijn buik wat gladder, deed een paar stappen naar achteren en was mijn spiegel.

Een puntmuts wilde ik niet, wel een roodfluwelen krans in mijn haar, net boven mijn voorhoofd een namaakjuweel, over mijn haar en schouders een dunne, perzikkleurige sluier.

Als dit ogenblik toch altijd kon duren, had ik gedacht. Zo aangekeken worden, onbeschaafd lang; maar in deze omgeving en voor dit doel was het staren een noodzaak, viel die sluier wel natuurlijk, vloeiend, zei de man voor zich uit en hij tilde het tule weer op, trok een haarlok naar voren, raakte mijn hals aan, legde de lap weer behoedzaam terug op mijn schouder.

Het bange wachten voorafgaand aan de eerste kus. Wie neigt naar wie, het wederzijdse inzoomen op elkaars kin, neus, lippen, het steun zoeken bij en vermijden van elkaars blik. Alsof gedragsdeskundigen deze fase ten behoeve van hun onderzoek hadden geprolongeerd, de scène vertraagd afspeelden.

Aan meer durfde ik niet te denken, kon ik niet denken: er was geen 'meer'. Hier waren wij, een gewone fotograaf die zijn rol had afgelegd, en een doodgewone moeder, zoals hij er zoveel had gezien, die een rol had aangetrokken en met haar kledingkeuze hooguit onthulde dat ze meer hield van de doorzichtige muzes van de Prerafaëlieten dan van ruige Vikingdochters, Victoriaanse gravinnen en kittige charlestondanseresjes.

Liever nog had ik een witte jurk gewild. Rood haar. Een wilgenbosje, wat mistige heuvels als achtergrond. Ik, zittend in een lage sloep omringd door dofgroen water, op een roze kleed aan de randen versierd met strijders te paard, graalridders, vazallen van Arthur. Drie kaarsen (waarvan er één maar brandend) op de voorplecht, nee, flakkerend, de suggestie van wind – en dan maakte ik de roestende ketting los, als de Lady of Shalott van Waterhouse. Klikklik.

Nog niet de verdronkene, nog niet Millais' Ophelia, die zo stil ligt in een sloot onder de struiken, tussen algen, lissen en op het water drijvende, door haarzelf geplukte veldbloemen, haar dode ogen wijd open en haar boeddhahanden boven het wateroppervlak, serene kommetjes, de toppen van duimen en wijsvingers tegen elkaar. Een drijfnat gewaad is zwaarder dan je denkt, het water altijd kouder. Ik had ooit ergens gelezen dat Millais' model na urenlange poseersessies in de badkuip kapot was geweest, maar de schilder moest en zou het opkringelen van de zijden stof in het water nauwkeurig bestuderen en nog weer later zou hij, of een collega, zich het model toe-eigenen, alsof ze een pop was en niets meer.

Joy stond al naast mijn troon, leunend op haar degen. Achter haar was het decor, de kathedraal van York, oranjeachtig beige tegen een pisgele lucht, als een rolgordijn neergelaten. Over het doek met de zee en de contouren van beheuvelde eilanden heen. Touwen en scheepszeilen waren door de jongen opzijgeschoven, nu tilde hij potten met daarin ranke populierentakken voor het scherm, rolde een rood Perzisch tapijt uit, strooide wat gedroogde bladeren om ons heen.
    'Don't laugh,' zei de fotograaf weer en hij vroeg ons of we naar zijn hand wilden kijken. Dit keer zou hij geen glas water of mes tevoorschijn trekken, zei hij, want ja, hij had ons heus wel herkend van de wandeling, zijn jullie niet al bijna een week in York, en opnieuw had hij met zijn ooglid getrokken, waardoor Joy en ik toch moesten lachen. Opzet, want mensen die hun gezicht in de plooi probeerden te trekken na een lachbui, keken volgens hem beter ernstig dan mensen die op afroep ernstig keken.
    Ik moest mijn hand op mijn buik leggen, de vingers rond en ontspannen, waardig. Hij kwam achter zijn camera vandaan en verplaatste mijn eigen zwaard, dat schuin stond. Zijn aanraking schoot door het ijzer omhoog, trok mijn arm in, stroomde naar mijn hart, viel in mijn buik – achter mijn gekunsteld ontspannen hand voelde ik iets barsten en ten slotte breken, dun porselein of dik kristal, een bodem. Een lek, het idee onder te lopen. Smeltwater.

Jaren geleden had ik ditzelfde gevoeld. Liggend op een op koude zandgrond uitgespreid zwart bomberjack. De eerste kus. Veel later dan mijn klasgenotes, die geen jongens achtervolgden met hoogdravende sonnetten over hun eigen ziel, en de onherbergzame wereld waarin geen plaats leek voor zuivere liefde, die zichzelf niet tegenmaakten door te veel vragen te stellen en overal kritiek op te hebben, die bovendien niet al stonden te huilen op de vierde sport van het klimrek. De eerste eerste kus, niet in de pauze, in een brandgangetje tussen grijze schuurtjes en bielzen schuttingen, maar op de laatste schooldag voor de kerstvakantie, 21 december, midwinter, na een lange wandeling door het bos.

Mijn vriendje, twee klassen hoger, schreef ook gedichten. Heimelijk. We werden verliefd tijdens een redactievergadering van de schoolkrant. Hij droeg stukken aan over het wapenbezit in Amerika, over foute regimes waar geen krant zich druk over scheen te maken, over witteboordencriminaliteit en dubieuze charitatieve instellingen als Foster Parents. Te politiek, te serieus vonden de anderen, maar mij kon het niet serieus genoeg zijn. Dat hij weed rookte, gestolen apparatuur heelde om aan geld te komen voor zwaardere drugs, zijn zakgeld vergokte en zijn nieuwe jack had gestolen, vond ik erg, ik geloof dat ik erom gehuild heb, maar misschien was ik alleen ontroerd omdat hij mij al zijn wandaden tijdens onze eerste en laatste wandeling onmiddellijk toevertrouwde, zelfs beweerde dat hij het deed om bij zijn vrienden in de smaak te vallen – zo eerlijk kende ik jongens nog niet.

We waren bij de open plek gekomen. Rookten een sjekkie. Hadden al ontdekt dat we, hoe toevallig, allebei boer wilden worden. Nou ja, ik boerin. Ik vond zijn sproetige neus helemaal geen gok, zoals mijn vriendinnen dat noemden. Ik vond Thomas niet eens de blonde versie van U2-zanger Bono, zoals mijn beste vriendin er geruststellend aan had toegevoegd. Ik vond Thomas Thomas, ik vond zijn schorre Eindhovens mooi, en zijn broodmagere handen, zijn grijze spleetogen en de gebarsten onderlip, rondom en in het wondje bruin van nicotine. Thomas vond mij de allermooiste Lot, in de allermooiste zwarte broek en de allermooiste flessengroene trui van de wereld en hij doofde zijn peuk in het mos, snoof eraan om zich ervan te vergewissen dat het niet nog doorschroeide en bracht zijn neus in een soepele beweging naar de mijne, alsof hij mij eerst wilde ruiken – dan pas proeven.

We kusten. Hij lag boven op mij en we kusten. Ook toen was ik ondergelopen, mijn hele lichaam huilde, in mijn sokken huilde ik en onder mijn oksels, tussen mijn benen huilde ik, mijn ogen lekten, alsof ik volstroomde, blank stond, en in dat water, dat ik zelf was, werd alles uitgewist dat niet meer van mij kon zijn. Het doofde uit, verpulverde, loste op.

Nooit zou ik meer masturberen, beloofde ik mezelf. Nu ik dit kende, konden al mijn masochistische fantasieën me gestolen worden, orgasmes zou ik niet meer nodig hebben. Het was tweedehandsrommel, fastfood voor miljoenen, al die inwisselbare beelden van tegenstribbelend naakt, van tot slaafsheid geboetseerd dan wel geslagen vlees. Deegwaar van de lopende band. Kut, kont, pik, tieten; met al die losse onderdelen had dit, had ons kussen niets van doen – we koesterden een schat die we eigenhandig hadden opgegraven, niet uit de onschuldige grond waarop we lagen, maar uit de drek waaruit we zelf bestonden.

Zo onstoffelijk te zijn en glanzend.

Weer kuste hij me en weer. Dat het twee graden onder nul was, zouden we pas later zien, op de digitale klok op het makelaarskantoor tegenover de bushalte; wij bleven smelten, tranen in tranen, speeksel in speeksel, ik mocht met de punt van mijn tong in het wondje en kwam alle wonden binnen. Alsof ik misschien niet de, maar dan toch wel een mensheid kon troosten.

'Wij gaan samen de wereld redden,' had Thomas gezegd en ik geloofde hem met het broze en daarom tot de tanden toe gewapende enthousiasme van een bekeerling. Dit was wat ik gezocht had als ik met een bot houtsnijmesje of figuurzaagje op mijn polsen kraste... Het ultieme niet-bestaan waarin je op je allerbest kon zijn, schoon lichtblauw als avondschemering en mereleitjes, zacht als hun lied, met enkel bomen als getuigen.

Toen het werkelijk donker begon te worden, waren we opgestaan. Bij een dorpssupermarkt kochten we kokosmakronen, die we opaten op een bankje tegenover het bos in de verte.

In bier of sinas had ik geen zin gehad. Dorst kwam me onbekend voor. Een woord uit een ander leven, waarbij ik geen enkele voorstelling had.

'Om me uit dat vriendenclubje los te weken...'

'Ja?'

'En om ermee te stoppen, ik bedoel, met die eh... criminele ac-ti-vi-tei-ten, haha, en met die...'

'Verslavingen?'

'Ja, met die verslavingen, zeg maar.'

'Wat wil je nou zeggen?'

'Dat ik na Kerstmis wegga.'

'Van school?'

'Naar Schotland. Ik ga werken op een zorgboerderij in Schotland. Met geestelijk gehandicapten en zo. Mijn moeder is kunstenares en die kent... Nou, dat zijn dus antroposofen en die hebben van die boerderijen, weet je. Camphill heet dat.'

'Hebben ze die niet gewoon hier?'

'Ook hier. Maar Schotland leek me leuker. Drie maanden schapen hoeden op de hei, haha. Met mijn schoolwerk ben ik toch vooruit, en anders blijf ik wel een jaar zitten. Het is voor iedereen beter. Zegt iedereen, maar zelf denk ik het ook.'

Ik wist niet goed waar ik moest kijken. Deze tranen waren belachelijk. Kinderachtig. Een paar jaar lang heb ik geen kokosmakron kunnen eten zonder aan de dikke klont die ik toen in mijn mond had te denken, aan de ouwel die mijn tong aan mijn verhemelte plakte. Thomas beloofde dat hij mij zou schrijven, keek op zijn horloge, bracht me naar de halte, als ik de streekbus van tien over vijf haalde was ik keurig om zes uur thuis en we kusten weer, kusten, rookten en kusten weer, alles was goed, bezwoor hij me, in gedachten nam hij me mee.

In gedachten nam ik hem mee naar huis.

Mijn moeder zag aan mijn gezicht... Waar was je, waren er geen telefooncellen in de buurt, jaja, een boswandeling, met dit weer, dat moet je moeder geloven, ieder normaal meisje met een vriendje gaat naar de film, iets drinken in de stad, mee plaatjes draaien op zijn kamer, wat is dat voor een jongen dat hij je tien kilometer laat lopen, alleen maar gezoend, jij, god, net vijftien, straks moet je nog aan de pil. Drie jaar later zou ze me een afgelikte boterham noemen en terecht, want ik zoende met iedereen, zij het altijd met aanzien des persoons. In zoveel mannen lag de stille hemel binnen handbereik.

Na drie weken had ik nog geen brief. Ik vroeg het telefoonnummer van Thomas' ouders aan een vriend van hem, was verbaasd dat zijn moeder mijn naam niet kende, zei zo onverschillig mogelijk dat ik met hem in de schoolkrantredactie zat en benieuwd was naar zijn belevenissen. Van mijn zakgeld kocht ik luchtpostpapier in de kleur van zijn ogen, schreef hem dat ik me diep verbonden met hem voelde, bijna getrouwd, dat ik zijn afwezigheid als een test opvatte, dat ik de hele kerstvakantie een dagboek had bijgehouden, nee, eigenlijk een gedachteboek, waarin alles stond wat ik ooit had gevoeld, gezien, doorvorst, iedere herinnering, droom, angst, misstap – mijn verhaal tot nu toe, mijn hele leven, en o ja, trouwens, ik was ook gaan schilderen en alles wat ik maakte en twee dagen later nog steeds goed vond, zou ik voor hem bewaren.

De term sublimatie kende ik nog niet. Ik masturbeerde inderdaad niet meer, ik maakte. Ik moest dingen maken. Mijzelf geven, delen. Alsof ik dat niet eens aan Thomas maar aan die diepe ontroering verplicht was; kunst was jezelf wegschenken, teruggeven, dankbaar om wat je zomaar, voor niets, ontvangen had. Een vloeibaar, on-hoekig gemoed.

Na zes weken zei mijn moeder, die snel van de eerste schrik bekomen was, terwijl ze me tijdens de afwas naar zich toe trok, de theedoek uit mijn handen nam: 'Arme schat, je maakt je te veel illusies. Probeer er maar vast aan te wennen dat het wat hem betreft over is. Heb ik zo vaak meegemaakt. Dan bleef je maar hopen, maar zo'n knul durfde niet te zeggen... Volgens mij slaap jij heel slecht. Je ogen.'

Na tweeënhalve maand was Thomas terug. Onaangekondigd. Gegroet had hij me niet. Hij stond in de pauzes bij Margot, het meisje dat hem al sinds de brugklas zo goed had begrepen, dat met hem van en naar Valkenswaard was gefietst, dag in dag uit, dat hem bij de schoolkrant had gehaald. Zij had wel post uit Schotland gekregen, brieven waarin Thomas haar had gesmeekt om hun vriendschap voort te zetten. Margot was op Levi en niet op Thomas. Maar Thomas had haar nodig, zei ze. Ze had me er tijdens zijn afwezigheid van verzekerd dat hij op mij verliefd was, háár schreef hij wel over zijn roerselen, ik had de brieven mogen zien – maar de woorden betekenden niets zolang ze niet aan mij waren gericht. Wie weet waren de bekentenissen alleen maar bedoeld om Margot net zo jaloers te maken als Thomas was op die wonderschone lege huls van een Levi.

In niets een dichter of Schotse boer, liep Thomas over het plein tussen zijn oude maten. Onze kussen hadden niet bestaan. Ik kreeg een uit een schoolschrift gescheurd blaadje dat nu niet was volgekalkt met overpeinzingen over ketels kokend water, over damp, over druppels condens op een keukenraam, en hoe ze versmolten, zich weer uit elkaar losmaakten en opnieuw versmolten, nee, de songtekst van 10cc's hit 'I'm not in love' volstond – daaronder stond ook nog 'Big girls don't cry'.

Dooddoener op dooddoener. Ik schreef iets terug in de trant van: 'Big girls aren't afraid to show their tears', maar gevat kon ik dat antwoord niet eens vinden. Ik haatte hem.

God, wat haatte ik Thomas, net als dat klaarblijkelijk ongeneeslijke sneetje in zijn onderlip, dat ik terug wilde, dat van mij was, dat godverdomme van mij was; mijn vuil, mijn nicotine, mijn teer, mijn korst, mijn bloed.

Moest ik het dagboek dat ik hem via Margot had geschonken terugvragen? Flauw. De schilderijen verscheuren? Daar trof ik niemand mee, ook mezelf niet. Ik haatte zoals haat wil en wachtte tot hij alleen stond, zijn sjekkie was nog niet op, ik pakte hem bij zijn kraag, zette hem tegen een muur, duwde hem tegen die muur, zijn schedel moest ik horen bonken. Toen stompte ik hem een paar maal in zijn maag en gaf hem een knietje toe, terwijl ik riep dat ik hem haatte zoals ik ooit had willen roepen hoeveel ik van hem hield, zou blijven houden, wat er ook gebeuren mocht. Hij grijnsde alleen maar. Nam niet de moeite me terug te haten. Omdat hij mij was vergeten. Vergeten. Zelfs nu, waar ik bij stond.

*

Om vier uur stipt komt ze Berkmans kamer binnen. Geen handgeweven indianentas, geen rieten mandje uit Malawi, maar een leren koffer over haar schouder. Ze stelt zich voor, zegt tegen Louise dat ze graag koffie wil, legt haar mollige, onberingde handen op tafel. Een daadkrachtig 'right'.

Zijn eerste vragen stelt Berkman in het Engels, tot Mara opnieuw zegt dat dat niet hoeft. Ze woont hier alweer bijna zes jaar, echt een leuk land, Nederland, zo'n open mentaliteit en niet dat vastgeroeste denken in milieutjes...

Kan Berkman al iets zeggen over de andere sprekers die hij voor de reeks heeft uitgenodigd? Er moet natuurlijk niet te veel overlap zijn. Het is het mooist als haar lezing perfect aansluit bij die van een vorige gast en anticipeert op de lezing van de man of vrouw die na haar aan de beurt is. Anders blijven het van die losse flodders. Ze heeft zich goed voorbereid en somt namen op, van journalisten, politici, filosofen, plus de titels van hun boeken, ze geeft samenvattingen; alsof zijzelf de avonden moet organiseren.

Zo lelijk als Lot haar had beschreven is Mara helemaal niet. In

159

haar maanronde gezicht staan grote, geelbruine ogen, glanzend als verse broodjes. Ze heeft de opvallende wimpers benadrukt met zwarte eyeliner en veel mascara, en op haar inderdaad dunne lippen cognackleurige gloss aangebracht die past bij de rode hennaspoeling in haar lange haar. Sluik valt het, ja, maar vet is het niet.

Een robuust, moederlijk type. Cup DD en brede heupen. Het krijtstreep broekpak met het tot over de billen vallende jasje kleedt af, terwijl het lila hemdje en de hooggehakte paarse puntlaarzen eronder – Berkman had ze meteen opgemerkt.

Anders dan zijn vrouw, dan vriendinnen let hij nooit op schoenen. Maar Mara moet hij van kop tot voet bestuderen (draagt ze sieraden, een parfum?), omdat dat hoort bij zijn speurderstaak.

'Aan de telefoon heb ik gezegd dat ik niet zo'n prater ben...'

'Niet voor groepen.'

'O, dat heb ik er wel aan toegevoegd?'

'Ja.'

'Ja, en nu praat ik aan één stuk door en het heeft niet eens veel met die lezingenreeks te maken, sorry, maar ik, ik ben zo opgewonden. Vanochtend had ik een gesprek met een grote cerealsfabrikant en ze gaan quinoa... ze gaan biologisch geteelde quinoa van kleine coöperaties in Bolivia kopen. Het is een experiment, maar dan nog.' Ze zucht. 'Ik ben soow untzettend blai durmee.'

'Dat kan ik me voorstellen.'

Berkman forceert een glimlach. Hij laat zich uitleggen dat quinoa een graansoort is die alle aminozuren bevat die ook in koemelk voorkomen. Een beetje sojamelk erover, en kinderen met lactoseintolerantie hebben eindelijk een heerlijk én gezond ontbijtje. O, wat is ze blij. In de pakken komen *handmade* Inca-gelukspoppetjes – spaar ze alle zes... Berkman is blij als Louise eindelijk binnenkomt met de koffie. Ook met haar heeft hij een keer het bed gedeeld, of eigenlijk de vloer, want ze waren al voor de daad van haar smalle eenpersoonsmatrasje af gerold. Na weer zo'n debatavond (over surrealisme als levenskunst, over de invloed van elf september op de Anglo-Amerikaanse literatuur?) had hij haar geholpen bij het opruimen van de zaal en haar ondertussen ondervraagd over haar jeugd, studietijd en toekomstplannen – waardoor ze was gaan geloven dat ze elkaar goed begrepen, zelfs op elkaar leken. Tweelingzielen. Dat had ze bij het sollicitatiegesprek intuïtief al aangevoeld, maar nu wist ze het zeker. De wens is de vader van de gedachte maar ook van vrouwelijk instinct, Louise had niet in de gaten gehad dat haar baas niets over zichzelf had prijsgegeven en zo hoorde het ook, vond Berkman. Anderen mochten vrouwen de koffer in lullen, hij zweeg ze erin.

Zonder haar bril was Louise beduidend minder knap geweest. Het donkere montuur ontnam haar gezicht een zekere waterigheid, zelfs haar papmondje leek er krachtiger door. Maar hij had haar moeilijk kunnen vragen of ze het ding alsjeblieft wilde ophouden. Passieve Louise. Door 'een nare ervaring' ging het 'daar beneden' allemaal niet zo soepel, als hij wilde dat ze klaarkwam kon hij lang wachten, ze waarschuwde hem maar vast, maar Berkman wilde niks behalve een nieuwe geur in zijn neus, en ogen die hem aanzagen alsof hij zelf nieuw was.

Een week later was ze stralend op kantoor gekomen; ze had een vriend. Dankzij hem, had ze gefluisterd. 'Je hebt me mijn eigenwaarde teruggeven. Zo'n heerlijk gevoel van: kom maar op!' Dat was twee jaar geleden. Nu is ze zwanger van dezelfde vriend. Over vijf weken komt haar vervangster, maar Berkman is niet benieuwd naar het meisje.

Hij begrijpt dat hij al zijn energie in Mara Styler moet steken. Makkelijk geeft ze zich niet gewonnen.

Juist nu hij intiem met een vrouw moet worden, omwille van een hoger doel, lukt het hem niet. Lots straf voor zijn niet-aflatende ontrouw, denkt hij. Zoals ze Mara als haar eigen straf beschouwt. De score is 1-1.

'Je eerste kindje?' vraagt zijn gaste aan zijn secretaresse, wijzend op de bolle buik. Louise glundert, knikt ja.

'Hebt u zelf ook kinderen?'

'Nee, ik niet.' Mara kijkt naar Berkman. 'Jij?'

'Twee,' antwoordt hij onwillig. Hij weet dat Louise dat steeds weer onprettig vindt om te horen, het herinnert haar aan haar gewetenloze daad, in Wiegers armen had het hele gezinnetje Berkman haar niets kunnen schelen, vanavond was zíj aan de beurt, had ze gedacht. Kom maar op!

Een stugge tante vindt Petra haar, niet wetend dat Louise haar zo afgemeten bejegent uit wroeging.

Louise verlaat de kamer. Maar dankzij haar impertinente wedervraag aan Mara heeft Berkman nu wel iets in handen waarmee hij het gesprek over een persoonlijkere boeg kan gooien. Op dezelfde brutale toon als de vrouwen zegt hij: 'Toch lijk je me een geweldige moeder.'

Mara neemt een slok van haar koffie, blaast de damp voor zich uit, in zijn gezicht, lacht. Dat hoort ze wel vaker, ja. En ze is dol op kinderen, op alle kinderen, dat ze zo vurig tegen kinderarbeid is komt omdat... 'Ik kan echt dromen, dromen van een wereld... God, als westerse kinderen straks bij de supermarkt toch Fair Trade-quinoa-flakes kunnen kiezen! Je kunt cynisch zijn, zeggen dat zo'n fabrikant alleen maar meedoet uit prestige-overwegingen, aan de rest van hun ontbijtproducten verandert niets. Maar we moeten het grote publiek bereiken. Uit die alternatieve hoek komen... Kinderen zijn dé consumenten. Dat zie je aan de commercials op tv. Drie van de vier reclames is gericht op kinderen. Erg, ja. Maar met die wetenschap kun je ook wat dóén. Als jij supergezonde Fair Trade-flakes eet, kunnen Juanita en Fernandez in hun eigen dorp naar school! Zo dus. Fair Trade moet op kinderooghoogte op die schappen staan.'

'Volledig mee eens. Maar ik heb een klein probleem. Vanochtend had ik een bespreking met het financieel management en de subsidie is nog niet rond. Normaliter krijgen we voor onze thema-reeksen een vergoeding uit verschillende potjes, de ministeries van OC&W en Europese zaken, een paar culturele fondsen. Nou ja. Ik wil je er verder niet mee lastigvallen. Het kan alleen zijn dat we pas over twee jaar...' Berkman kan zichzelf wel voor zijn kop slaan. Hij had gehoopt dat hij Mara, door op haar kinderloosheid in te gaan, aan het praten zou krijgen over haar liefdesleven en dus over haar verdriet. Bovendien had hij Donald, of in elk geval diens organisatie, zelf ter sprake kunnen brengen na haar begeesterde promotie-praatje over kinderen en cereals. 'Wat je zegt doet me denken aan...'

Als ze had gevraagd of hij Donald wel eens had ontmoet, dan had hij bevestigend kunnen antwoorden, om er meteen achteraan te liegen dat Donald zich erg lovend over Mara Styler had uitgelaten enzovoorts.

Haar uitweiding heeft hem in de war gebracht. Tegenover hem zit iemand die liefst morgen al op het podium staat om haar lezing te houden. Ze heeft thuis waarschijnlijk al de foto's gesorteerd die als illustratie kunnen dienen en ze in haar laptop ingevoerd. Klaar voor een dynamische PowerPoint-presentatie, dat is ze. En verheugd over het feit dat hij nog niet veel op papier heeft – nu kan ze zich ook met de verdere invulling van de reeks bemoeien. Tijdens haar monoloog heeft Berkman zich alleen maar afgevraagd hoe hij haar geestdrift kan stuiten.

Er is geen financieel management; Berkman kan de boekhouding makkelijk zelf af, soms met wat hulp van Lisette. Er is geen bespreking geweest, laat staan teleurstellend nieuws.

Er zal op korte termijn geen reeks over globalisering en Europa komen. Dat is het probleem. Berkman heeft zijn hand overspeeld.

'A: ik doe het net zo lief gratis,' zegt Mara. 'B: het zou me niet verbazen als dat voor de andere sprekers ook geldt. En C: ik heb even op de website van dit instituut gekeken en wat ik daar las was een veel juichender verhaal dan wat je me nu vertelt. Tot 2010 worden jullie bijna volledig gesubsidieerd door Brussel.'

'Allemaal juist. Laat ik dan maar eerlijk zijn.'

Nu komt het erop aan. Hij moet iets verzinnen dat niet alleen zijn geloofwaardigheid redt, maar hem ook kan promoveren tot medestrijder, boezemvriend, biechtvader. Opstaan en met zijn lege glas naar het bronwatertankje in de gang lopen zou verdacht zijn. Mara, slimmer dan hij verwachtte, heeft waarschijnlijk meteen door dat hij daarmee tijd wil rekken. Berkman heeft trek in een borrel. Hij kijkt naar een duif die zich voor zijn raam heeft genesteld en pakt zijn pen.

'Ik wil met je samenwerken.'

'Gosj.'

'Omdat het niet klopt. Hier. Het klopt hier niet.'

'Want?'

'Nou, we zijn hier bezig met zaken van... van de geest, zeg maar. Met duurzame waarden. Cultuur. Wetenschap. Met inspiratie voor de toekomst. Een constant zoeken naar kruisbestuivingen, dwarsverbanden, relaties. Tussen het verleden en het heden, tussen naties, tussen politieke...'

'Ja, het lijkt me een leuk instituut. Toen ik aan het surfen was, heb ik me meteen aangemeld voor het symposium over Hanna Arendt en burgerschap. Jullie mogen best wat meer reclame maken. Komen er wel genoeg middelbare scholieren?'

'Zouden we moeten uitzoeken. Wat ik jou zou willen vragen is: hoe krijg ik het hier van top tot teen Fair Trade? We schenken nu in de pauze nog niet eens verantwoorde koffie. Maar ik wil meer. Niet alleen een aangepaste catering. Ik wil andere stoelbekleding, andere kunst aan de muur, ander papier. Op den duur.' Berkman schraapt zijn keel. 'En met jouw hulp, uiteraard.'

Mara kijkt onthutst, zoals mensen die argeloos grinnikend de kale man van de Staatsloterijshow hebben binnengelaten, om een minuut later te horen dat ze twee miljoen euro hebben gewonnen. Geen drukte meer, geen grappen. Haar mond valt open. Dit is haar geluksdag. Vanochtend al dat positieve bericht van de cerealsfabrikant en nu dit!

'Vat het niet op als een motie van wantrouwen dat ik je onder valse voorwendselen naar mijn kantoor heb gelokt. Ik was bang dat als ik je aan de telefoon al zou zeggen wat ik, wat wij van je willen... Kijk, het had ook níét kunnen klikken. Dan had jij je misschien al op de opdracht verheugd – voor niets.' Mara luistert niet meer. Doet of ze alles begrijpt. Haar ogen zoeken de zijne, ze lachen naar elkaar, er hangen een paar verdwaalde tranen in haar wimpers, de eyeliner vlekt op haar wang. Haar vreugde slaat op Berkman over. Plotseling begrijpt hij zijn kennis in Gdansk, die had gestraald elke keer als hij vertelde hoeveel Polen hij aan een goedbetaalde baan kon helpen. Het is alsof een onzichtbare hand een loodzware jas van Berkmans schouders afneemt, terwijl hij zich er eerder nooit van bewust was zoveel gewicht op zijn schouders mee te torsen. Dit is de sensatie die kennelijk bij 'goeddoen' hoort. Niet alleen Lot helpt hij, hij gaat honderden anonieme boeren en fabrieksarbeiders helpen! Berkman ziet zichzelf orders opstellen. Vijftig handgemaakte tafels uit Mozambique, honderdzestigduizend vellen handgeschept papier uit Bangladesh, voor folders en programmaboekjes... Vijfhonderd flessen eco-chardonnay van een coöperatie uit Chili, vierhonderd dozen tacochips uit Bolivia... Bolivia. Dat was het toverwoord geweest.

Eindelijk kan Berkman wat terugdoen voor zijn geboorteland. Hij overdrijft. Maar wat zal het een stunt zijn als zijn instituut over een jaar of vijf vanbinnen en vanbuiten helemaal Fair Trade geüpdatet is. Het interieur is toch aan vervanging toe en met het geld dat ze daarvoor opzij hebben gelegd kan hij net zo goed... De voorbeeldfunctie die daarvan uitgaat!

Eerst zullen ze hem uitlachen, zijn mede-intellectuelen. Hoe weet jij dat die arme mensen het geld echt steken in scholen, betere huisvesting, medische voorzieningen? Misschien kopen ze er drugs van, of nog erger, wapens voor een burgeroorlog. Wat als hun spullen geen kwaliteit hebben? Als de leveringen niet op tijd zijn? Als zo'n fabriekje na jouw bestellingen geen opdrachten meer binnenkrijgt en meteen over de kop gaat? Dan stort je die lui nog dieper in de afgrond. En ga ze vooral niks voorschieten, geen kredietjes, want sparen kunnen ze niet.

Berkman zou ze laten lachen. Zou niet reageren, ook niet in zijn columns. Als hij naar Mara kijkt, weet hij dat het kan.

Hij kijkt op zijn horloge. Het is half zes. 'Zullen we het vieren?'

'Goed,' zegt Mara. 'Als ik mag trakteren.' Ze staan tegelijk op, Mara geeft Berkman een hand en een kus. Hij vraagt of ze beneden bij Louise op hem wil wachten – hij moet nog één telefoontje plegen, één mail versturen en wat dossiers klaarleggen voor maandag. Vijf minuten werk. Hooguit.

*

'Ik heb nu iets interessants voor je...' Ruben klinkt opgewonden, maar dat klinkt hij altijd. Beroepsdeformatie.

'Weet je nog die aannemer met dat tsunamiverhaal?'

'Philip van Bavel.'

'Ja. Die zogenaamd omgekomen minnares heeft zich gemeld. Per e-mail. Ze zit in Washington. Een hele lap tekst. Zal ik het je even doorsturen? Of kom op de redactie, dan kunnen we samen praten over een vervolgartikel.'

'Ik heb bezoek.'

'Het heeft haast. Je weet nooit of zo iemand haar verhaal niet ook aan een paar kranten- en televisieredacties stuurt. Ze vindt het nogal spannend, geloof ik, dat we aandacht hebben besteed aan haar rouwende vriend. Dat ze postuum, haha, in de media was. En nu wil ze méér. Begrijpelijk wel. Wat een scoop! Zeg maar tegen je bezoek...'

'Het is mijn vader.'

'Kut.'

'Ik ga mijn vader niet zomaar wegsturen.'

'Nou, dan schrijf ik het zelf. Ik heb alles gecheckt bij haar vriendinnen, alles klopt. Ze wilde toch al weg bij die vent, durfde niet te zeggen dat ze al een tijdje een nieuwe vriend had, zo'n ambassade-diplomaat, voelde zich schuldig omdat ze zich door Van Bavel ontzettend had laten verwennen – dus ze had al gespeeld met de gedachte om te verdwijnen, een verdrinkingsdood, zelfmoord, maar dan zou hij zeker een onderzoek... papieren, verklaringen hebben willen zien. Die vloedgolf kwam haar perfect uit. Wat een verhaal! Mees-ter-lijk!'

Ik zeg nog iets over Van Bavel, voor hem zou het een schok zijn te lezen dat hij erin was geluisd. Moeten we niet loyaal aan hem zijn, de schurk heeft toch maar mooi zijn ziel op tafel gelegd, maar Ruben zegt dat ik de groeten aan mijn vader moet doen. Ook al kennen ze elkaar niet.

Mijn vader komt eens in de twee weken op bezoek, zoals ikzelf eenmaal per twee weken op bezoek ga bij de immer onverstoorbaar opgewekte moeder van Donald.

Zijn eigen vader is tweeënhalf jaar voor hem gestorven en zijn verdriet daarover heeft Donald alleen met mij gedeeld. Erg hartelijk gaan zijn familieleden niet met elkaar om. Donalds moeder heeft medelijden met iedereen die niet zo religieus is als zijzelf en zijn in Amerika woonachtige broer overtreft haar in dat medelijden. Verdoemt zelfs, uit liefde uiteraard, de roomse dwaalweg die zijn moeder bewandelt.

Donalds zus Annemiek heeft vooral medelijden met zichzelf. Haar man heeft haar verlaten kort nadat bij haar de diagnose MS is gesteld, groter onrecht bestaat niet. Ook al stelde het huwelijk nooit wat voor, ging er geen dag voorbij zonder haar bijtende kritiek op zijn karakter, liefst in aanwezigheid van veel publiek, nu ze zo ziek bleek, was het zijn plicht haar bij te staan, vond ze. Vindt ze na zes jaar nog steeds. Joy kan ze niet zien of horen zonder aan haar eigen onvervulde kinderwens te denken, de gebeden van haar gelovige moeder en broer helpen niets, laten ze liever meegaan naar het ziekenhuis, boodschappen doen, of straks mijn rolstoel voortduwen, maar nee, het blijft een stelletje egoïsten, net als Donald, die weliswaar geen godsdienst aanhing, maar dan toch een workaholic in schaapskleren was. 'Altijd tijd voor zielige derdewereldtypes, maar naar zijn zus omkijken, ho maar.'

Donalds vader, een vierkante Fries, had de kunst verstaan zijn prekerige gezinsleden te negeren. De liefde voor de natuur had mijn dochter van hem. Zoals Donald zijn motto 'geen woorden, maar daden' had overgenomen. Ik weet niet of ik wat aan mijn schoonvader had gehad als hij nog had geleefd. En of hij wat aan mij had gehad. Dat ik de grote tuin van mijn schoonmoeder in Uitgeest bijhoud, het gras maai, de heg knip, de rozen verzorg, jonge wortels en kolen plant, de sperziebonen pluk en het moestuintje onkruidvrij probeer te houden, dat ik de weg weet in opkweekkasje en schuur en mijn schoonmoeder bel als het tijd wordt om een net over de struikjes met kruisbessen en frambozen te hangen, is geen verdienste, zoals mijn eigen moeder beweert. Ik eer er de oude Fedde mee, en zijn zoon. Bovendien heb ik wat omhanden tijdens mijn visites en voorkom ik discussies met mijn vrome schoonmoeder, die mij er maar van wil overtuigen dat onze mannen hun geluk thans bij Jezus hebben gevonden en dat dit bepaald geen reden tot treuren geeft.

Mijn gepensioneerde vader doet veel karweitjes voor mij. Hij haalt mijn doorrookte gordijnen van de rails en brengt ze naar de stomerij, doet mijn boekhouding en vult verzekeringspolissen en belastingformulieren in, vertimmert wat aan de hoogslaper van Joy en vervangt de oude douchekop door een nieuwe met massagestralen als ik me per ongeluk heb laten ontvallen dat ik al een paar dagen last heb van mijn nek. Klussen, niet om iemand te eren, een gesprek te omzeilen, niet eens omdat hij meent dat ik onhandig ben en hulpeloos. Hij vindt het gewoon belangrijk dat ik kan blijven werken zonder me te hoeven bekommeren om achterstallig onderhoud. Mijn vader is trots op mijn artikelen en laat ze aan iedereen lezen.

Hij staat op en schenkt me nog een kop koffie in. Gisteren heeft hij voor het eerst een appeltaart gebakken. Helemaal tevreden met het resultaat is hij niet, maar toch snijdt hij voor ons allebei nog een stuk af.

'Ik heb een beetje overdreven met die geraspte citroenschil, dat maakt het zo wrang. Blij toe dat je moeder hem niet heeft geproefd. De hare is beter. Was dat je chef?'

'Heb je het gevolgd?'

'Ja, over dat tsunamistuk ging het, nietwaar? Kun je echt niet doen, vind ik. Ontzettend laag tegenover die Van Bavel. Ik geef je groot gelijk dat je daar niet aan wilt meewerken. Kijk, als het echt belangrijk is mag je me altijd wegsturen, beloof me dat je me niet uit beleefdheid...'

'Nu wel een vervolgstuk, verdomme.'

'Hoe bedoel je?'

167

Ik breng hem het stuk over het buschauffeursechtpaar in herinnering. Die opdracht heb ik zelf teruggegeven, dat is waar. Maar een paar weken later had ik alsnog een reportage willen schrijven, in twee of drie afleveringen, om te tonen hoe de aanvankelijk xenofobe mensen dankzij hun nieuwe buurjongen waren veranderd. Ze hadden nu zelfs al contact met de achtergebleven zus van het slachtoffer kunnen leggen. Ria had me onlangs opgebeld, stotterend van blijdschap.

'En die Ruben vond dat oninteressant gedoe.'

'Ja. Langdradig. Te politiek correct ook.'

Omdat mijn vader van mening is dat je grote goederen als meubels en huishoudelijke apparaten pas na een vergelijkend warenonderzoek mag aanschaffen, rijden we na een bezoek aan twee elektronicazaken in de Kinkerstraat naar de gigant in de Rivierenbuurt. In mijn vaders nieuwe auto hangt dezelfde geur als in de Saabs die hij in mijn jeugd had. Ik heb hem er altijd van verdacht dat hij stiekem rookt, zonder het asbakje te gebruiken, want dat is steevast brandschoon. Misschien tikt hij de as af in een leeg colablikje. Houdt hij zijn peuk gewoon buiten het geopende portier. Waarom? Mijn moeder vindt het jammer dat ik rook, maar ze heeft het me nooit verboden. Wanneer ik op bezoek ben bij mijn ouders, zet ze altijd een asbak bij me neer. Als haar enige kind al verslaafd mag zijn aan sigaretten, dan kan ze er toch niets op tegen hebben dat haar man ook af en toe rookt?

Mijn vader adviseert een dvd-speler zonder al te veel extra functies. Ik draag de doos naar buiten. Mijn vader haalt zijn portefeuille uit zijn broekzak, rommelt er even in, steekt me een biljet van vijftig euro toe en zegt dat ik de speler aan hem moet geven, dan legt hij hem in de auto, die twee straten verder staat geparkeerd. Hij wijst in de richting van een Free Record Shop. 'Koop er toch even een paar filmpjes bij. Iets voor Joy, iets voor jezelf. Dan kun je straks tenminste proberen of-ie het echt doet. En niet meer zeggen dat je hem alleen voor de muziek... Dat weten we nou wel.'

Ik blijf zijn kind. Ga gedwee de winkel in, voel dat ik bloos. *Shrek*, dat had Joy een leuke film gevonden. *Monsters en Co.*, die ook. Twee voor vijfentwintig euro. Wat ik voor mezelf moet kopen weet ik niet. In mijn eentje kijk ik niet graag films. Actualiteitprogramma's, die gaan nog wel. Om bij te komen van het *Journaal* een paar clips op MTV, soms een quiz, een talkshow of een historische documentaire op de BBC.

Ik blader snel door de bakken, van Z tot A, van *Zorro* tot *Apocalypse Now*. *25th Hour* van Spike Lee wil ik nog wel eens terugzien. Volgens de computer moet er nog een exemplaar zijn, zegt de jongen achter de toonbank. 'Kijk even in de koopjesbakken onder de T. Als hij daar niet staat is-ie er al uit. We kunnen wel...'

Hij roept nog iets over vandaag bestellen, binnen acht dagen leverbaar, jawel, ook in een ander filiaal, maar dankzij iemand die lidwoorden voor vol aanzag, is *The End of the Affair* van zijn vaste plek onder de letter E in de bak bij de T terechtgekomen. Ik wist niet eens dat het boek was verfilmd.

Tot nu toe heeft het wegdoen van spullen die van Donald zijn geweest of die we ooit samen hebben uitgezocht me altijd aan het janken gemaakt. Een doorgesleten hoeslaken, de blender waarin we om beurten groenten voor onze baby hebben gepureerd en waarvan de mesjes niet meer roteerden... Liefst draag ik het afval zelf naar beneden, doe ik het zelf in de container. Geen toeschouwers. Voordat mannen van de een of andere opruimdienst de kapotte kachel kwamen halen, heb ik het ding nog opgewreven, de ruitjes afgesopt – tegen beter weten in.

Net als op de crematie probeer ik dan de tranen af te knijpen, met als resultaat knallende koppijn, een loopneus, soms een oor dat dichttrekt en een dag lang een dof suizen produceert, alsof ik zojuist met een vliegtuig ben geland. Slikproblemen, het gevoel dat iemand naalden in mijn strottenhoofd, kaken en lymfeklieren heeft gestoken. De huisarts sprak een halfjaar geleden van een terugkerende bijholte-ontsteking. Die chronisch kon worden als ik geen maatregelen nam. Stoombadjes met kamille, snuiven met lauw, bremzout water, op tijd naar bed en veel naar buiten, fietsen of joggen. Vooral: stoppen met roken, mevrouw.

Pik me alles maar af.

De cd-speler die we een jaar voor Joys geboorte kochten, heb ik tot tweemaal toe weggebracht voor onderzoek en reparatie, maar de tik die er nu in zit is niet meer te verhelpen. Ik heb het mijn vader bij zijn binnenkomst nuchter meegedeeld, gevraagd: 'Ga je vandaag mee een nieuwe kopen, help je me bij het installeren?' – al de hele middag weten we allebei dat ik straks zal gaan huilen.

Tijdens het lostrekken van de snoeren kijkt hij voorzichtig over zijn schouder of het al zover is. Er komt niets. Alleen mijn linkerooglid trilt. Al een paar dagen, van vermoeidheid, ik moet misschien een nieuwe leesbril, zit veel te lang aan één stuk achter mijn laptop, op een verkeerde stoel – dat is vragen om RSI. De kramp in mijn polsen, de tintelingen in mijn linkerbovenarm; alles wijst erop. Maar de huilhoofdpijn lijkt zonder stomen en sporten verdwenen. Geen traan. Niet eens een snotneus, een dikke keel. Er valt niets af te knijpen of te onderdrukken.

'Papa?' Met het fruitmesje snijd ik alvast de tape door waarmee de doos met het nieuwe apparaat is dichtgeplakt.

'Ja?'

'Een rare vraag, je hoeft niet te antwoorden. Maar ben jij... Heb jij wel eens... met iemand anders?'

'Met iemand anders?'

'Iemand anders dan mama. Niet voordat jullie trouwden, dat bedoel ik niet. Want dat weet ik wel. Dat je daarvoor een paar vriendinnen hebt gehad. Verkering, zeg maar. Ik bedoel, nou ja. Ben je wel eens vreemdgegaan?'

Mijn vader zet de geluidsbox waaruit hij het laatste plugje heeft getrokken terug op zijn plek en kijkt vrolijk verbijsterd op, alsof ik hem een gloednieuw idee aan de hand doe.

'Vreemdgegaan?! Nee, natuurlijk niet.'

'Ook nooit... Er liepen toch ook wel leuke vrouwen rond op jullie kantoor. Dat je na een avondvergadering nog even ergens een borrel ging drinken, zo'n meisje thuisbracht. Dat kan toch?'

Hij veegt met zijn zakdoek wat stof van zijn handen en staart me nadenkend aan. 'Er waren wel leuke vrouwen, ja. Geen meisjes. Niet bij Rijkswaterstaat. Of het moeten van die secretaressetjes en koffiedames zijn geweest. Daar kon je niet mee praten.'

'En je moest wel kunnen praten.'

'Praten, een leuk gesprek hebben. Dat is belangrijk. Iemand moet wel iets interessants te melden hebben, voordat je... verliefd wordt.'

'Maar je hoeft niet per se verliefd te zijn om met iemand naar bed te willen.'

'Nee. Dat schijnt zo te zijn. Met Jantien, met Jantien Soomers was het altijd leuk. Echt iemand die wat kon. Zag er ook goed uit, verzorgd, en ze begreep mijn humor. Ik denk dat ik over haar wel eens wat gefantaseerd heb. Alles in het onschuldige. Hoe het zou zijn om een kus...' Mijn vader tilt de oude cd-speler op. 'Zal ik deze alvast in mijn achterbak leggen? Dan breng ik hem naar de kringloopwinkel bij ons in het dorp. Met de losse onderdelen kunnen ze meestal nog wel iets.'

'Hoe het zou zijn om een kus...?'

'Lot, je snapt het best. Ik breng deze even weg en dan hebben we het er nog wel over.' Hij loopt de kamer uit, ik doe de voordeur voor hem open, bekijk het oude apparaat voor de laatste keer, ga naar binnen. Mijn vader loopt de eerste trap naar beneden af en vervolgens weer op. 'Hij rammelt. Er zit nog iets in.'

Hij zet de speler op de grond, drukte op de knop die het laatje open en dicht laat schuiven. Er gebeurt niets.

'Sufferd dat ik ben. Hij moet weer in het stopcontact. Dat laatje is ook elektrisch.' Mijn vader gaat meteen aan de slag. 'Hier. Die was bijna... Wat goed, je luistert de laatste tijd weer vaker naar klassiek. Ik ken van Bruch alleen zo'n cellostuk. *Kol Nidrei*. Is dit mooi? In plaats van York hadden jullie beter naar Edinburgh kunnen gaan, je bent zo met Schotland bezig. Ook al een whiskyboek...'

Opnieuw brengt hij de oude speler weg, terwijl ik de nieuwe uitpak en installeer; ik heb goed opgelet bij de uitleg en wil mijn vader laten zien dat ik hem nog steeds niet echt nodig heb.

Als hij ook de doos bij de papiercontainer op het plein heeft gebracht, weer boven is en naar de wc is geweest, kan hij de *Scottish Fantasies* zelf beluisteren.

Een biertje wil hij niet, mag hij zo'n whisky proeven? Tijd niet gedronken. Zijn hand slaat mee op het ritme van de muziek. 'Ik had het over die Jantien, daarnet. Dat ik nooit echt verliefd op haar ben geworden... Dat was niet omdat het niet mocht, of zo. Niet eens omdat ik je moeder niet wilde kwetsen. Maar als ik dacht aan... aan meer, aan een "verhouding"... Er zijn zoveel dingen waarop je kunt afknappen, hoe fijn je het in gesprekken ook met elkaar hebt, hoe goed iemand je ook begrijpt. Zelfs als je geweldig met elkaar kunt eh...'

'Vrijen.'

'Ja. Goed spul, trouwens. Neem je zelf niks?'

'Niet overdag. Joy komt zo terug van school. En met mama?'

'Met je moeder is er nooit zo'n afknap-angst of -moment geweest. Alles klikte. Haar interesses zijn niet de mijne, of omgekeerd, maar met je moeder is het altijd...'

'Nou?'

'Gezellig.'

'Kom op! Gezellig! Wat een passie.'

'Ik kan er niks anders van maken. Als ik 's avonds van kantoor naar huis reed dacht ik altijd: gezellig. Dat warme, dat hartelijke, dat heb je echt van haar. Hoe ze nu ook weer met de buurvrouw meegaat naar die chemokuren, en dan ook nog die asielzoekers... Ze weet hoe dat moet, hè? De juiste toon treffen, bij iedereen. Ik ben minder van dat sociale. Zit ze zo'n fotoalbum van jullie reisje mooi te versieren, met gekleurde lijntje en plaatjes, en dan leuke anekdotes eronder, toegangsbiljetten erbij, buskaartjes, snoeppapiertjes... Kan ik niet. Bij mij verdwijnen foto's in een oude schoenendoos op zolder.'

'Bij mij ook. Als ik al foto's maak.'

'Nou goed, daarin lijk je dan op mij. Maar voor de rest waren jullie twee handen op een buik. Vond ik ook wel eens moeilijk. Daarom misschien wel die gevoelens, al is dat een groot woord, voor Jantien. Veertien was je toen, vijftien. En mama en jij rolden soms vechtend over de vloer, bij wijze van spreken. Maar toch. Een front. Van hartelijkheid, waar ik niet altijd tussen kwam, maar bewonderen deed ik het, doe ik het wel. Jullie stellen mensen erg op hun gemak. Mensen? Mij. Het klinkt niet echt onstuimig, maar volgens mij heeft het alles met liefde te maken: gezelligheid. Het verlies daarvan zou ik nooit durven riskeren. Waarom wilde je eigenlijk weten...?'

Ik loop naar de keuken om chips en nootjes in schaaltjes te doen. Gezellig, denk ik. Joy vindt het borrelen met opa op donderdagmiddag altijd heel gezellig en straks krijgt ze ook nog twee films en voor één keer blijft mijn vader eten, want mijn moeder is naar een bijeenkomst van GroenLinks... Houd het gezellig, denk ik. Zeg niet dat Donald toen hij stierf gewoon een ander had, veel langer dan een jaar, een affaire, verhouding, relatie. Ik heb Mara na zijn uitvaartdienst nog in mijn armen genomen, haar snikkende rotkop tegen mijn schouder gedrukt. Haar snot en tranen met een tissue van mijn jasje afgeveegd, denkend dat het mijn eigen vlekken waren.

'Ik moest in je auto opeens denken... Rook jij stiekem?'

'Ja. Niet echt stiekem. Je moeder weet het al jaren. Het werd zo'n gewoonte, heel raar, om het alleen maar in de auto te doen. Niet op feestjes, niet als ik zomaar buiten liep. Ik wilde jou ook niet het verkeerde voorbeeld geven. Maar toen je er zelf mee begon, bleef ik het auto-roken toch trouw. Waarom? Geen idee. Jij dacht zeker...' Hij veert op, loopt naar de deur. De bel is gegaan. 'Daar is ze!' Voordat hij Joy tegemoet gaat, draait hij zich naar me om. 'Stiekem roken is nog niet stiekem aan andere vrouwen denken, Lotje. Straks, als ze voor de tv zit, nemen we er allebei één, op het balkon. Met een whisky. Samen roken. Hebben we nog nooit gedaan.'

*

Meteen nadat Berkman Mara Styler het voorstel heeft gedaan, vertelt hij zijn plannen aan Petra. Ze eten in de tuin. Sla, patat, biefstuk – de maaltijd verloopt zonder gezeur van de kinderen, ze ruimen braaf af, zetten de borden en schalen in de afwasmachine, denken zelf aan hun vitaminepil. Alles om hun toetje, vanille-ijs met koekjesdeeg en grote brokken chocolade, niet mis te lopen. Eenmaal per maand mag het wel ongezond, vindt Petra, 'dan genieten de kinderen er ook extra van'.

Er gaat niets boven ijs van Ben & Jerry's. Mierzoet, maar goddelijk. Het koekjesdeeg komt van een kleinschalig fabriekje dat geestelijk gehandicapten in dienst heeft, de cacao is uiteraard niet afkomstig van een slavenhouder, zelfs de room, de melk, de suiker en vanillestokjes hebben een zuivere oorsprong, bovendien gaat een deel van de opbrengst van de peperdure delicatesse naar een fonds dat het regenwoud beschermt. Het staat allemaal op de kartonnen verpakking die Berkman in stilte leest.

Terwijl Bruno en Sophie met een verzaligde blik de stukjes chocolade uit hun ijs bikken, begint hij over Green & Black's, over Mara, over het 'ver-Fair-Traden' van zijn instituut. Petra zegt niet veel. Bekijkt haar gebruinde handen, krabt met een haarspeld de aarde onder haar nagels weg. Ze is naar het tuincentrum geweest, heeft hortensia's gekocht en geplant, haar kruiden verpot. Sinds ze niet meer werkt, werkt ze harder dan ooit vindt ze zelf. Onder zijn verhaal staat ze op om uit de keuken een tube handcrème te pakken. Eenmaal terug, zegt ze alleen maar: 'Ga verder.' Vlak, ongeïnteresseerd.

'Je moet niet aan die muggenbulten pulken, mam,' roept Sophie. 'Dat zeg je altijd tegen ons. Moet je kijken, je hebt bloed.'

Onderbreek je vader maar. Als zo vaak voelt Berkman zich een indringer. Wat hij met dit gezin te maken heeft, weet niemand.

Natuurlijk kan het ze niets schelen wat hij doet. Zoals het hem niet kan schelen dat zijn vrouw iedere zomer opnieuw iets aan de tuin wil veranderen, uitgerekend op de heetste dagen. Behalve dat ze aan de klussen ruwe, opengehaalde handen heeft overgehouden, klaagt ze ook over pijn in haar onderrug, maar Berkman voelt geen enkele aanvechting tot troosten, strelen. Al staan badkamer en slaapkamer vol met flesjes met heilzame zalfjes, oliën en lotions; ze zijn uitgezorgd.

De keren dat hij nog werktuiglijk haar stijve spieren masseerde, had hij volgens Petra op de verkeerde plekken gedrukt, in de verkeerde richting gestreken. Hoe vaak had ze nou al niet gezegd dat je nooit, maar dan ook nooit aan iemands ruggengraat mag komen?! Stel dat er een zenuw bekneld raakt?

Petra's lichaam is van haar. Alleen zij weet hoe ze het moet verzorgen en 'verwennen' – zij en de anonieme dames in de sauna, het kuuroord waar ze met haar vriendinnen wel eens een dagje naartoe gaat, zij, de schoonheidsspecialiste en sinds kort de pedicure die ook voetreflexmassages geeft.

Wat is het verschil met hoerenloperij?

Ondanks gebrek aan aandacht maakt Berkman zijn verhaal af, daarna brengt hij de kinderen naar bed. Als hij weer beneden komt staat er muziek op. Philip Glass, de soundtrack van de film *The Hours*. Zijn vrouw zit nog steeds op dezelfde plek in de tuin. Ze heeft een sigaret uit zijn pakje genomen. Rookt, terwijl ze toch al jaren gestopt is. De avondlucht geurt naar warme, vochtige potgrond.

Is ze moe? Somber? Heeft ze nog pijn? Moet het door de openstaande deuren naar buiten waaiende gepingel, nee, het zilveren gedruppel, dat wordt gedragen, aangedreven, bewogen door een dikke bries van strijkers haar verkoeling brengen? Zoals een fotograaf met filters werkt... Misschien denkt ze dat ze mooier wordt van de muziek, is het make-up voor haar toch zeer alledaagse geest. Het is de bedoeling dat Berkman vraagt wat er scheelt. Hij vraagt het.

'Ik ben zo trots op je,' fluistert Petra, zonder hem aan te kijken. 'Wat je daarnet vertelde, je plannen. Het moest even tot me doordringen. Met de kinderen erbij... Met de kinderen erbij kan ik dan niet meteen reageren. En ik geloofde het niet, dat ook. Ik durfde het niet te geloven. Jij.'

'Omdat ik normaal gesproken...'

'Ach, bij jou is toch alles theorie. Denken, denken, denken. Dat bedoel ik niet vervelend. Je doet mooi werk. Maar dat is het. Het is mooi.'

'Het houdt iets vrijblijvends.'

'Ja. Daar hebben we het in het begin al vaak over gehad. Ga ik nu niet allemaal oprakelen. Dit is wat anders dan al die intellectuele discussies over de waarden, de kunst, de ideeën, de geschiedenis, de toekomst... de weet-ik-veel wat van Europa. Je gaat iets doen! God, Wieger.'

Ze pakt zijn handen en kijkt hem aan. Dankbaar als een uur geleden de kinderen, toen de pot met ijs op tafel kwam. Nog nooit heeft Petra blijk gegeven van enig engagement. Ja, ze leeft op als er kinderen komen spelen, als ze op school kan helpen, mee mag met schoolreisjes of museumbezoek, gevraagd wordt voor de medezeggenschapsraad of voor lessen over gezonde voeding, pesten, omgaan met verschillen. Alle kinderen hebben recht op... warmte, sfeer, gesprekken. Op een jeugd als die van hun eigen kinderen. Met een missie heeft het weinig te maken. Tot Bruno's geboorte werkte Petra bij Shell, het bedrijf dat haar vader als expat de wereld over had gezonden. Na haar studie psychologie en een jaartje bedrijfskunde was ze beland op de afdeling human resources. Leuke job, want: met mensen. Als Shell werd aangevallen door milieuorganisaties, in een kwaad daglicht werd gesteld door Greenpeace, voelde ze geen behoefte zich te verdedigen. Ze wilde evenmin weten of er een kern van waarheid in de kritiek school – Shell was toevallig een oliefirma; als ze bij Philip Morris had gewerkt, had ze moeten aanhoren dat roken dodelijk was, dat het bedrijf duizenden slachtoffers per jaar maakte, zo was er met elke company wel iets mis, maar bij human resources had je daar niets mee te maken. Personeel bleef personeel en verdiende alle aandacht, goed of fout bedrijf.

Toch lijkt het alsof Petra altijd op dit moment heeft gewacht. Honderd, duizend keer haar tong heeft afgebeten. Man, ga eens hándelen. Op deze Wieger heeft ze gehoopt. Naar deze Wieger heeft ze verlangend uitgezien. Het zou Berkman niet verbazen als zijn vrouw ook vandaag nog, met haar handen in de aarde, heeft geworsteld met haar irreële dromen van een betrokken, daadkrachtige Wieger die toch niet kwam. Stel je niet aan, trut, je kunt hem niet veranderen. Wat hij doet maakt hem gelukkig en het is mooi. Mooi.

Intellectueel en mooi. En nu blijken haar dromen opeens niet vergeefs geweest.

'Dus je wilt echt alles aanpassen?'

'Ja. Horeca, inrichting, programmaboekjes.'

'Wanneer zie je de commissies?'

'Na de zomervakantie. Eind augustus pas. Maar ik ga het ze maandag al mailen, de plannen. En alle leden meteen vragen om een reactie.'

'Heb je haast? Ben je bang dat het anders... dat het anders gaat afbrokkelen, het idee?'

'Zoiets zal het wel zijn. Bovendien krijgt die Mara het in de herfst weer druk met andere dingen. Ik moet nu haar adviezen inwinnen, en er nu mee aan de slag.'

Zomeravondstilte blijft zomeravondstilte. Glass blijft Glass. Voordat het gaat schemeren haalt Berkman de kussens van de tuinbanken en het kleed van tafel. Petra zet de sproeier aan. Maar er is iets nieuws aan de manier waarop ze, eenmaal binnen, een biertje voor hem neerzet. Er is iets geboren.

Niet dat hij in haar ogen een ander is geworden, dat zou overdreven zijn, maar de cerebrale Wieger die hij al die jaren is geweest, komt plotseling op de tweede plaats. Alle aandacht gaat uit naar de man die Petra altijd in hem heeft vermoed. De man met het hart op de goede plaats. Terwijl hij naar *Nova* kijkt, kijkt Petra naar hem. Geroerd. Alsof hij na een reis van jaren eindelijk thuis is gekomen. Alsof ze geen weduwe meer is. Bewonderend. Maar anders, teder, minder gretig dan toen ze samen hadden gerend. Ontvankelijk als een discipel.

'Ga je iets leuks doen in de vakantie?'

'Twee weken naar Frankrijk. We hebben daar een huis, dat we delen met vrienden van mijn vrouw. Zij de eerste drie weken van de vakantie, wij de laatste drie.'

'Je zei net twee.'

'Ja, ik ga twee weken. Mijn vrouw en de kinderen vertrekken een week eerder. Ik wil in augustus nog wat nog dingen regelen voor het congres. Misschien moet ik nog naar Praag. Naar Zagreb in elk geval. Jij?'

Mara haalt haar schouders op. Zegt dat ze zo vaak moet reizen dat ze in de zomer juist graag in Nederland blijft. Om het land beter te leren kennen. Ze vraagt Berkman wat mooier is, Texel of Ter-schelling? Of toch Ameland?

'Ik ben alleen op Texel geweest. Jaren geleden. Toen ik nog stu-deerde. Het hele weekend regen.'

'Net zoiets als Schotland. Elke Brit vindt dat hij één keer het noorden moet hebben bezocht. Maar die ene keer dat ik...'

Mara had Berkman meegenomen naar een hotel annex congres-centrum in de buurt van Zutphen, dat met haar hulp al helemaal Fair Trade was, van het beddengoed tot en met de afterdinnerpe-permuntjes. Natuurlijk werden er uitsluitend new age-cursussen gegeven. Het hele pand stonk naar wierook en kruidenthee en de catering was vegetarisch, op afspraak veganistisch. Indiase lam-penkapjes met borduursel en spiegeltjes, grauw katoenen medita-tiekussens; bijna was Berkman de moed in de schoenen gezonken, maar Mara fluisterde hem toe dat zij deze rommel ook afschuwelijk vond. 'Je kunt heel goed zelf met ontwerpen komen, Wieger. Deze types zijn nog van de oude stempel. Moet je even doorheen kijken. Voor servies en vazen: Vietnam, zou ik zeggen. Voor de meubels Guinee, Guinee-Bissau. Of Rusland. Oekraïne. Mooi hout, goed af-gewerkt. Laat mij het maar regelen. Het gaat erom dat je een indruk krijgt.'

Al bij binnenkomst had ze een programmaboekje van de infor-matiebalie gepakt en het aan Berkman voorgelezen. 'Hoe herstel-len we het eerbiedige contact met natuurwezens? Hebben moder-ne apparatuur (computers, dvd-spelers, magnetrons) ook een ver-zorgend natuurwezen en zo ja... Ontmoet de oergodin in jezelf. Via buikdansen en sensuele massage openen we de onderste chakra's, die de vrouwelijk seksualiteit in de oosterse wereld zo krachtig en machtig maken... Wat vertelt het landschap ons over onze wortels? In dit weekend zullen we spreken met de bomen, stil worden op de hei, gedichten lezen bij de IJssel en nadenken over de vraagstukken die mobiliteit en de verdigitalisering van de wereld met zich mee-brengen, onder leiding van...'

Precies op het ogenblik dat de eigenaar binnenkwam om zijn gasten een rondleiding te geven, had Mara een gebaar gemaakt als-of ze moest overgeven.

Twee uur later vullen zij en Berkman het kopje miso-soep 'van het huis', in een normaal restaurant aan met een uitsmijter ham en kaas en een glas cola. Het is lang geleden dat Berkman een vrouw zo

177

onbeschaamd wellustig heeft zien eten. Het bakvet dat van het ei af-
druipt iedere keer dat ze er haar mes in zet, veegt ze met een stukje
brood van haar bord. Haar lippen glimmen. Met haar bestek trekt
ze lange draden uit de gesmolten kaas, die ze oprolt rond de tanden
van haar vork, als spaghetti.

'Je kunt het allemaal aan mij overlaten,' zegt ze met volle mond.
'Of ik geef je de adressen van de verschillende bedrijfjes en coöperaties en je gaat zelf met ze onderhandelen. Dan loop je wel het risico dat ze je afschepen met de rommel die je net zag, want ze moeten nog wennen aan opdrachtgevers met eigen ontwerpen. Bovendien denk ik dat je, als je het zelf regelt, veel duurder uit bent. Als je
er tenminste van uitgaat dat tijd geld is. Ik vraag voor de hele klus
dertigduizend euro, exclusief reiskosten. Maar dan heb je het binnen nu en anderhalf jaar ook helemaal rond. Geen gedoe met ergens achteraan bellen...'

Van iedere andere vrouw zou Berkman dit kordate optreden af-
stotelijk hebben gevonden. Hoeren mochten hun tarieven kennen,
maar de filmmaaksters, filosofes en schrijfsters die hij benaderde
voor een optreden in zijn zaal behoorden het vaststellen van hun
honorarium aan hem over te laten, of nee, ze behoorden dat niet te
doen, ze deden het. Berkman is gewend aan: 'Zegt u maar wat u ervoor wilt geven. Ik vind het al een eer dat u mij uitnodigt en het is
een thema waar ik me echt graag in verdiep.' Een vrouw die precies
weet wat haar arbeid waard is, is, godzijdank, een zeldzaamheid.

Maar Mara, hoewel potig, is geen vent. Ze bezit een zachte stem
die door het Engelse accent bijna broos klinkt.

Al eerder heeft ze het heft in eigen hand genomen. Toen ze deze
afspraak maakten, stelde Mara voor met één auto te gaan, tenzij hij
meteen terug moest naar Amsterdam. Zou zij hem ophalen of hij
haar? Berkman had besloten tot het laatste. Hij had geen afspraken,
hoefde niet op een bepaalde tijd terug te zijn. 'Mooi,' had Mara al bij
het instappen gezegd. 'Dan kunnen we misschien ook ergens lun-
chen.' En later, toen ze langs de Gooise bossen reden, was ze zelfs
over een wandeling begonnen. Als ze hebben afgerekend, zal Berkman haar eraan herinneren. Het wordt tijd dat ze gaat praten. Lot
heeft recht op een verslag van haar spion.

Op het zanderige parkeerterrein staan een zilvergrijze BMW en een
kek, pas gewassen terreinwagentje, het laatste waarschijnlijk van

178

een vrouw die hier al joggend haar golden retriever uitlaat, oppert Berkman. Hij probeert niet aan zijn angst voor loslopende honden te denken. Mara schiet in de lach.

'Haar hond? Welnee! Die vrouw en de man van die B M W hebben in het bos hun geheime date. Het is misschien typisch Engels om meteen dit soort bijgedachten... Te veel boulevardpers, dan krijg je dat. Wat doen we? Gaan we de rode paaltjes volgen? Vijf komma zes kilometer. De blauwe route is maar twee komma vijf.'

'Eigenlijk houd ik er niet van. Van die uitgestippelde paden.'

'Ik ook niet. Maar ik ben in de duinen en bossen bij Castricum een keer verschrikkelijk verdwaald. Zeg je dat zo? Verschrikkelijk verdwaald? Anyway... Ik zou even kort gaan lopen, maar ik was pas na vijf uur zwerven weer bij het station.'

Tussen de hoge vliegdennen hangt een groezelige, warme mist, alsof natuurwezens er dag en nacht flink op los hebben gepaft. Het bos als stamkroeg. Het is lang geleden dat Berkman op zand heeft gelopen, op bruine naalden, de dunne, papieren eikenbladeren van de herfst van vorig jaar.

Je blijft de snelweg horen, maar toch heeft hij het gevoel dat hij ver weg is, ver van zijn werk, zijn gezin. Zelfs in hun huis in Frankrijk blijft hij verbonden met zijn plichten en lasten. Amsterdam, nee, alle Europese steden wonen in zijn hoofd. Hersens, bloedbaan: hem doorstromen plattegronden, compleet met decorstukken zoals metrostations, restaurants, pleinen, theaters, musea, universiteitscomplexen, hotels en parken. Cultuur als kwelgeest. Zelfs in zijn nachtelijke dromen komt hij nooit meer echt buiten. Hij trekt zijn jasje uit en hangt het over zijn arm.

'Waarom heb je het niet gewoon in de auto gelaten?'

'Weet ik niet.'

'Heb je altijd een jasje aan?'

'Ja.'

'Netjes.'

Om hen heen gonzen vliegjes, een enkel steekwespje, een daas. De vink, herinnert Berkman zich, kun je herkennen aan een woord. Welke trillertjes het beestje ook fluit, aan het eind van elke riedel vraagt de vink op hoge toon: 'Biscuit?' Het was hem als kind eens door een boswachter verteld en nu wil hij het aan Mara vertellen, maar hij is bang dat ze hem opnieuw zal uitlachen. Berkman denkt aan het verhaal dat Lot hem onlangs heeft gestuurd. De fotograaf van Past Images, de Ghost Tour-gids, had haar niet in contact gebracht met haar overleden echtgenoot, maar met de sfeer, de stemming die haar had overvallen bij de eerste kus. In het begeleidende mailtje had Lot geschreven dat ze vreesde dat Berkman haar na lezing nu echt een kinderachtige aanstelster zou vinden. Als hij hard moest lachen, begreep ze dat best. Hij had niet gelachen.

Hij had in zijn geheugen gezocht naar herinneringen aan zijn eigen eerste kus en niets gevonden, behalve de chemische aardbeiensmaak van bubblegum – maar dat kon ook de smaak zijn die zijn derde, vierde, vijfde kus had begeleid.

Door het verhaal van Lot was hij zich gaan afvragen wat het meisje dat door hem voor de eerste keer was gekust had gevoeld. Misschien had hij voor haar (wie?) net zoveel betekend als die slome, stonede, naar Schotland gevluchte Thomas voor Lot. Had ze zich precies zo gekwetst gevoeld als Lot, toen hij, Wieger, haar de volgende dag voorbij was gelopen alsof er niets was gebeurd. Kon ze hem zich nu, op haar zoveelenveertigste nog haarscherp voor de geest halen, zijn ogen, neus, mond, geur – en zijn pokerface direct na de vrijage.

Berkman weet zeker dat hij nooit opzettelijk een meisje heeft genegeerd, bijvoorbeeld om haar hoop op 'meer', op verkering, in de kiem te smoren, of uit angst voor commentaar van vrienden; zijn aandacht was gewoon snel bij andere zaken. Bij een Latijnse vertaling die af moest. Bij een wiskundig probleem dat zijn leraar alleen de briljante jongens had toevertrouwd.

Ook van zijn eerste keer neuken herinnert Berkman zich weinig. Ja, hij had zich achteraf treurig gevoeld. Eenzaam. Een vreemde voor zichzelf. Of omgekeerd. Hij was door de daad verschrikkelijk zichzelf geworden, zoals Mara in de duinen van Castricum verschrikkelijk verdwaald was. Hij was zo verschrikkelijk zichzelf geworden dat hij de mensen om hem heen, zijn ouders, leraren, vrienden, zelfs de meubels, platen en boeken in zijn kamer niet meer herkende. Verschrikkelijk zichzelf én verschrikkelijk verdwaald. In zijn vertrouwde omgeving, zijn dagelijks leven. Dat was, diep onder de vage melancholie, een aangename sensatie geweest. Alsof hij werd geharnast door zijn eigen lichaam. Alsof hij eindelijk precies paste in zijn eigen huid, afgebakend was, omlijnd, een heilzame ondoorlaatbaarheid had verworven. Seks gaf je je rechtmatige eenzaamheid terug. Een ijzeren kamer, met uitzicht; veel meer dan een pantser alleen.

Het bos wordt dunner, de bomen worden lager. Braamstruiken, berken met twinkelend, gifgroen blad. In de verte een zandverstuiving, polletjes heide. Midden op het pad staat een gitzwarte merel die niet wegvliegt als Mara en Berkman naderen. 'I like their orange...'

'Snavel.' Kennelijk heeft de golvende stilte Mara weer teruggespoeld naar haar moedertaal. Ze denkt nog steeds in het Engels. 'Ja, eigenwijze snavels. En als ze zingen voel ik dat altijd in mijn keel. Zo triest. Mooi triest.'

'Mara?'

'Ja?'

'Mag het nog even over werk gaan?'

'Jaha! Tuurlijk! Wat wil je weten?'

'Waarom werk je niet samen met BrotherFood? Ik heb er even over gedacht om hen te benaderen. Zeg ik nu maar eerlijk. Jij bent een eenmans... sorry, eenvrouwsadviesbureau en ik twijfel niet aan je expertise, allang niet meer. Maar als ik jou niet had uitgenodigd, je naam niet op internet had gevonden...'

'Was je naar hen gestapt.'

'Ik neem aan dat dat voor meer bedrijven geldt. BrotherFood is een bekende naam. En ze doen niet meer uitsluitend in levensmiddelen.'

Mara knikt. Zucht. Met een papieren zakdoekje wist ze het zweet van haar voorhoofd. 'Je bedoelt dat ik altijd in hun schaduw... Dat is waar. Kijk, ik was de laatste jaren in hoofdzaak hún externe adviseur. Donald de Wit, de directeur die nu helaas dood is, heeft Green & Black's van een afstand gevolgd, en ontdekt dat ik voor de Benelux... Toen mijn hulp ingeschakeld. Er was al wel chocolade met het Max Havelaar-keurmerk in Nederland, maar heb je die wel eens geproefd? Verschrikkelijk. Woedend kon hij daarover worden.'

'Maar het is misgegaan tussen BrotherFood en jou?'

'Yep. Donald heeft me heel vaak bij de zaak gevraagd. Ik wilde onafhankelijk blijven. Vraag me niet waarom. Omdat het op deze manier goed ging, denk ik. Ik ging graag met Donald op reis, boeren bezoeken, familiebedrijfjes. Hij lette op arbeidsomstandigheden, op progressie in de dorpen. Werden er scholen gebouwd? Ziekenhuisjes? Werd de switch naar duurzaam en biologisch gemaakt? Ik bewaakte smaak, kwaliteit, stijl. Een BrotherFood-wijn moet niet alleen Fair Trade en biologisch zijn, maar ook nog voldoen aan de hoogste normen. Toprestaurants moeten hem op de kaart willen zetten en niet om politiek correct te lijken, maar omdat ze het beste van het beste... Is de cacao goed, maar de chocolade die er ter plekke van wordt gemaakt niet, dan laat je het eindproduct in Italië produceren, bij een ambachtelijk fabriekje. Vind ik. Met druiven wordt dat lastiger, maar niet als je een paar goede wijnmakers uit Frankrijk laat invliegen die die Afrikanen willen leren...'

Wanneer houdt ze op met dit soort promotiepraatjes? Berkman merkt dat hij zich begint te ergeren. Zo hevig, dat hij de hond die over de vlakte rent niet eens een bedreiging kan vinden. Het dier heeft alleen maar aandacht voor de stok die zijn bazin in de struiken gooit. Niks overspel.

'En toen stierf Donald de Wit.'

'Ja. Toen stierf hij. Plotseling. Zonder ziekbed. Aan een beroerte.'

'Lullig.'

'Lullig, ja. En geen brothers bij BrotherFood. O nee! Al op zijn uitvaart kende niemand me meer. Laat staan dat ik later nog eens benaderd werd om iets voor de company te doen. Adviezen? Hebben ze niet nodig. Er zit een beestje op je wang. Een ehm... zo'n rooie.'

'Een lieveheersbeestje. Wacht even.'

'Ja. Heb je hem?'

'In mijn hand. Moet je hem zien?' Berkman maakt een kommetje van zijn hand. Het kevertje loopt over de muis van zijn handpalm naar zijn duim, hij voelt de pootjes kriebelen. Mara buigt zich voorover en kijkt. Hij kan haar nu kussen, maar wil het niet.

'Zoals dat gaat,' zegt Mara. 'Ze hebben een opvolger... Iemand die Donald in alles nabootst. Die de kleren draagt die Donald droeg, zich hetzelfde kapsel heeft laten aanmeten, dezelfde woorden gebruikt... Een volkomen visieloze zak. Een adept. Maar de anderen vinden dat heerlijk. Het is ze nooit om BrotherFood gegaan. Ze waren verslaafd aan hun leider. Wie in de nabijheid van De Wit verkeerde, wist dat hij of zij moreel goed was. Hoe dan ook. Je kon in gezelschap zeggen: "Ik werk voor Donald de Wit" en dan keken mensen je aan alsof je... rechtstreeks uit de hemel kwam. Je voelde je groots omdat je baas groots was. Donald trok onzekere, vals bescheiden mensen aan. Die hun handen schoonwassen in hun eigen kwijl. Kwijl. Heet dat zo? Die uitvaart!'

Het lieveheersbeestje is opgevlogen. Berkman kijkt naar Mara, maar Mara heeft het niet opgemerkt.

'Alsof Gandhi in die kist lag. Martin Luther King. Of Jezus Christus himself. En natuurlijk had hij power, Donald. Absoluut. Hoe vaak hij niet op televisie is geweest, naar mijn idee volkomen terecht, want hij kon het overbrengen. Zelfs bij grote supermarktketens. Omdat hij het meende. Maar zijn uitvaart was een walgelijke vertoning. Disgusting. Geen woord over zijn mindere trekjes. Geen enkel medelijden met zijn moeder, zijn dochter, zijn vrouw. Niets over de boeren in Afrika, Latijns-Amerika. Ze waren niet eens uitgenodigd. Persoonsverheerlijking, dat was het. Een wedstrijd ook. Wie was Donalds liefste, trouwste volgeling geweest? Wie had hem het best begrepen? Zijn vrouw stond daar maar. In een hoekje. Ze moet hebben gezien hoe het er bij de lunch aan toe ging. Wie de lookalike-contest won. Reken maar dat iedereen een nieuwe baas belangrijker vond dan haar verdriet. Als ze tenminste verdrietig was.'

'Twijfel je daaraan?'

'Soms. Ze leek ook opgelucht. Wat ik me wel kan voorstellen. Je zal maar de vrouw zijn van zo'n messias.'

'Je kent haar niet. Hebt haar zelf ook nooit gebeld, of zo?'

'Nee.'

Berkman balt zijn vuisten. Achter zijn rug. En denkt aan wat Lot vertelde over de huilbui van Joy, na het dagje IJmuiden. Die mevrouw op het strand, Mara Styler, die mevrouw had tot twee keer toe bij hen gelogeerd.

Hoe kan dat nou, had Lot gezegd, ik ben toch altijd thuis? Maar ze realiseerde zich meteen dat dat niet waar was. Een halfjaar voor Donalds overlijden had ze een reportage moeten maken in de buurt van Antwerpen. En Donald had gezegd dat ze maar eens een hotel moest nemen. Als Ruben het niet wilde vergoeden, betaalde hij het desnoods zelf. 'Het is toch belachelijk dat je twee, drie keer op en neer moet reizen voor zo'n stukje? Je bent al moe genoeg. Waarom zou ik niet voor Joy kunnen zorgen?' Lot had ingestemd en was twee nachten weggebleven. Drie maanden later hetzelfde verhaal – toen ging het om Groningen en had ze een vriendin meegenomen met wie ze na de interviews naar het museum was gegaan, naar een restaurant, de bioscoop. Allebei de keren was ze thuisgekomen in een blinkend huis. Donald had de douchecel geschrobd, de vloer gedweild, de bedden verschoond. Zo lief had ze dat van hem gevonden. Helemaal uit zichzelf had hij gezien wat er moest gebeuren, en zich er niet met een paar vegen van afgemaakt. Haar vriendin was nog jaloers geweest toen ze het haar later vertelde. Iedereen wilde wel zo'n man, die niet alleen zulk prachtig werk deed, maar aan wie je ook met een gerust hart de zorg voor kind en huis kon overlaten.

Berkman ziet Lot weer voor zich. Ze was opgestaan alsof ze iets wilde pakken, weer gaan zitten. Had hem met grote ogen aangekeken. 'En het was niet om mij te verrassen, Wieger. Het was om haar sporen uit te wissen. Al op de trap rook het naar wasmiddel, vloerzeep. Een feestelijk welkom. Er stonden bloemen op tafel!'

Ze hadden een paar minuten gezwegen.

Hij had een sigaret opgestoken en gevraagd waarom Joy al die tijd haar mond had gehouden. Als hij aan zijn eigen dochter dacht... Die kon het kleinste geheimpje nog geen dag voor zich houden. Ruim voordat je jarig was, wist je al in welke winkel Sophie haar cadeau voor je had uitgezocht en wat het was geworden. Lot had geknikt. 'Ik heb het haar ook gevraagd. Moest ze nog harder huilen. Dacht ze dat ik boos was op haar, arme schat. Ze hebben haar onder druk gezet.'

'Hoe?'

'Ten eerste hebben ze, heel uitgekookt, expres niet stiekem gedaan. Joy kon ze niet per ongeluk betrappen, zou na een ontdekking niet de schrik in hun ogen zien en dus ook niet gaan denken: dit mogen mama en ik eigenlijk niet weten. Dan had ze een geheim gehad en dat aan mij willen verklappen, net als jouw dochter dat doet met verjaardagscadeaus. Nee, ze hebben het rustig aangekondigd. Vandaag krijgt papa iemand te eten en te logeren, jij hebt toch ook wel eens een vriendinnetje te logeren? En als papa op reis is mag je bij mama in het grote bed... Gezellig. Ze hebben gedaan of ik ervan wist. Maar Joy was ook niet gek. Die zag wel dat er iets niet klopte. Er logeren nooit volwassenen hier. Daar is het huis te klein voor. Bovendien weet ze dat ons bed... Geen idee of ze iets van seks weet, wist, maar een kind voelt wel dat er in het bed van haar ouders andere dingen gebeuren dan in haar eigen hoogslaper, als ze daar samen met een vriendinnetje...' Joy was Mara vragen gaan stellen. Bij het ontbijt. Heb jij je eigen shampoo wel bij je, of mag je die dure van mama gebruiken? Heb je dat gevraagd? Als ze straks nog even belt voor ik naar school ga, zal ik dan vragen of jij...

'Ik noem nu maar wat,' had Lot gezegd. 'Of het nou over shampoo ging of over iets anders, Joy wilde uitzoeken in hoeverre ik écht op de hoogte was. En toen hebben ze haar... Godverdomme! Toen hebben ze haar wijsgemaakt dat ik alleen maar een paar dagen van huis was gegaan om hen aan elkaar te laten wennen. Dat ik al een hele tijd weg wilde bij Donald, boos en verdrietig was, ongelukkig, en hoopte dat alles beter zou gaan als Mara mijn plek zou innemen. Volgens Joy is er zelfs nog gezegd dat ik Mara had uitgekozen. Met een toespeling op het etentje. En Joy heeft mij nooit durven vragen of het waar was. "Begin er maar niet over met mama. Ze wil het je zelf gaan vertellen. Als ze merkt dat jij het weet, wordt ze nog verdrietiger. Vindt ze zichzelf een nog slechtere moeder." Hoe vind je die? Om mij te sparen heeft mijn kind haar mond gehouden! Ze is weken, maanden doodsbang geweest. Had al bedacht dat ze met mij meeging als Donald met Mara... Maar ja, volgens hen wilde ik dat liever niet. En ze heeft ook gedacht: misschien komt het nog wel goed als ik er niet over praat. Toen ze hoorde dat haar vader dood was... Weet je wat het eerste was wat ze dacht?' Lot had haar glas met een klap op tafel gezet.

'Nu gaat die scheiding tenminste niet door! Natuurlijk was ze er kapot van. Nog steeds. Maar er viel een last van haar af. En tegelijk bleef ze wrokkig tegen mij, soms, en onbenaderbaar. Want ik had met het idee gespeeld om te vertrekken.'

Het duizelt Berkman. Hij houdt al niet van boeken en films waarin relatieproblemen breed worden uitgemeten, maar nu staat hij zelf tussen twee tamelijk onbekende vrouwen die van dezelfde man hebben gehouden; klaagmuur, praatpaal, een corrupte therapeut die de ene heeft beloofd dat hij de andere zal uithoren.

Als Lot zelf op Mara afstapte, was de kans groot dat de minnares zou bekennen, haar om vergeving zou smeken – dan wist Lot nog te weinig. Een man moest het doen. Een man die wist hoe hij snel en efficiënt intiem met willekeurig wie kon worden. Zelfs al zou Lot na zijn onderzoek dingen te horen krijgen die haar nog meer zouden krenken, hij mocht haar niet sparen. De onderste steen moest boven. Alles wilde ze horen. Ieder detail.

Hoe heeft hij kunnen denken dat het een spannende opdracht was? Het is wansmakelijk. En hij heeft dorst.

Links, aan het einde van de zandverstuiving, staat weer een paaltje met een rode bovenkant. Berkman versnelt zijn tred.

'Wat denk je, Wieger? Had ik haar wel moeten bellen? Een kaart moeten sturen? Donalds vrouw?'

'Kan ik niet over oordelen. Hoe goed kende je haar?'

'Ik heb een keer bij Donald thuis gegeten. En toen zijn vrouw en dochtertje ontmoet. Ik vond haar... zijn vrouw, Lot heet ze... koud. Ik vond haar koud. Ze had overdreven haar best gedaan op het eten, maar zonder plezier. Verkrampt. Omdat ze vond dat het zo hoorde, denk ik. Niet onaardig, hoor. Ze deed in elk geval alsof ze heel trots was op haar man. Was erg geïnteresseerd in mij. Maar ze was cynisch over haar eigen werk. Over wat ze gekookt had. "Ik stel niks voor. Zeker vergeleken bij jullie..." En als het nou nog met een compliment te verhelpen was geweest, als je had geweten: ze heeft alleen maar een beetje troost nodig... Maar het was zelfhaat. Geen aandachtvragerij. Zelfhaat. Ken jij haar niet ook? Jullie schrijven toch voor hetzelfde...?'

'Vaag. Ik heb haar geloof ik een keer een hand gegeven. Of ik haar op straat zou herkennen, weet ik niet. En Donald? Hoe ging hij met die... met haar om?'

'Hij kon niets doen, dat zei ik al. Alsof ze tegen hem opkeek en hem tegelijk diep minachtte. Zij dacht dat hij haar minachtte en dus minachtte zij hem terug.'

'Terugminachten. Nieuw werkwoord.' Ze lopen weer tussen de bomen. Nog even en ze zien de auto. 'Hij zat er erg mee. Donald,' vervolgt Mara. Met hetzelfde zakdoekje waarmee ze haar zweet heeft weggewist, snuit ze nu haar neus. 'Op onze reizen had hij het er wel eens over. Niet dat hij over zijn huwelijk klaagde. Zo was hij helemaal niet. Je weet hoe dat gaat. Je hebt de hele dag hard gewerkt, gegeten, gedoucht, je zit nog even bij elkaar met een drankje. Dan heb je het soms ook over persoonlijke dingen. Volgens hem was het begonnen met een ruzie over Graham Greene.'

'Wat zeg je nou?'

'Nou ja, niet begonnen... Maar die ruzie was exemplarisch geweest. Daarin had het allemaal al opgesloten gezeten. Je weet toch wel wie Graham Greene is? Een schrijver.'

Berkman lacht. 'Heel gek. Daar heb ik nog nooit van gehoord.'

'Nee?!'

'Jawel. Tuurlijk wel.'

'Je maakt een gaintje.'

'Een gaintje. Graham Greene.'

'Ja. Daar is Lot op afgestudeerd. Geloof ik. En ze had Donald bij hun eerste ontmoeting een exemplaar van *The End of the Affair* gegeven...'

'En dat werd het begin van hun eigen...'

'Right. Maar Lot wilde dat Donald nog meer van haar favoriete schrijver zou lezen, en na haar afstuderen, in de zomer, heeft hij dat ook gedaan. Lot bewonderde Greene omdat hij zo geëngageerd was, dus ze dacht dat Donald het werk ook wel aangrijpend zou vinden, hè. Dat Greene de oorlog in Vietnam al zo goed had voorzien, zo scherp de vinger legde op de mentaliteit van de Amerikanen, die zielloze superioriteit die je nu ook weer ziet in de manier waarop ze Irak, Afghanistan...' Omdat haar broekspijp aan een tak haakt, moet Mara haar monoloog onderbreken. Ze krijgt de stof niet uit de doornen losgepulkt. Berkman geeft haar zijn jasje, hurkt bij haar been en trekt het katoen voorzichtig, stukje bij beetje, uit de doornen. Tot tweemaal toe prikt hij zichzelf, maar de broek blijft onbeschadigd. Als hij weer opstaat likt hij het bloed van zijn vingers. Dicht bij Mara's warme kuit, dijen, kont kreeg hij opeens zin in seks. Het was alsof hij haar daarbeneden kon ruiken. Zou ze nat zijn? Zijn pik klopt achter zijn gulp. Heeft Mara hem over zijn haar gestreken, of verbeeldde hij het zich? Was het zijn jasje dat zij in haar hand houdt, dat even zijn kruin heeft geraakt?

Voor seks is het te warm. Is hij te plakkerig. Hij wil zich aftrekken, straks, in de auto, en alleen maar Mara's borsten zien, of haar dikke, waarschijnlijk spierwitte reet. Trillend vlees. Er is niks mis met cellulitis. Op het strand, in het zwembad kan hij zich ergeren aan iedereen die niet strak is, aan papperige ledematen, vetklonten, slordig geboetseerde sneeuwpoppen die maar niet willen smelten, maar als hij geil is gaat er niets boven... Zij moet zich vingeren. Heeft hij al jaren niet meer gezien; een vrouw die masturbeert en niet op een foto, een filmpje, maar ademend, live, naast hem, naast de bestuurdersstoel, geen ruimte om verder van hem weg te schuiven. Mara, zichzelf vingerend, betastend, haar enorme, roze tepels, haar eigen billen, zich voegend naar zijn ritme. Als ze wil mag ze zijn zaad van zijn buik likken, ze lijkt hem iemand die dat wil, en hij denkt aan het ei, het bakvet, haar glimmende lippen.

Niet pijpen. Elkaar niet aanraken, niet daar.

Niet kussen ook. Je kunt seks hebben en naar waarheid blijven beweren dat je toch echt overal van af bent gebleven. Maar tegenover wie moet je dat beweren? Jezelf? Alsof waarheid er dan toe doet. 'En Lot had dus vijf favoriete romans van Greene. *The End of...* Die dus. *The Quiet American, The Heart of the Matter, The Power and the Glory* en eh... *A Burnt-Out Case.* Die Donald braaf las. Omdat zij Greene, haar liefde voor Greene zo graag wilde delen.'

Lot heeft hem te pakken. In haar macht. Dat is het. In haar klauwen. Steeds als hij zich wil losrukken, voelt hij haar nagels en bij elke vluchtpoging sluiten ze nauwer om hem heen. Slaan ze zich dieper in zijn vlees. Spijkers, doornen. Hij moet het overspel van Donald onderzoeken, maar tot nu toe wijst niets erop dat Mara en De Wit... Lot wil gewoon dat hij, Berkman, inziet wat hij zelf doet. Misschien gelooft Lot zelf in haar paranoïde verhalen, misschien heeft ze Joy aangemoedigd om uit een paar losse flarden een zwart sprookje op te trekken over gewetenloos bedrog – waardoor moeder en dochter zichzelf en elkaar eindelijk zielig kunnen vinden. Moeders leggen hun kinderen wel meer in de mond... Maar Lot is ook doortrapt genoeg om alles zelf te hebben verzonnen. Om hem, zoals dat heet, 'een spiegel voor te houden'. Zou het waar zijn dat ze op haar zeventiende door een wildvreemde man van haar fiets is getrokken? In zijn auto is gesleurd, heeft moeten toekijken hoe hij het met zichzelf...? Of wil ze met dit soort fictieve herinneringen Berkmans droomleven binnen dringen, als een virus in een computer alles aantasten en besmetten, ook toekomstige geilheden, ook een verlangen als van daarnet, naar masturberen achter het stuur? Moest hij zich bij alles schuldig voelen, zondig, vies – net als zij?

Mara roept dat ze moet plassen, aan de parkeerplaats te zien is er toch niemand, ze gaat even naar een donker plekje, een stukje terug in het bos, en ze ploegt met opgetrokken broekspijpen door de lage struiken naast het pad waar ze hun wandeling begonnen. Berkman veegt het zand van zijn schoenen. Steekt een sigaret op. Met zijn infraroodsleutel klikt hij de portieren van het slot.

Augustus

Yassin M. wilde afspreken in de McDonald's in de Albert Cuypstraat. Het is er op ieder moment van de dag druk, er komen rare types; niemand die zich zou afvragen wat een Marokkaanse jongen van twintig met een Hollandse vrouw van halverwege de dertig moest. Eindelijk weer eens een groot artikel. Ruben kijkt ernaar uit, heeft hij gezegd. De ambtenaren van de samenwerkende opsporingsdiensten heb ik al gesproken, en ik heb gecorrespondeerd met nabestaanden van mensen die in Irak zijn gegijzeld en vermoord. 'Ga je die griezel ook ontmoeten?' vroeg mijn chef. Ik heb hem teruggeschreven dat niemand een griezel is, tenzij het tegendeel is bewezen. Extremisme, terreur, heilige oorlog – ook de stoere buitenlandmedewerkers zullen mij niet langer laffe, veel te gemoedelijke reportages kunnen verwijten. Maar McDonald's oogt niet bepaald als het hol van de leeuw.

Ik herken Yassin aan zijn blauwe sjaaltje. Bij mijn binnenkomst haalt hij de oordopjes van zijn muziekspeler uit zijn oren, geeft me een hand.

Hij vraagt of ik ook koffie wil. 'Laat mij het maar halen,' zeg ik.

Zelf neem ik een milkshake. Het is pas elf uur in de ochtend, maar nu al warm. Ik ben nog steeds moe van de eerste weken van Joys zomervakantie, die we hebben doorgebracht met uitstapjes naar Avifauna en het Dolfinarium, met middagen in het Amsterdamse Bos of het De Mirandabad. Eergisteren heb ik Joy naar Schiphol gebracht. Ze mocht met mijn ouders tien dagen naar Portugal. Een vriend van mijn vader, net weduwnaar, heeft een villa in de Algarve. Zijn eigen zoon, schoondochter en kleindochters logeren er, maar er konden nog makkelijk mensen bij. Met mijn ouders als gasten zou niemand denken dat er voor hem gezorgd hoefde te worden. Hij was toch zeker niet zielig. Voor Joy is het leuk dat de meisjes van haar leeftijd zijn. Esther, de jongste, zit op rugby en weet alles van vogels. Bij haar derde kennismakingsmailtje zat een attachement met foto's van zwaluwen, maar ook van vlinders en insecten, die ze in de buurt van haar opa's huis had gemaakt. Kon Joy misschien een boek meenemen over planten en bloemen en bomen? Aanvankelijk had ik geaarzeld of ik mee zou gaan, maar dankzij het frequente e-mailverkeer tussen de meisjes wist ik zeker dat mijn dochter me niet zou missen. Ik had zin om te werken.

'Met dit apparaatje kan ik ook opnemen,' zegt Yassin dreigend. Ik knik. 'Prima. Neem maar op.'

'Ik doe het niet, ik vertrouw jou. Ik heb gezegd dat het kán.' Hij lacht nu. Nerveus. 'Ga jij ons gesprek ook tapen, of ga je schrijven?' Hij leunt naar voren en kijkt hoe ik mijn tas openmaak, mijn portemonnee terugstop. Is hij bang dat ik met mijn mobieltje de politie oproep? Of hem fotografeer? Om hem gerust te stellen trek ik mijn tas nog verder open en draai de opening naar hem toe, zodat hij kan zien wat erin zit.

'Geen van beide. Ik ga goed luisteren en alles onthouden. Dat lijkt me het veiligst. Als mijn stuk klaar is, krijg je het nog te lezen. Je mag erin veranderen wat je wilt.'

'En hoe ga je het me sturen?'

'Daar hebben we het straks wel over.'

Yassin wil me zijn huisadres noch e-mailadres geven. Zelfs zijn mobiele nummer is geheim. Ik heb hem leren kennen via een chatbox voor Marokkaanse moslims. Hij viel op door de vrijmoedigheid waarmee hij over zijn extremistische ideeën schreef. Met een buitengewoon goed taalgevoel bovendien; de andere chatters konden niet tegen hem op, bleven steken in emotionele scheldpartijen als: 'Jij zak verpest het voor ons allen ja, met je creepy gedagtes die gaan helemaal niet over Islam (dat is VREDE!!!!) maar over kapotmaken, he. Heb je soms gegaapt zonder hand voor je viule bek dat de Djinns erin gevlogen zijn, de kwade ofzo?' Lachwekkend, als de bezorgdheid in zulke reacties niet volkomen terecht was geweest. Yassin was geen gevaarlijke gek, maar een intelligente, belezen jongen die zich niet door driften leek te laten leiden en dat maakte hem nog gevaarlijker.

'Ik dacht dat je een baardje zou hebben. Een djelabba zou dragen.'

'Geloof lees je niet af aan iemands uiterlijk. Vind jij van wel?'

'Nee. Maar een vrouw moet wel een hoofddoek...'

'Ja, haar sieraden bedekken. Ik heb een hekel aan die grietjes die wel met een hoofddoek lopen en dan toch hier...' (hij legt zijn hand onder zijn keel) 'bloot zijn, of strakke rokjes of broeken dragen. Dat is sjoemelen. Aanstoot geven. Maar een burka hoeft niet. De Profeet zegt dat iedereen met een diep geloof zijn vreugde daarover moet uitstralen, ook tegenover wildvreemden op straat. Dat kan niet als je van top tot teen... Je sieraad bedekken is het enige. En mannen hebben geen sieraden.'

'O nee?'

'Je weet best wat ik bedoel. Mannen leiden vrouwen niet af, omdat vrouwen niet meteen als ze een mooie man zien aan eh...'

'Aan seks denken. En als ze dat wel doen zijn het hoeren, toch?'

'Jouw woorden. Andere Marokkanen gebruiken het veel te vaak. Hoer. In de Koran staat dat alleen Allah de ziel peilt en mag oordelen. Ik zal niemand een hoer noemen. Niemand.'

Hij neemt een slok koffie. Van zijn nervositeit is niets meer te merken. Yassin is rechtop gaan zitten en rekt zich uit. Het kan niet anders of hij weet dat hij er goed uitziet. Argeloze ijdelheid. Onder zijn strakke witte shirt met lange mouwen tekenen zich borst- en buikspieren af. De bouw van een atleet. Rank, welvend. Ik denk aan Donalds billen. In een broek leken ze langwerpig en plat, geen vrouw kon over hem zeggen dat hij, o gruwel, 'een lekker kontje' had, maar ik kende het sieraad en voel de gladde, koele huid weer, bijna hoornig, schedelachtig. In gedachten masseer ik Donald, als vroeger. Zijn schouders, zijn rug, ik voel zijn ribben, giet opnieuw massageolie in mijn hand, knijp het spul in de twee schelpen van spierwit vlees, duw ze uit elkaar tot het staartpuntje van zijn ruggengraat erboven nog witter oplicht, glijd met mijn neus, met mijn gezicht tussen zijn bilspleet, de schone, de amper behaarde, de zachte, bekleed met beige krinkelzijde, met donzen beige krinkelzijde, en probeer de zwarte ster te kussen.

Het rook er nooit smerig, maar altijd naar metaal, warm koper, naar droog gras ook, leer, naar (had ik dat destijds geweten) het parfum dat opstijgt uit een glas Laphroaig. Zelfs toen Donald drijfnat van de malaria was, was ik niet vies van hem geweest. Na aanvallen van reisdiarree had ik zonder te klagen zijn onderbroeken in een beek gewassen. Met een scheermesje had ik ontstoken vlees en etter weggesneden uit de in zijn slaap opengekrabde muggenbulten op zijn voeten. Zweren die door de vochtigheid van het regenseizoen niet genazen, maar met de dag groter werden, dieper; witgroene parels gevat in een paarse stralenkrans. Het inferieure antibioticumkuurtje dat we op de terugweg in Senegal kochten ging niet samen met de Lariam-pillen, waartegen (maar dat bleek pas drie maanden later) de Sierra Leonese muskiet al resistent was; behalve een bloedvergifting kreeg mijn man eenmaal terug in Amsterdam ook een psychose, waarin hij aldoor riep dat hij dood moest, terwijl hij met wapperende handen van kamer naar keuken en van keuken naar douchecel liep, onderwijl lades uitschuivend, rommelend met bestek, met elastiekjes, lucifers en diepvrieszakjes, kranen opendraaiend, dicht, weer open, te heet, te koud, stampend, dansend, neuriënd, als om boze geesten te verjagen. De huisarts die ik in paniek had opgeroepen, wist hem te kalmeren door te herhalen wat ik aan de telefoon al had geopperd. De twee pillen verdroegen elkaar niet, Donalds krankzinnigheid was louter chemisch – probeer te blijven zitten, hoofd in je handen, duw je nek tussen je benen, kijk naar de grond, het geeft niet als je moet braken.

Het was de eerste en laatste keer dat ik Donald zo bang en zo boos had gezien. Opgelucht dat de aanval van korte duur was, dat hij nieuwe, westerse medicijnen had gekregen, had ik Donalds braaksel opgedweild, een teiltje met lauw water en soda gevuld en zijn voeten daarin laten weken. Ik had de zweren met een steriel gaasje schoon en droog gedept en zijn voeten verbonden zoals de arts me had uitgelegd. Hij was meer geschrokken van de al bijna zwarte ader in Donalds hiel, achillespees en kuit dan van de duistere Lariam-voodoo die, net als de vergiftiging, pas veilig in eigen huis was uitgebroken. 'In Afrika had hij nergens last van?' had de dokter me op de drempel nog gevraagd en toen ik nee schudde had hij gezegd: 'Zo sterk is de menselijke psyche dus.'

Yassin leutert gewillig door over oordeel en straf. Zijn visie op de sharia ken ik al. De citaten uit heilige geschriften, die hij eerst in het Arabisch uitspreekt en dan nog eens voor mij in het Nederlands vertaalt, glijden langs me heen. Weet ik wat de Profeet, afkomstig uit het vredelievende Medina, in Mekka had aangetroffen? Ik knik. Weet het wel, weet het niet, thuis heb ik het allemaal op papier staan, de hele correspondentie uitgeprint – het is aan een islamoloog om mijn artikel over Yassins boodschap in een apart tekstblok van commentaar te voorzien. Waarschijnlijk meent Yassin dat ik razend nieuwsgierig ben naar zijn briljante filosofieën, dat ik er maar geen genoeg van kan krijgen en daarom heb willen afspreken; ik wilde alleen maar een plaatje bij de praatjes en heb dat nu, en denk weer aan Donalds voeten.

De opalen littekens op de wreven, ronde kuiltjes, vingerafdruk-groot, van vlinderdunne huid, noemde ik voor de grap zijn stigma-ta en de enkele keer dat ik ze kuste voelde ik me steevast een sektelid dat eindelijk haar goeroe mocht ontmoeten, dat werd ingewijd in de geheimen van Totale Vrede. Pijn dan, omdat ik zoveel minder voor de armen had gedaan dan hij. Soms jaloers was geweest, net als zijn wrokkige zus met MS, op al die anonieme boeren... Donalds litte-kens. Bewijzen van een sterke psyche, tot de rand gevuld met mede-dogen, zo zuiver, dat mijn eigen belangstelling voor andere mensen er flets bij afstak; een verschrompeld hartje, zwart dooraderd met opportunisme. Donald een sterke psyche? De afwezigheid van een psyche, dat was het geheim. Mijn man was roerselenvrij geweest, stemmingenvrij. Hij was louter goedheid en daadkracht en visie en geloof in een eerlijke wereld, voor iedereen. Zo vaak gedacht: kon ik maar in jou verdwijnen, in jouw perfectie. Voor altijd.

'Kijk,' gaat Yassin verder. 'De praktijk. Mijn zus. Heeft een vriend-je, weet je. Ook een gelovige jongen. Zegt mijn moeder dat zij hem niet mag zien, zeg ik: laat het toe, joh. Laat het toe. Zij en hij zijn al-lebei serieuze mensen en hun liefde is serieus, ze willen echt met el-kaar in het huwelijk en zo, dan kan het toch alleen maar goed zijn dat ze elkaar leren kennen? Dat ze elkaar ontmoeten, het liefst thuis, juist thuis. En dan een kus? Mij best. Ik vertrouw erop dat het daar-bij blijft. Gaan ze verder, geeft zij nu al haar naaktheid prijs... Heeft hij van die gedachten bij haar, gedachten waarin hij haar haar waar-digheid ontneemt...' Met enige trots spreekt hij de plechtige woor-den uit. 'Dan is het hun eigen probleem. En niet uitsluitend als ze onverhoopt toch uit elkaar gaan. Ik bedoel: na de dood. Hebben ze dan een probleem. Na de dood. Want Allah heeft het gezien. Je fa-milie, je partner, die kun je in de maling nemen en het hoeft niet uit te komen, toch, als iemand het een beetje handig aanpakt, niet dan? Maar je hebt er jezzzelf mee. Allah heeft zichzelf in ieder van ons mee geschapen. Hij is overal bij, je kan er niet even een gordijntje overheen gooien, niet over je ziel, niet over Allah. Die alles ziet en alles onthoudt en alles afweegt. Na je dood dan. Snap je? Daarom is eerwraak een achterhaald idee. Ik kan praten en bidden met mijn zus, haar de Koran laten lezen, ik kan en wil haar beschermen en goede raad geven, maar haar zzziel is niet van mij. Zij is vrij om Al-lah te gehoorzamen of niet, en Hij zal zich wreken als zij willens en wetens...'

Donalds lichaam was mijn liefste lichaam, ik hield er meer van dan van mijn eigen lichaam, en zijn snot, spuug, sperma, pis en poep en pus konden dat niet veranderen. De gedachte dat ik misschien een paar uur naast een dode heb liggen slapen, heb ik ook met terugwerkende kracht nooit gruwelijk gevonden. Zelfs in de ziekenwagen bleef ik tegen hem praten. Ik heb de koude, natte handen vastgehouden en mijn plastic man na de autopsie en lijkwassing gekust, vol op de mond, alsof hij alleen maar was teruggekomen uit een operatiekamer, nog zwaar onder narcose, maar levend. Gezonder, beter dan ervoor.

Maar dat een andere vrouw hem naakt heeft gezien, zijn oksels heeft geroken, de littekens heeft aangeraakt, hoe onwillekeurig ook – is onverdraaglijk. Ranzig. Vuil.

'Na de dood, Yassin?'

'Precies. En dan nog kan het best zijn dat Allah haar vergeeft. Bijvoorbeeld als ze zich niet uit liefde, maar uit angst aan een man heeft gegeven. Wie ben ik om dat te weten? Ik ben er toch niet bij geweest? Mag ik dan voor rechter spelen? Nou? Dat is niet alleen beledigend voor mijn zus, maar ook voor Allah, geheiligd is Zijn naam. Dat ik me gedraag alsof ik Zijn wijsheid bezit.'

Met dezelfde argumenten had Yassin de moord op Theo van Gogh afgewezen en de dreigingen aan het adres van islam-kritische politici. Moordenaar Mohammed B. en de leden van de Hofstadgroep vond hij even dom en kortzichtig als hun slachtoffers. Oordelen, over één kam scheren, stigmatiseren, demoniseren: kinderachtig. Wat hoopten die moslimjongens trouwens te bereiken met hun geschreeuw? Met een aanslag of moord? Respect was het laatste wat je ermee afdwong, had hij geschreven nadat ik met hem 'apart' was gegaan in een eigen chatroom. Online opereerde hij onder de naam De Apologeet. Ik had mezelf Zoekster genoemd.

Of ik naar het recht zoek dat Yassin predikt, weet ik niet. Even hoop ik dat hij gelijk heeft. Wellicht heeft Allah ook in Donalds ziel gewoond en heeft Hij al het overspel gezien. Ik zie mezelf voor me, verkleed als man, groot van gestalte, stralend, in een witte jurk, met een lange sneeuwwitte baard. Een flonkerende pilaar opgetrokken uit het zout van al mijn vervloekte tranen; Lot als God, nee, ik ben het niet zelf, Allah heeft mijn gezicht aangenomen opdat Donald zal schrikken. Met mijn ogen zal Allah mijn man aankijken, een penetrerende blik, snijdende laserflitsen, brand, straf tot het einde der tijden. Mocht de ziel een vorm en een bekleding hebben, dan wordt die laatste langzaam afgestroopt, geschild, tot er iets als een levende kipfilet overblijft, roze vlees, lillend van wroeging en pijn. En dat daarin dan alle zenuwen wijd openliggen, zodat zelfs de adem die er per ongeluk langsstrijkt... Het gegil hoef ik niet eens te horen.

'Na de dood,' heeft Yassin een paar maal gezegd en ik wil dat hij erover ophoudt en evenzeer dat hij doorgaat. Ik stel voor om naar buiten te gaan. Zie bij het opstaan dat hij het tasje met de video's bij zich heeft. We lopen in de richting van de Ruysdaelkade. Yassin groet een jongen die achter de toonbank van een Surinaams eethuisje staat. Boven het asfalt hangt een zachtblauwe damp. De straat is zojuist schoongespoten, zelfs de tramrails blinken. Zilveren lijnen, waarin op sommige plekken de zon weerkaatst, zo fel dat het licht je kortstondig verblindt. Uit de mp3-speler van Yassin klinken opzwepende trommels, een gitaar, een viool. Militant mysterieus. 'Egyptisch,' zegt hij als ik hem vraag wat ik hoor.

'The real Islamic stuff. Traditioneel. Met Cheb Khaled en al die commerciële rommel heb ik niks. En waar ik echt een... Wat ik háát is rap.' Opnieuw haalt hij de dopjes uit zijn oren en geeft ze nu aan mij, terwijl hij zelf zijn speler vasthoudt. Voordat ik ze indoe ontwart hij geduldig de draden.

De muziek klinkt dicht bij mijn trommelvliezen, het is alsof iemand woestijnzand in mijn oren blaast en ik denk aan lome nachten, gedrenkt in rozen- en oranjebloesemwater. Ik moet nu niet met mijn heupen gaan zwaaien, niet met mijn polsen draaien, voor mijn hart en boven mijn hoofd, alsof ik me als een slang uit mijn oude huid rol, ik moet niet snel met mijn borsten heen en weer schudden – ook al hoor ik de sluier al rondom me waaien en duizenden koperen lovertjes tinkelen.

Een blonde vrouw passeert ons. Goedkope waterstofperoxide heeft haar haar in vlas veranderd. Ze draagt een leren rokje en een leren bodywarmer over haar cowboyblouse. Te strakke laarzen die haar schrale knievlees opduwen. De witte bullterriër die aan Yassins been snuffelt, en die ze snel wegtrekt, kijkt precies zo scheel als zijzelf.

'Zo goed?' Yassin wil zijn muziek weer terug.

'Schitterend.'

Nog voor de brug slaan we linksaf, om niet langs de rode lichten te hoeven.

Berkman mag denken dat ik hem zijn hoerenloperij vergeven heb. We praten meer over mij dan over hem, bovendien is hij ingegaan op mijn verzoek om Mara uit te horen – uit dankbaarheid zal ik wel nooit meer over zijn hobby beginnen.

Toch heb ik een paar dagen geleden met het plan gespeeld hem te schaduwen, het adres te noteren van de peeskamer waar ik hem in zou zien verdwijnen, om een paar uur later zelf aan te bellen.

Wilde ik zien met wie hij had geneukt? Die ene zou me nog geen beeld geven van... Die ene was niet alle anderen. Alle anderen leken evenmin op elkaar. Nee.

Een stem. Een stem wilde ik horen.

Maar dan moest ik zelf ook praten. Uitleggen wat ik kwam doen. Dat ik geen jaloerse vrouw was, ik zeg het fout, wel een jaloerse vrouw maar niet de vrouw van de klant die hier bij u... Een journaliste, ja. Die hier niet over gaat schrijven. Vertelt u me eens hoe het is. Seks. Met hem. Waarin het verschilt van seks met Jan, Piet, Ali, Winston, Willem-Wouter.

'Doet u het eens voor. Hoe hij doet.' Ik zie het sketchje voor me en schiet in de lach. Yassin vraagt wat er is.

'Niks. Het is heel erg vreselijk, maar soms ben ik jaloers op jouw Allah. Niet eens omdat Hij mag oordelen...'

'Het is niet "mijn" Allah.'

'Sorry. Op Allah. Op God. Er zijn best zielen waarin ik zelf ook wel een tijdje zou willen wonen. Om alles te zien, te voelen, mee te maken. Van binnenuit. Om bijvoorbeeld te begrijpen hoe het is om vreemd te gaan, naar de hoeren te gaan. Te liegen.'

'Wees blij dat je het niet begrijpt. Alleen Allah kan het aan. Maar ook Hij moet... Hij staat er natuurlijk boven, boven onze zonden, maar toch geloof ik dat Hij er ook aan lijdt.'

'Ik hoop het.'

'Ik hoop het niet. Hoe kun je willen dat Hij lijdt?! Of bedoel je dat je wilt dat Hij niet mild en...'

'Dat ja.'

'Dan kan ik je geruststellen. Allah lijdt. Zijn profeten hebben namens Hem geleden. Mozes, jullie Jezus, nu zeg ik ook "jullie", terwijl Jezus, wij noemen hem Isa, ook een profeet is in de islam... En ten slotte Mohammed. Hoe sterker je geloof is, hoe meer je lijdt. Zelfs ik lijd.'

Daar heeft hij in de chatbox veel over geschreven. Yassin lijdt eraan dat westerse mensen hun vrijheid niet opvatten als een gift waar ze zorgvuldig mee moeten omgaan. Klaagzangen over alcoholmisbruik onder jongeren, over losbandige seks zonder liefde, over de teloorgang van de verschillen en dus de heilige waarden van man en vrouw, die de lichamelijke eenwording juist zo mystiek konden maken, een gebed der zinnen, de uitwisseling van oergeschenken. Over hebzucht en hedonisme, over hoe Nederlanders met hun bejaarden omgingen, over gemakzucht, euthanasie, abortus. Een echo van de bekende riedel die op gezette tijden uit het Vaticaan opklinkt, en dan weer uit de SGP-dorpen rond de Veluwe.

We zijn opnieuw een zijstraat in geslagen, lopen door grauwe, brede straten. Slenteren is het, alles ruikt naar zomer; broeiend afval, hondendrollen, uitlaatgassen van passerende auto's, gemaaid gras. Naast me de weeë geur van de wetlook-gel in Yassins krullen, synthetische muskus-deodorant vermengd met zijn zweet dat geurt naar komijn en karnemelk. 'Ik lijd en dat doet soms pijn in mijn hele lichaam, weet je. Alsof iemand je armen en benen uit elkaar trekt. Scheurt. Je kop eraf trekt. Hoe heet dat?'

'Vierendeelt.'

'Ja. Of dat je... gekruisigd wordt. Overal spijkers, man. Dolksteken. Als ik je nu niet beledig.' Hij kijkt er smartelijk bij. Strijkt met zijn handen over zijn borst.

'Nee. Je beledigt me niet.'

'Zo lijden christenen niet. Bij hen blijven het allemaal woorden. Kijk, als ze zich het echt hadden aangetrokken, hoe Jezus is vermoord, dan zouden ze toch niet zo'n enorme geschiedenis van geweld op hun geweten hebben. Die Bush, die voelt helemaal niks, ik zweer het je. Niks. En maar kruisigen. En maar kruisigen. In die gevangenis, Guantánamo Bay...'

'En jij wilt dat Amerikanen, westerlingen ook lijden?'

'Ja. Iets voelen. Fysiek. Echt.'

'Dus daarom die films.'

'Welke films?'

'Die je me straks gaat geven. Onthoofdingen. Van onschuldige journalisten, hulpverleners, ambassadepersoneel.'

'Hoezo: onschuldig? Hebben ze in Irak, in Afghanistan gevraagd om journalisten en hulpverleners?'

'Dat misschien niet. Maar jij weet heel goed dat de slachtoffers niet per se pro-Amerika waren. Dat ze objectief, of probeerden objectief verslag uit te brengen, zieken te verplegen, of schooltjes te bouwen. En dan komt er een groep monsters langs, en die gijzelt... Dat klopt toch helemaal niet met wat je schrijft? Met wat je me net zit te vertellen? Dat het niet aan mensen is om te oordelen, te vonnissen?'

'Jij snapt het ook niet, hè?'

'Yassin, je gebruikt die filmpjes als propagandamateriaal. En nou niet weer gaan zeggen dat je geen jongens ronselt voor de jihad.'

'Ik ronsel niet.'

'Weet ik.'

'Niet waar. Je gelooft me niet. Maar ik zweer het je, ik ronsel niet. Ik wil alleen een bewustzijns... een bewustzijnsomslag...'

'Forceren.'

'Forceren, ja.' Het Donald-woord. Bewustzijnsomslag. Maar hij had het altijd een stuk vriendelijker uitgesproken dan Yassin.

We zijn bij een plein gekomen en gaan op een bankje zitten. Schaduw van de hoge huizen. De Marokkaanse ettertjes die deze buurt in heel Nederland berucht hebben gemaakt, zijn allemaal op vakantie, terug naar het land van herkomst. Waar ze ook weer vreemdelingen zijn. Het is doodstil. Alleen het blad van de bomen beweegt af en toe. Niet door de wind, maar door een vogel, een duif, die verkoeling zoekt tussen de takken.

'Wie moeten die onthoofdingen zien, Yassin? De westerlingen, om weer eens iets te voelen, zoals je net beweert, of de moslims zelf? Ik neem aan dat het propagandamateriaal is, bedoeld voor...'

'Het is er om iedereen bij de les te houden.'

'In koelen bloede wordt onschuldige mensen de keel doorgesneden om iedereen, welja, ie-der-een bij de les te houden. Ga door.'

Hij giechelt. Hoog, vals. Ik voel me misselijk worden. Waarom zou hij mij niet iets aandoen?

'Ik heb het je al uitgelegd, weet je. Bij het chatten. Maar oké, als je het nog steeds niet begrijpt... Kijk, moslims in westerse landen moeten zich aanpassen. Vind ik ook. Je hoeft er hier niet als een schaapsherder bij te lopen, je kunt ook moslim zijn in een spijkerbroek. Wie niet met Nederlandse dingen kan omgaan, die gaat maar weer terug, weet je. Ik bedoel, ik lijd wel aan jullie vrijheden, maar ik ben hier te gast. Vrijwillig. Ik mag jullie je eigen dingen niet verbieden. Daarover zijn we het eens. Ik moet me als moslim dus niet opwinden over de toestand hier, die toch niet te veranderen is, maar wel

over die in expliciet islamitische landen waar westerlingen ongevraagd van alles uitvreten. Die solidariteit met medemoslims elders
mis ik bij veel Marokkaanse en Turkse jongeren hier. Altijd maar
klagen over hoe ze gediscrimineerd worden op de arbeidsmarkt, in
de media... Maar liggen ze wakker van de zogenaamde vredesmis-
sies van Bush en Blair, van de toestand in Gaza? Nee. Ik vind dit:
als ik hier als moslim kom, gedraag ik me zoals jullie willen, maar
doe dat dan ook omgekeerd. Laat de Arabische wereld met rust!
Misschien hoeven wij helemaal geen democratie, geen cola, geen
bioscopen, geen warenhuizen of weet ik veel. Als jullie echt alleen
maar hospitaaltjes kwamen bouwen, zeg ik nog fijn, leuk, dankjewel. Maar reken maar dat wat met een pleister begint, eindigt in
het rondstrooien van condooms, zodat ook moslims... Jullie kunnen het niet hebben dat er verschillen bestaan. In opvatting, in geloof. Toen de communisten zich bekeerden tot jullie kapitalisme,
stonden jullie allemaal te juichen. Alsof vrijheid alleen maar betekent dat je kunt kopen wat je wilt, iets economisch is, dat het met
rijk worden te maken heeft. En zo zullen jullie ook staan juichen als
wij... Dacht je dat ik het leuk vind om naar onthoofdingen te kijken? Dat ik daarvan geniet? Nee, ik vind het verschrikkelijk. Maar
ik heb daarna ook te doen met mijn broeders. Dat ze tot dit soort
beestachtigheden moesten overgaan, geeft wel aan hoe diep hun
leed is.'

'Je meent het echt, hè? Geloof je het zelf? Dat je met de daders
te doen hebt omdat ze, eigenlijk tegen hun wil, zo wreed moeten
zijn?'

'Ja, dat geloof ik. Zij zouden nooit tot dit soort slachtingen zijn
gekomen als wij ze hadden gesteund. Wij moslims hier. Jij zegt: daders. Ik zeg: die moordenaars zijn de ware slachtoffers. Dit is hun
enige manier om aandacht voor hun zaak te vragen. Het is voor hen
even gruwelijk als voor ons. Op de band... op de banden staan ook
interviews met een paar van die mannen. Die zijn getraumatiseerd,
dat wil je niet weten! Iemand de keel doorsnijden vergeet je niet
meer, hoor. Die zijn voor het leven getekend, net als de nabestaanden van zo'n eh...'

'Onthoofde.'

'Ja. Het lijken misschien professionele slagers, maar dat zijn het
niet. Geen sadisten. Als hun eisen waren ingewilligd, hadden ze niet
tot het snijden hoeven overgaan. Hun hart schreeuwt, weet je. Hun

hart bloedt.' Yassin erkent dat het lijkt op kwaad met kwaad vergelden, maar toch ook weer niet, het gaat erom dat het leed van een individu in het Westen veel meer indruk maakt dan dat van een hele groep, van die wetenschap maken de broeders gebruik, terwijl het eigenlijk minder erg is om één fotograaf, één Artsen Zonder Grenzen-vrouwtje af te slachten dan een heel bataljon soldaten of een heel dorp met verdachte moslims, kijk, zo denkt Amerika, ze spreken over verliezen aan beide zijden, maar uitgedrukt in getallen, en die denkwijze doorbreek je alleen... Je zult zien dat deze moordenaars geen megalomane jongens zijn die menen de hele wereld te moeten zuiveren en bekeren, echt, ze willen maar één ding: een land waarin ze islamitisch kunnen leven, zonder westerse bevoogding. Pas als islamitische landen zichzelf mogen zijn, kan er van een gelijkwaardige discussie tussen de twee polen sprake zijn. '...Misschien kunnen het Westen en de Arabische wereld dan zelfs wel van elkaar leren,' zegt Yassin opeens zacht en hij begint over de dialectiek bij Hegel en Marx. Een paar simpele weetjes die hij in een encyclopedie of via Google gevonden heeft en die mooi passen in zijn systeem.

Is hij geschrokken van mijn blik, toen hij het had over de bloedende harten van de moordenaars? Probeert hij me nu te lijmen met een opmerking over een gelijkwaardige discussie? Yassin wil aardig gevonden worden, zoveel is duidelijk.

Ik moet niet denken dat iemand als hij, met zulke extreme ideeen, op een dag met semtex in zijn rugzak naar een voetbalstadion of het Centraal Station zal gaan, een columnist vermoordt of Het Binnenhof in de as legt. Hij heeft niets tegen Nederland en wie hier zo nodig losbandig moet leven, heeft zichzelf daar na zijn dood mee. 'Als natie, als Westen in het geheel, zijn jullie met een trage, collectieve morele zelfmoord bezig en ik bid dat jullie het doorhebben voordat het te laat is, dat jullie de ziel verstikken, corrumperen... Wedden dat jullie ons ooit nodig hebben? Voor een spirituele wederopbouw? Dat jullie dan bij ons aankloppen? En doen wij de deur dan open? Ja! Wie is hier nou beter? Jullie, die onder een vredesmissie het neerschieten van armoedige Taliban-mannetjes verstaan, die vluchtelingen terugsturen naar dorpen die een dag later weer kapotgeschoten worden, of wij, die rustig afwachten tot jullie met je nood... tot jullie inzien dat een leven zonder God tot de ware armoede en onderdrukking leidt?'

Ik wil mijn armen om zijn aandoenlijk gladde jongenslichaam

slaan. Schoonheid die verlegen lijkt met zichzelf. Denk aan zijn moeder die zijn shirts zo mooi wit houdt, die hem straks een tajine met vis zal voorzetten, of met kip, amandelen, ingelegde citroenen. Een slimme jongen moet goed eten. Bismilla, habibi, bismilla. Ik wil Yassin slaan. Rode strepen op zijn gele linkerwang, zijn gele rechterwang. Gloeiend goud. Dat het hem duizelt, zo wil ik hem slaan, wakker slaan, ga je godverdomme bezatten, loser, zoek een vriendin, al is het voor één nacht, heb de volgende morgen desnoods spijt tot achter je oren, maar ga léven. Je maakt iedereen, en vooral jezelf doodmoe met dat gepreek.

'Je studeert nog, hè?'

'De leraarsopleiding. Maatschappijleer. Krijg je maar weinig lesuren mee. Dus ook nog Engels.'

'Toe maar. De taal van de vijand.'

'Wel een mooie. En het is belangrijk. Jij hebt iets met journalistiek gedaan?'

'Ik heb Engels gestudeerd.' Hij lijkt geprikkeld. Slikt iets weg. Mijn magere, bloedeloze versie van oog om oog, tand om tand.

'Aan de universiteit? Zo! Heb jij geen kinderen dan?'

'Ik was klaar voordat ik moeder werd.'

'Hoeveel?'

'Wat?'

'Kinderen?'

'Eén.'

'Man?'

'Weduwe.'

'Niet hertrouwd? Bij ons...'

Ik zeg dat ik dat nu wel weet. Hoe het bij 'hen' zit. En hou op met dat wij en zij en jullie en ons, want je polariseert.

Yassin glimlacht. De bekende meewarige blik. Hij staat op en zegt dat zijn moeder wel hertrouwd is, met de jongste broer van een vriend van zijn vader. Tien was hij toen zijn vader stierf en na drie maanden was er al die ander, een nietsnut die zwart bijverdient in een coffeeshop, maar het geld er ook meteen weer oprookt. Yassins moeder weet daar niets van. Hij heeft het op zijn veertiende zelf ontdekt, nou ja, gehoord van vrienden die ook vaak blowden. 'Toch is het goed dat ze iemand heeft.'

Omdat ze anders verstoten wordt, denk ik wrevelig. Mijn kleren plakken aan mijn huid. Ik krijg het tasje met de banden en we spreken af dat Yassin ze vier dagen later weer komt ophalen, samen met een printje van mijn dan voltooide artikel. Hij zegt dat hij liever niet bovenkomt. Misschien kan ik het pakketje op de trap leggen?

'Ik bel aan tussen zeven en acht 's morgens en dan bel ik twee keer kort en één keer lang, zodat je weet dat ik het ben. Dat niet een ander het meeneemt.'

We geven elkaar opnieuw een hand. Waarom het allemaal zo geheimzinnig moet, begrijp ik niet. Wordt Yassin zelf geschaduwd, misschien wel bedreigd? Tijdens onze wandeling heeft hij geen moment over zijn schouder gekeken en ook hier, op het pleintje, lijkt hij geen rekening te houden met spionnen. Waarschijnlijk vindt hij het gewoon spannend om nu en dan te doen of hij gevaar loopt. Draagt dat bij aan zijn eenzame lijden. Wie zo diep gelooft als hij doorstaat vele pijnen, maar is ook nog eens nergens veilig.

We gaan allebei een andere kant op. Terug op de Ceintuurbaan neem ik lijn 3. Met de banden in mijn tas doe ik boodschappen, koop ik een fles pinot grigio die koud zal zijn tegen de tijd dat ik alle onthoofdingen heb gezien. Thuis zet ik hem meteen in de ijskast en sluit de gordijnen.

Om mij niet te laten schrikken van zijn plotselinge binnenkomst belde Donald, voordat hij de sleutel in het slot stak, ook altijd drie keer. Twee keer kort en één keer lang. Want zo zou onverwacht bezoek nooit bellen.

*

Een kleine etage, maar mooi gerenoveerd. Dubbele beglazing, kunststof kozijnen, gladde deuren, centrale verwarming – en dan het uitzicht. In dit licht lijkt het water in de Prinsengracht mosgroen. Het blad aan de bomen is even groen, met een zweem van geel en oranje, beige. Alsof er goudpoeder door het decor wordt geblazen. Links achter de daken aan de overkant de Westertoren; Berkman kan goed begrijpen dat Mara hier niet meer weg wil.

Het is de eerste keer dat zij hem bij haar thuis ontvangt. Ze toont hem de ontwerpen voor de vazen en lampenkappen, de meubels, het glaswerk, het servies en de stoffen voor tapijten, stoelbekleding. Foto's en showmodellen. Het nieuwe logo voor zijn instituut is eenvoudig, kernachtig en duurzaam. Een simpel wereldbolletje, ditmaal niet uitgevoerd in groen en blauw, maar in rood en geel en soms omgekeerd. Gele continenten in rode oceanen, rode continenten in gele oceanen. 'Als een zonnetje,' zegt Mara.

'Maar dan nog de vraag: een opkomende of ondergaande zon?'

'Dat is aan jou. Ik denk dat je je tot twee kleuren moet beperken, en in de bekleding van de banken in de foyer nog iets kunt met een klein streepje groen. Wat prachtig is voor op de muur... Dat is natuurleem. Dat geeft diepte, warmte, zachtheid. Zeker als je wit mengt met een paar druppels rood, wat geel en een heel klein beetje blauw. Perzikbloesem heet die kleur. Niet opzichtig. Onderzoek heeft uitgewezen dat die kleur precies genoeg rust geeft om mensen... En ze tegelijk levendig houdt, stimuleert. Een veilige, warme tint. Als van de menselijke huid, maar dat is dan weer erg westers gedacht. Bovendien zie je verkleuringen ook minder gauw. Je kunt het leem laten mengen met gedroogd gras...'

Mara zegt dat ze Berkman een keer kan meenemen naar een Marokkaans restaurant met hetzelfde leem op de muren, maar Berkman gelooft ook ongezien wel dat het prachtig is. In niets gaat zijn instituut op het new age-centrum in Zutphen lijken, maar het zal ook niet meer het functionele, kille complex zijn dat het nu is. Gras op de muren, op de muren van huid, wonderlijker kun je het niet krijgen.

Mara loopt naar de keuken en komt terug met een fles wijn en twee glazen. Ze geeft Berkman de kurkentrekker en vraagt of hij de fles wil openen. Uit een kastje pakt ze een asbak en zet die op tafel. 'Waar het nog aan ontbreekt in het assortiment, dat is Fair Trade-tabak. En het moet zo eenvoudig zijn. Biologisch geteelde tabak, boeren die een eerlijke prijs voor onze verslaving krijgen, haha.'

'Maar jij rookt toch niet?'

'Nee, ik niet. Jij rookt. Rook maar. Ben zo terug.'

Een schaaltje geroosterde pecannoten, tacochips met een BrotherFood-tomatensausje, met zelfgemaakte guacemole. Waarschijnlijk heeft ze Donald met dezelfde hapjes verwend.

'Ik denk vaak aan onze wandeling. Je was me toen...'

'Ja. Leuke middag was dat.'

'Je was me toen iets aan het vertellen over Graham Greene, maar je hebt het verhaal niet afgemaakt. In de auto hadden we het over andere dingen. Ik ben Graham Greene gaan lezen. Ook omdat ik een paar maanden ervoor...' Berkman beschrijft zijn ontmoeting met de priesterstudent in het vliegtuig naar Warschau. Hij denkt aan het plot van *The End of the Affair*. Aan de vrouw die haar minnaar afzweert voor God.

Aan minnaar Bendrix die, op het idee gebracht door haar echtgenoot, een privédetective inhuurt om Sarah te schaduwen; hij is ervan overtuigd dat ze een nieuwe minnaar heeft. De man die Sarah inderdaad geregeld bezoekt is een verstokte beroepsatheïst die op een kratje in Hydepark zijn preken tegen godsdienst afsteekt, en ze hoopt dat deze Smythe haar haar nieuwe, kwellende geloof uit het hoofd kan praten. Vergeefs.

Wanneer Bendrix na Sarah's vroege dood aan een longontsteking in het bezit komt van haar dagboeken, leest hij hoe zij zich langzaam gewonnen heeft gegeven aan die grotere, hardvochtiger, wredere liefde: God. Ze heeft haar begeerte en verlangen naar Bendrix geofferd aan een bovenmenselijk idee van liefde, van zuivere liefde, zonder hebzucht, zonder egoïsme. Na haar dood verliest Smythe de ontsierende wijnvlek op zijn wang, en geneest het zoontje van de detective van zijn buikpijn en koorts – alsof Sarah over de dood heen haar wonderen verricht. Hoer wordt heilige, wat een gedrochtelijk cliché, had Berkman willen denken toen hij het boek uit had, maar voor een gedrocht was het te goed geschreven. Bendrix haatte God. 'Ik haat U, God, ik haat U alsof U bestond', liet Greene hem zeggen, en die slotpassage trok een ferme zwarte streep door wat anders onversneden gekwezel van een bepaald niet rechtschapen bekeerling was gebleven.

'Je zei dat Donald en zijn vrouw al vroeg in hun relatie ruzie hadden gekregen over Greene.' Berkman kijkt Mara bewust niet aan. Ze moet niet het idee krijgen dat hij in de overleden baas van BrotherFood is geïnteresseerd; hij wil, heel simpel, alleen dat ze haar in het bos begonnen anekdote afmaakt. Een terloops borrelgesprekje.

'Ja. Donald vond dat Greene de al dan niet politieke wantoestanden in derdewereldlanden alleen maar gebruikte als decor voor de existentiële tobberijen van een altijd westerse, op hemzelf gelijkende hoofdpersoon. De rode guerrilla's in Mexico, de straatarme bevolking in onze voormalige kolonie Sierra Leone, de Vietnamezen aan de vooravond van hun oorlog, de lepralijders in Congo; het blijven figuranten. Exotische figuranten. En het staat enorm geëngageerd om je romans te situeren in probleemlanden, maar Greene is maar bij één mens of een handvol mensen betrokken. Bij de drankzuchtige priester met zijn onwettige vaderschap, bij de politieagent met zijn slechte huwelijk, Scobie, die later zelfmoord pleegt en dan nog wordt vergeven door een priester die hem om zijn naastenliefde roemt, bij de beroemde kerkarchitect die alle media-aandacht, zijn ijdelheid en zijn eigen polygamie probeert te ontvluchten in een leprakolonie, bij de opiumrokende Britse journalist in Vietnam, die zich vooral druk lijkt te maken om zijn inheemse minnares en de scheiding van zijn vrouw in Engeland... Nee, ik chargeer. Natuurlijk klinkt er in Greenes werk medelijden, begrip door voor... voor de niet-westerse slachtoffers, van armoede, uitbuiting, onderdrukking, ziekte, honger. Maar dan nog is het om de westerse protagonist uit zijn lethargie te trekken, uit zijn narcisme, een heilzame confrontatie met zijn eigen onmacht... Dat dus. Ik ben die boeken zelf ook gaan lezen, en ik begreep precies wat Donald destijds bedoeld had.'

'In de ruzie met zijn vrouw.'

'Ja. Nou ja, ruzie... Hij had het geen ruzie waard gevonden. Hij had haar lievelingsboeken gelezen en zijn kritiek op de lafhartige schrijver geuit. Wist hij veel dat het haar zo zou raken. Een opmerking over een paar boekjes, maar ze had er zich persoonlijk door afgewezen gevoeld. En hem een paar dagen later plotseling gelijk gegeven. Terwijl hij dat helemaal niet van haar had geëist. Ze wilde niets meer van Greene weten. Opeens had de arme man alles fout gedaan en ze werd nog fanatieker anti-Greene dan Donald, eigenlijk was het een smerige vreemdganger en hoerenloper, een onbetrouwbare zak, een spion die tot het einde van zijn leven berichten aan de geheime dienst had doorgespeeld, een aansteller, met zijn depressietjes en zijn zelfmoordverlangens en zijn zucht naar geheimen, naar avontuur, naar zoetsappige vergeving van alle zonden... Wat was ze stom geweest om op "zijn" Greeneland af te studeren...' Mara zucht. 'Ik denk dat ze geloofde dat ze Donald een dienst bewees door zich zo fel tegen haar meester te keren. "Wat jij niet goed vindt, vind ik ook niet goed." Zoiets moet het zijn geweest. Donald zei dat zijn vrouw zich schaamde voor haar eigen werk als journaliste, omdat ze bang was dat Donald het ook haar zou kwalijk nemen dat ze meer oog had voor persoonlijke intriges dan voor...'

'Het echte lijden.'

'Ja.' Mara schuift de schaaltjes naar Berkman toe. 'Neem nou wat. Waarom wilde je het weten?'

'Gewoon. Ik herinnerde me opeens dat je daar in dat bos iets geks had gezegd. Thuis vroeg ik me af: wat moet ik me in godsnaam voorstellen bij een ruzie over een schrijver?' Hij neemt een paar chips en doopt ze in de lichtgroene avocadosaus.

'Het is altijd tussen ze in blijven staan. Het conflict. Denkt, nee, dácht Donald. De onderwerpen die zijn vrouw intrigerend vond, vond Donald luxeproblemen. Hij had gehoopt dat zijn organisatie BrotherFood van hen samen zou worden. Maar Lot bleek meer belangstelling te tonen voor... Op reis sloot ze vriendschap met mijnheer zus en maakte ze een toestand met mijnheer zo, of mevrouw zo, en dan vroeg ze zich weer van alles af over haar eigen karakter, over wat ze fout deed, over hoe ze beter... Daar schiet je natuurlijk niks mee op in dit werk. Je moet geen relaties aanknopen met de mensen die je gaat helpen. Je niet laten leiden door je eigen sympathie en je eigen ergernissen en niet hopen op een perfecte wederzijdse verstandhouding. Donald was de man van de gezonde distantie, en zij is iemand die geen afstand wil, die, als ze iemand mag, of nee, als ze gefascineerd is, meteen tot de kern wil komen. Heel wrang, maar ze heeft een bundeling van haar interviews de titel *Het hart van de zaak* gegeven en daarbij zogenaamd niet gedacht aan *The Heart of the Matter* van Greene. Ze had hem dan misschien wel met veel tamtam afgezworen, maar diep in haar hart bleef ze... Greene trouw. De schrijver was haar dierbaarder dan haar eigen man.'

Berkman neemt de laatste slok wijn uit zijn glas en laat zich bijschenken. Door de gracht gaat een rondvaartboot. Het carillon van de Westertoren speelt een kinderliedje.

'Je vertelt het allemaal alsof je er zelf bij bent geweest.'

'Het is een onzin-story, maar jij vroeg erom.'

'Was het Donalds excuus?'

'Was wát Donalds excuus?'

'Zijn vrouw hield eigenlijk meer van Greene dan van hem, dus was het niet erg dat Donald haar op zijn beurt bedroog. Was het zoiets?'

'Nee. Dat ze meer van Greene... dat zit ik net pas te bedenken. Donald had er geen excuus voor. Voor wat wij deden. Samen hadden. Ik ben die boeken zelf een keer gaan lezen om het beginconflict te begrijpen, meer niet. Maar het was echt geen thema in onze...'

'Verhouding.'

'Nee. We hadden het expres zomin mogelijk over zijn huwelijk.' Mara kijkt Berkman niet aan, ze kijkt over hem heen. Door hem heen. Hij voelt zich ongemakkelijk. Iemand ademt in zijn nek, zijn schouders gloeien en zijn een tel later ijskoud, op zijn armen staat kippenvel. Als Mara nu zegt dat Donald in de kamer is, achter hem, gelooft hij haar meteen. Geest die wraak komt nemen nu zijn minnares haar mond voorbij heeft gepraat. En hij, Berkman, heeft haar de bekentenis gespeeld argeloos ontlokt.

'Ik had dit niet willen zeggen, Wieger.'

'Het geeft niet. Ik vertel het niet door. Zou ook niet weten aan wie ik het...'

'Je had het al door, nietwaar?'

'Ja.'

'Heb je zelf wel eens een...'

'Ja.'

'En je vrouw?'

'Ik heb het uitgemaakt voordat ze erachter kon komen. Het was een slippertje, geen echte verhouding. Mis je hem?'

'Het ligt allemaal veel gecompliceerder. Soms. Soms mis ik hem. Soms ben ik blij dat het op deze manier is afgelopen. Soms haat ik hem. Nu pas. Het was geen gewone relatie. En nu denk je bij jezelf: dat zeggen ze allemaal, maar... Ik was verliefder op hem dan hij op mij.' Mara haalt haar schouders op. 'Ik dacht dat ik hem kon redden,' zegt ze. 'Kon wegtrekken van de rand van de afgrond. Van de hel.' Voordat ze naar de keuken loopt om de oven aan te zetten, een salade te maken, zet ze een cd op. The Beatles. Wat moet hij ermee? Bij het derde, ingetogener nummer kijkt ze even om de hoek. 'Dit was het dus. Dit vonden we allebei mooi, begrijp je?'

Om het gesprek over een andere boeg te gooien, vraagt Berkman Mara tijdens het eten naar haar reizen. Als ze is uitgepraat en heeft afgeruimd, pakt hij zijn agenda en bladert erin, pen in de hand. 'Nog even praktisch,' zegt hij. 'Wanneer moeten we weer bij elkaar komen? Je hebt de afspraken rond in de laatste week van oktober, zei je net... Dan ben ik een paar dagen weg. Met mijn zoon. Ik ga met mijn zoon op vakantie.' Hij glimlacht om zijn ergernis niet te voelen.

Het is Petra's idee. Of ze heeft het uit een tijdschrift opgedaan, dat kan ook. In ieder geval lijkt het haar goed als Wieger ten minste eenmaal per jaar een paar dagen 'op stap' gaat met hun zoon en zij, eerder of later, een weekend met hun dochter. Vrouwen moeten af en toe onbespied en zonder commentaar echte vrouwendingen kunnen doen – en mannen hun mannendingen. Het is voor de kinderen bovendien fijn om eens onverdeeld alle aandacht van één ouder te krijgen.

In het voorjaar is Petra met Sophie naar België geweest, naar Gent en Antwerpen; ze kwamen thuis met tassen vol kleren en snuisterijen en twee dozen bonbons waarop Sophie met een merkstift hun voorletters schreef, voordat ze ze in de ijskast zette. In haar eigen Leonidas-doosje ligt nog steeds één witte praline. De walnoot erbovenop is al verschrompeld en bijna zwart.

Voor de zomervakantie, begin juli, vroeg Bruno waar zijn vader en hij naartoe zouden gaan, maar Berkman had geen antwoord gegeven. Hij werd al moe bij de gedachte aan weer een reisje. Inmiddels lijkt zijn zoon de belofte vergeten. Hijzelf gaat pas over een paar dagen, maar zijn gezin geniet al van het Franse huis. Voor hun vertrek begon Petra op een stille avond nog eens over het uitstapje. 'Doe het dan in de herfstvakantie, je kunt het er niet nog een keer op aan laten komen. Weet je al waar je naartoe wilt?'

'Bruno wil met een boot.'

'Ga zeilen. Vroeger hield je daarvan. Ik heb een leuke aanbieding gezien. Een mooie oude driemaster of hoe dat heet, langs de kust van Denemarken. Ik heb het er nog niet met hem over gehad, hoor.'

'Een groepsreis?'

'O ja, daar houd je niet van.'

'Ik zie al genoeg mensen. Als ik met Bruno ga, ga ik met Bruno. Niet met tien wildvreemde anderen.'

Nog steeds weet Berkman niet waar hij naartoe zal gaan, maar dat zegt hij niet. Mara moet hem een leuke vader vinden.

Voordat hij afscheid van haar neemt, gaat hij naar de wc. In het krappe gangetje hangen een stuk of twintig foto's op verschillende formaten, in verschillende lijstjes, die hij allemaal bekijkt. Veel vrijgezelle vrouwen hebben zo'n 'speelse' fotowand vol herinneringen – een visueel bewijs van hun rijke leven. Als er niemand is die je anekdotes aanhoort, moet je ze maar aan jezelf vertellen. Dit was ik, ben ik, dit heb ik allemaal meegemaakt, dit zijn mijn dierbaren; een muur die bewaart wat anders een geliefde onthoudt, waar anders een huisgenoot aan meeschrijft. Je autobiografie.

Mara in schooluniform, tussen haar eveneens geüniformeerde vriendinnen. Drie Zuid-Amerikaanse boeren die blij naar de camera wuiven. Spleetoogjes en vilten hoeden, palmen, grijze, brokkelige bergen in de verte, misschien was het in Bolivia. Een zwart-witfoto van een dikke peuter tussen haar ouders en oudere zusjes, onder een slinger met *Happy Birthday* erop. Nergens een afbeelding van Donald, hoe goed Berkman ook kijkt.

Opeens merkt hij tussen de foto's een portret op van Mara, vijf jaar jonger, zittend op een troon, in een kobaltblauwe, fluwelen jurk. Ze draagt een band in haar haar, de sluier valt over haar schouder. Perzikbloesem heet die kleur, heeft Berkman zojuist geleerd. In haar hand houdt ze een metalen zwaard, de punt steekt in het Perzische kleed voor haar voeten. Achter haar een geel uitgeslagen kathedraal, acrylverf op een grofgeweven tafellaken. Takken, losse bladeren op de grond. Er is gewerkt met een sepiakleurig filter, voor een antiek effect. Alsof er in de middeleeuwen al fotografie bestond. Grappig vindt Berkman de foto. Op de wc denkt hij aan de duizenden mensen die zichzelf hebben laten vastleggen in Volendammer klederdracht, de vrouwen bij een spinnenwiel, de mannen met een visserspijp in hun mond, voor een betegelde schouw zoals je die nergens meer in Nederland ziet. Wat kost zoiets? Twintig, dertig euro? Waarom hebben toeristen zoveel over voor een plaatje van een verkleedpartij? Is het de wens een ander te zijn, zichzelf als een ander te kunnen herinneren? Berkman bladert de wc-kalender door, maar ook hier nergens de naam van Donald.

Geen scheerspullen op het plankje boven de wastafel, geen shampoo of douchegel 'For Men' in het miezerige hoekje naast de pot, de doucheplek achter het plastic gordijntje. Geen Donald, geen nieuwe vriend. Berkman is van mening dat hij zijn vragen moet doseren. Volgende keer meer. Een kruisverhoor werkt averechts.

Hij wast zijn handen. Zoekt naar een handdoekje, droogt ze ten slotte af aan het badlaken aan het rek naast de douche, denkt opnieuw aan de vlezige kont van zijn gastvrouw, maar anders dan in het bos, zonder opwinding. Als hij weer in het gangetje staat, beseft hij waarom de foto van Mara in de blauwe jurk hem is opgevallen. Hij heeft de Past Images-foto's van Lot Sanders en haar dochter niet gezien, maar ze heeft ze wel beschreven. Het kan niet anders of dezelfde fotograaf... Hij gaat de kamer weer in.

'Ik moet nu echt naar huis, Mara. Bedankt voor al het werk, voor de heerlijke ovenschotel.'

Mara knikt tevreden, staat op. Het bekende ritueel. Nee, nee, blijf zitten, ik kom er zelf wel uit. Koffie drink ik thuis wel, ik moet nog een column schrijven.

Berkman heeft haar al een hand gegeven, een kus op haar wang, maar Mara loopt toch met hem mee tot de voordeur. Hij wijst op haar foto's en liegt dat hij ze leuk vindt. 'Vooral deze...'

Mara bekijkt de foto, grinnikt. 'Gewoon een cadeautje. Vier jaar geleden of zo...' Ze wijst op de foto met haar schoolvriendinnen. 'Trouwde mijn vriendin Suzy en ze wilde van al haar hartsvriendinnen een portretje, een persoonlijk dingetje, of souvenir, je weet wel. Was ik helemaal vergeten. Ik was al in York, waar het huwelijk zou plaatsvinden, en lees daar nog eens de brief van haar zus met dat verzoek, en ik denk: oh my God, ik heb niks meegebracht. Toen ben ik heel gauw zo'n winkel in gegaan. Lastminutewerk, dat ken je wel. Maar je moest zo'n hele set nemen, dus heb ik er zelf ook twee gehouden. Of eigenlijk één.'

'Donald wilde die andere.'

'Nou ja, toen ik dat ding liet maken, was er nog niks tussen ons. Maar toen hij hier een keer op bezoek kwam, net als jij nu, vroeg hij of ik nog een afdruk had. Thuis kon hij hem niet bewaren. Ik weet niet waar die foto is. Misschien in een map bij BrotherFood. Geen idee. Hij zei dat niemand hem ooit zou vinden en dat geloof ik wel. Dat hij hem goed bewaarde. Zo goed, dat zelfs ik hem nooit meer terug zal krijgen. Elke keer dat ik naar deze hier kijk, denk ik ook even aan die andere. Die Donald heeft. Of had. Die hij verstopt heeft. Die hij, maar dat is beeldspraak, heeft meegenomen in zijn kist. Begrijp je?'

Berkman lacht maar zo'n beetje. En bedankt haar nogmaals voor het werk dat ze voor zijn instituut verricht, en voor de gezelligheid, en hij belooft Mara dat ze het niet meer over Jeweetwel zullen hebben. Sorry dat hij over die foto is begonnen. Buiten vraagt hij zich af wat die dorpsfotograaf annex geestengids voor iemand is. Hij moet naar York en zal met Bruno gaan.

*

Het is vijf over half twaalf. Er is niets meer op televisie. Ik kan naar een nieuwe tekenfilm van Joy kijken, vrolijke muziek opzetten. Hebben we, heb ik vrolijke muziek? Mory Kanté of een ander bandje uit Senegal, Mali. Maar als ik muziek op heb staan, kan ik niet horen of er aan de deur wordt gerommeld. Of er indringers in het pand rondsluipen, in het trappenhuis, op zolder. Ik heb al een tijdje niet meer gewerkt aan mijn autobiografische verhaal. Het is aardig van Berkman dat hij me heeft geadviseerd alles op te schrijven, alleen omdat het hem ooit, in een chaotische, neerslachtige periode ook zo goed heeft geholpen, het bijhouden van een dagboek, een herinneringenboek – maar waarom meen ik dat ik ermee door moet gaan? Om hem te bewijzen dat ik echt wat met zijn wijze raad blijf doen?

Twee uur geleden heb ik Joy in Portugal gebeld. Ze heeft het er naar haar zin. Met het hele gezelschap hebben ze sardientjes gegeten in een restaurant pal aan de vissershaven. De vissen werden zo uit de netten op het vuur gegooid en gegrild. De eerste minuten had ze het zielig gevonden, maar het rook zo lekker aan de andere tafels, elke keer dat er weer een bord met sardines en sla en brood werd neergezet... Naar rook en zee, mam. En terwijl je zat te eten zag je de lucht boven de golven eerst oranje en toen roze worden. 'Echt jammer dat je er niet bij bent. Maar met opa en oma en die meisjes is het ook heel leuk.'

Ik ben bang. Doodsbang. Nu pas. Nu het artikel af is en doorgestuurd naar Ruben. Nu de banden en een print van het artikel op de trap liggen, om de volgende dag tussen zeven en acht door een driemaal aanbellende moslim te worden opgehaald. Donald is niet meer in huis om mij te beschermen. Ik kan mijn dochter niet wakker maken met een smoes, heb jij je tanden eigenlijk wel gepoetst, alleen om even een vertrouwde stem te horen. Ik heb het patiencespel daarnet opgestart en weer afgesloten. Ik, die zo vaak dood wil. Met een fruitmesje in mijn handen al aan zelfmoord denk. In York bijna verliefd werd op de man die met een feestwinkelattribuut en een zakje namaakbloed mijn diepste wens aan het licht bracht; ik kan alleen maar denken aan de zeven onthoofdingen die ik eergisteren heb gezien, koud en klein van pijn, alsof ik alle zeven gegijzelden zelf was en alles herbeleefde.

De lap of het stuk tape op hun mond. Hun ogen die niet in de camera keken, maar erdoorheen, op zoek naar een geliefde, een familielid, een westerse kijker die meteen uit zijn stoel zou komen, nu, die tegen de tijd in zou reizen naar het terroristenhol om met gevaar voor eigen leven deze nachtmerrie, hel, krankzinnigheid ongedaan te maken. *Red mij. Of laat ze dan toch liever schieten in plaats van snijden.*

Sommigen mochten spreken. Een oproep doen. Maar hun aandacht was niet bij hun woorden, hun mond was leeg en droog, ze spanden zich met al hun krachten in om ogen in hun ruggen te krijgen, maar niet zoals iemand met regelmatige oefeningen spieren hoopt te kweken; ze wilden die nieuwe ogen meteen, om de gijzelnemers achter hen te kunnen blijven observeren, om hen met de macht van hun blik nog even te hypnotiseren, hen te dwingen het vonnis een paar uur uit te stellen.

Bivakmutsen en bazooka's kende ik al. Zoals iedereen, van het *Journaal.* Bij de grensposten in Sierra Leone had ik mijn koffer geregeld moeten openen met om me heen gedrogeerde jongens van een jaar of dertien, veertien, die zwaaiden met hun bajonet alsof het een stuk speelgoed was. Donald was toen bij me, dat ook, bovendien begreep ik de codes. Het was machovertoon geweest. In de hoofdstraat van Freetown stonden mannen op klaarlichte dag in het gras langs de weg te piesen, desnoods tussen twee winkels, en wie er ook langsliep, de straal werd niet onderbroken, het lid niet schroomvallig met een hand bedekt. Hoe wreed de bevolkingsgroepen elkaar zouden afslachten konden we destijds nog niet voorzien; we wisten wel dat wij niets te vrezen hadden. 'Komen jullie ons imponeren met jullie gestudeerde hoofden, jullie keurige bagage, dan kunnen wij het ook.' Elkaar passerende honden die, terwijl hun baasjes argeloos doorlopen, stoïcijns stilstaan, aan hun riem trekken, terug willen naar hun uitdagende soortgenoot, om alleen al door te blaffen te bepalen wie de sterkste is.

Soms ging er een kap, een papieren zak, een plastic tasje over het hoofd. Soms niet. De dolk werd getrokken. Ik schreeuwde 'Nee!' tegen het scherm, nee, doe het niet, zachtjes, in de holte van mijn elleboog, probeerde mijn geluid te smoren, maar nodig was dat niet, ik stikte in mijn eigen wanhoop en wendde mijn gezicht af en keek toch, want dit was werk.

Zelfoverschatting.

De ferme haal door de keel. Een gejammer dat kort duurde, maar waar in mijn oren geen einde aan kwam en alle zeven jammerden ze anders. De een met een hoog, staccato 'Mm-mm-mmm', de ander met een rochelende 'Aawaawaah', een derde schreeuwde iets als 'Deeeiiiiioeeeiiiiw', met een schrille ij, of oe, die dieper dan uit de tenen kwam. Het donkere bloed dat pulserend uit de kerf gutste. Ik had mijn eigen keel gegrepen. Niet durven slikken. Onder mijn voetzolen leken vlammen te dansen als onder de verse sardines uit Joys verslag, maar het zweet bevroor onmiddellijk nadat het was uitgebroken, stekend ijs, verdovend.

Ze mochten niet doodgaan, riep ik. Ze waren al dood. Niet zo en niet op enige andere manier. Ik kwam te laat. Ik was altijd te laat gekomen. Ik moest Yassin grijpen, de adressen van de moordenaars hebben, wraak nemen, al die klote-fundamentalisten afslachten, ik en alleen ik, en hoe het kwam wist ik niet, maar ik dacht: geef ze allemaal maar levenslang, die griezels met hun onredelijke praatjes.

Toen de laatste band was afgelopen, had ik de gordijnen opengeschoven. Buiten stond de overbuurman te praten met de bejaarde mevrouw die om de hoek woonde. Ze groetten een langslopende vrouw met hoofddoek, die zware boodschappentassen torste. De vrouw groette terug, riep haar dochtertje. Jamilla, Jazeera, zoiets verstond ik. Een bekend tafereel. Maar nu bevrijdde het me. Ik stond weer, mijn benen trilden niet meer. Hoe het zonlicht door mijn ongewassen ramen naar binnen viel, haast romig... Door de straat fietsten twee politieagenten, langzaam. Nog voordat de buurman hen kon groeten, zwaaiden ze zelf al, 'Hé, Dolf, hoe gaat-ie?!' en vergeten leken hun nachtelijke, waarschuwende bezoeken aan de man die onder invloed van liters goedkoop huismerk-bier kon schreeuwen om niks, meestal tegen zijn verslaafde vriendinnetje dat miskraam na miskraam kreeg, terwijl hij zo zijn best deed haar van dealers af te schermen. Als zij weer in de opvang zat schreeuwde hij ook, tegen niemand, tegen zijn loeiende installatie waaruit Julio Iglesias klonk. Of Andrea Bocelli. Onschuldige huisvredebreuk. Pittoresk.

Ik had de fles wijn ontkurkt. Was niet op het balkon gaan zitten. Was gaan schrijven. Hoe herwon ik afstand, objectiviteit? Kon je precies zo over de moorden schrijven als de gids over de Yorkse geesten had gesproken? Kon ik Yassins meningen en gevoelens zo verwoorden dat lezers de denkwijze van jihadisten zouden kunnen volgen, stap voor stap? Ja. Ik was mijn eerste angst en wraaklust te boven gekomen en kon werken op twee glazen pinot grigio en twee pakjes sigaretten. Toen het artikel om half twee 's nachts af was, was ik tevreden gaan slapen. Trots. Mij was voor het eerst gelukt wat Graham Greene gelukt was. Ik had mensen gered. Uit de oordelen van andere mensen. Geen verborgen boodschap, geen al te goede, maar ook geen slechte bedoelingen met het stuk. Ik was niemand geweest en iedereen die ik had beschreven, nee, die ik aan het woord had gelaten, de levenden, de doden; ik kende ze bij de laatste punt allemaal, als mijn eigen broekzak.

De volgende dag was ik pas om tien uur opgestaan. Nog in mijn ochtendjas had ik het artikel herlezen, hier en daar wat veranderd in de volgorde, fouten verbeterd. Daarna was ik de stad in gegaan om mezelf te belonen met een boek. Met mijn mobieltje had ik de vriendin gebeld die een paar maanden geleden naar het kioskje met bijbelse lectuur was gefietst om de tekst op het houten huisje voor me te noteren. 'God zoekt jou', dat stond er, maar ik had de slogan niet meer nodig gehad, want in de tussentijd besloten de opdracht terug te geven.

Ik had Lilians voicemail ingesproken, gevraagd of ze zin had om die avond bij mij te eten – ik had mijn mooiste artikel sinds tijden af en zin in een klein feestje.

Een kwartier later had ze teruggebeld. Goed idee, Lot, maar onze jongste is ziek en zaterdag vertrekken we naar Sicilië.

Erg vond ik het niet. Ik was terug naar huis gelopen, was nu wel op het balkon gaan zitten, met een kant-en-klaarsalade en een paar belegde boterhammen, met de wijn die over was en het nieuwe boek.

Een bijna anarchistisch gevoel van vrijheid, als na mijn eindexamen, na mijn afstuderen. Op kamers bij mezelf. Toen het buiten te donker was om te lezen, had ik de dvd met *The End of the Affair* aangezet. Weet niet wat me dieper trof: de openingsregel, die wordt getypt door hoofdpersoon Maurice Bendrix, gespeeld door Ralph Fiennes ('This is a diary of hate') of de... seksscènes klinkt te expliciet. Zoals Ralph Fiennes in de film vrijt, zo vree Donald. Zo kuste hij. Zo zag hij eruit als hij mij streelde, me in mijn benen kneep, bij me naar binnen ging, me neukte. Hetzelfde ritme, dezelfde gespannenheid, afstand, ernst – alsof hij nadacht, ploegend, zichzelf pijnigend, maar ingehouden. Met steeds een behoefte aan overzicht. Een Britse dirigent die Händel laat klinken. De autoritaire innerlijkheid van

Gardiner, en hoe hij de muziek van wikkels ontdoet, uitpakt, voorzichtig (breekbaar!) zich inspant om niets te beschadigen.

Dezelfde opgezwollen ader aan de zijkant van zijn voorhoofd als Donald, dat had Fiennes als hij vree; mijn opwinding maakte me treurig, ik belandde achter de horizon van mijn heimwee en wilde alleen maar Donald terugzien, terugvoelen, terugneuken, terug uit het dodenrijk masturberen desnoods, ook al was hij donker en Ralph Fiennes blond, Donald was vanaf de eerste minuut mijn Bendrix geweest, al werd ik nooit zijn Sarah Miles.

Waarom was ik nooit katholiek geworden, zoals zij?

Omdat ik iets tegen de paus had? Tegen mijn schoonmoeder? Na lezing van Greenes boek, jaren terug, wilde mijn vage geloof zich ergens aan hechten, ik begreep Sarah, haar dagboek, maar ook Christus die zijn lichaam had uitgedeeld, ik begreep de bijna afstotelijke intimiteit van die daad, de wens om echt, stoffelijk, ín anderen te zijn, ook in degenen die hij nog niet kende; omgekeerde prostitutie, over de dood heen.

Ik vroeg me te veel af, had gezien waar de film afweek van de roman, maar het denken stopte als Fiennes in beeld was, Fiennes die Bendrix speelde en Bendrix die als twee druppels water leek op mijn dode geliefde – dit was porno speciaal voor mij, voor gevorderden, die niet het vlees begeren om het vlees, maar om het hart erin, al was het het hart van een dode.

Na Donalds dood had ik me veel herinnerd en het 'alles' genoemd. Zijn grappen, zijn uitspraken, onze gesprekken. Ik had onthouden wat hij mij over zijn jeugd had verteld, wat hij graag at, hoe hij at, keek als hij naar muziek luisterde, met Joy een spelletje speelde, werd geïnterviewd. Foto's en verhalen in overvloed. Maar de meest waarachtige Donald was me ontschoten; de man die zijn lichaam aan me toevertrouwde, zijn moedervlekken en puistjes, zijn kromme middenrif en zijn behaarde tepels, zijn littekentjes en zijn te lange, witte vingers, zijn gezwollen voorhoofdsader, zijn geur en zijn wonderlijke geluiden. Hoe zijn hoofd in zijn nek viel als hij klaarkwam. De blik van een schoolmeester die mij, als ik mezelf op zijn dij naar een orgasme toe reed, aanspoorde alsof ik een mondelinge overhoring had. Toe maar, meisje, je kunt het. Moet het.

Ik had hem willen kussen achter zijn oren, in zijn nekhaar. Ik herinnerde me zijn magere armen en zijn behaarde kuiten, met altijd wel ergens een schaafwondje, een blauwe plek van de trappers van zijn fiets. Het eerlijkste van het eerlijkste. Freud had gelijk en helemaal ongelijk. Alles wat we doen, ons werk, ons ouderschap, de meningen die we uiten, de taarten die we bakken, onze sportprestaties, weet ik veel – het zijn geen sublimaties van onze seksuele driften, maar omgekeerd: ons libido is een sublimatie, of liever materialisatie, incarnatie, vleeswording, van een verlangen gekend te worden en te kennen. Van hart tot hart. Nog liever: hart in hart.

God zoekt jou. Het kon me gisteravond geen donder schelen dat God me zocht. Toen Donald nog leefde had het me vaak prettig geleken, geruggensteund te worden door een onzichtbare macht. Mijn man had zijn onpersoonlijke idealen, ik had behoefte aan een persoonlijke relatie met een oppermacht. En al zou die relatie eenzijdig zijn, het leek me prettig om op momenten van verlatenheid te kunnen denken dat Iemand mij aanzag, begreep, een plan met mijn leven had. Na zijn dood kon Donald, als omnipresente geest, die rol glansrijk vervullen. Het Alziend Oog, de Lot-watcher, die net als ik uitkeek naar het uur waarop we weer verenigd zouden worden, niet geestelijk, maar werkelijk. Vleselijk. Het kon niet anders, had ik al tijdens Donalds uitvaart gedacht, of hij verlangde net zo naar mijn dood als ik. Het vrome, misselijkmakende gejubel over zijn gaven en verdiensten kon ik destijds van me afschudden, omdat ik geloofde dat de woorden ook de dode niets meer deden. Hij en ik wisten nu dat het om de nachten, om onze naaktheid zonder hogere bedoelingen was gegaan.

Ik had mezelf na de film een Laphroaig willen inschenken, maar het glas met koud kraanwater gevuld. Sarah Miles, Mara Styler, als je die namen zo achter elkaar in een roman opschreef zou iedere lezer denken: wat bedácht, wat een constructie, kan het nog toevalliger?!

Greene had de naam Sarah Miles bedacht, zijn eigen, bekeerde minnares heette Catherine Walston – dat de minnares van mijn man Mara Styler zou heten had hij niet kunnen bevroeden, toen hij het boek schreef waren we nog niet eens verwekt, geboren, en pas na Greenes dood werd ik een van de honderdduizenden lezers van zijn werk. *The End of the Affair* had niets met mij te maken, al had ik ooit geloofd dat het álles...

Ik had nooit, al was het nog zo halfslachtig, in een hiernamaals moeten geloven, bedacht ik gisteren. In het voortbestaan van Donald. In een kans op blijvende hereniging. Want nu bijt mijn zelfgeschapen illusie zichzelf wreed in de staart; Donald zoekt, ja, maar hij zoekt niet naar mij. Hij is nog ergens, precies zo verlangend als ik me hem wens, maar niet verlangend naar mijn lichaam, mijn hart. Hij moet Mara hebben. Als hij was blijven leven, woonde hij nu ook niet meer hier. Degene die naast me was bezweken, was allang van me gescheiden. Misschien had het sterven hem extra pijn gedaan omdat het niet in Mara's armen plaatshad, besefte ik, en ik had vergeefs geprobeerd iets van mededogen te voelen.

Zo was het. Ook de tweede nacht na het bekijken van Yassins banden was ik niet bang geweest. Het is nu, de derde avond, dat ik van angst niets meer kan. Wat ik ook doe, ik blijf de bloederige beelden zien. Ben bang dat Yassin eerder dan afgesproken aanbelt, de trap op stormt, me zal vermoorden. Bijvoorbeeld omdat hij plotseling spijt heeft gekregen van ons gesprek.

De benedenburen zijn niet thuis. Ik ben alleen in het pand. Loop rondjes door de kleine kamer. Zet de televisie aan, het geluid uit. Zet de televisie uit. Mijn ingewanden zijn van slag. Ik moet naar de wc, maar durf niet. Als ik klaar ben en de wc-deur opendoe, staat er iemand achter. Die een prop in mijn mond zal stoppen, mijn armen achter mijn rug vastbindt, me verkracht. Ik had nooit moeten zeggen dat ik weduwe ben, alleen ben. Half twaalf. Er moet iemand bij me zijn.

Liefst tot de volgende ochtend, negen uur.

Hardop zeg ik: 'Je bent jezelf aan het gek maken, Lot Sanders', en dat alleen al klinkt zo krankzinnig dat ik gek word van het idee gek te worden. Waarom moest ik in godsnaam een artikel over... Op straat lijkt het stiller dan anders. Ik ga in het donker op het balkon staan, rook een sigaret, hoop op geluiden op de andere balkons, geluiden uit de tuintjes op de begane grond. Als er maar ergens mensen zijn. Nergens rond de binnentuin een feest, een gesprekje, de schroeilucht van een barbecue. Elke andere zomeravond is het wel weer ergens raak, soms speelt iemand aan de overkant van het huizenblok gitaar, hoor je de stem van een oude dame die haar poes naar binnen roept, maar nu is het overal doodstil en waar er een keuken- of slaapkamerlicht brandt, zie ik geen silhouetten van bewoners. Ik blijf de onthoofdingen zien en denk: straks ben ik zelf aan de beurt. Nummer acht. Negen. Honderdzoveel.

Het bloed klopt in mijn oren. Bellen moet ik. Iemand bellen. Maar wat als mijn telefoon wordt afgetapt? Deed Yassin geheimzinnig uit zelfbescherming, of wist hij alles van mij en wilde hij dat niet laten merken? Was hij zo ontspannen geweest omdat hij voorafgaand aan het interview al mijn sporen had nagetrokken? Ik zet mijn mobieltje aan en bel Ruben op zijn 06, om Sylvia te omzeilen. Ruben. Niet op vakantie nog. Ruben. Die woont tenminste dichtbij. Hij heeft gezegd dat ik altijd een beroep op hem kan doen. Dat geldt voor alle medewerkers, ja, dat heeft hij zelf gezegd, dat is het nieuwe beleid. Ruben neemt op. Aan de geluiden op de achtergrond te horen zit hij op een terras. Misschien staat hij op een feest. Stemmen, muziek, getinkel van glazen. Ik vertel dat ik bang ben. Ben blij dat hij me laat uitpraten. Hij doet of hij het zich goed kan voorstellen. 'Kun je komen?' vraag ik, nadat hij heeft gezegd dat een andere medewerker ooit een maand lang bedreigd is geweest door een groep neonazi's.

'Komen?'

'Ja, even. Ik moet even iemand bij me. Ik voel me zo...'

'God, lieve schat, ik zit met Syl in Leeuwarden, bij haar familie.'

'Niet waar.'

'Hoezo niet waar?'

'Je liegt. Je moet dat van Sylvia zeggen.'

'Lotje, waar slaat dit op?!'

'Weet ik niet. Oké, dan zit je wel in Leeuwarden, maar ik ga dood van angst. Er moet iemand komen.'

'Wat helpt is iemand bellen van de sos-hulpdienst. Die kan naar je luisteren, je kalmeren... Als ik in de buurt zou zitten was ik meteen – echt waar. Maar daar heb je nu niks aan. Laten we morgen even contact opnemen. En sterkte. Sylvia zegt dat zij het ook heel ellendig voor je vindt.'

Ik hang op en blader in mijn adresboek, vruchteloos. Zoveel namen, en ze herinneren me aan zoveel gezichten, maar allemaal al zo lang niet gezien. Dat er vriendschappen zijn verwaterd is iets waarbij ik me niet alleen heb neergelegd, ik vind het zelfs wel prettig. Grote opruiming. Dan kan ik toch niet op dit tijdstip de banden weer gaan aanhalen, alleen omdat ik van angst tegen de muren opvlieg?

Plotseling denk ik aan Berkman. Toets zijn nummer. Het is even voor twaalven, maar hij is nog op en ik tref het; zijn vrouw en kinderen zitten in Frankrijk, hij kan makkelijk komen. Over een halfuur, want hij is niet thuis, maar ergens in het centrum.

'Ben je in een café?'

'Nee.'

'Kun je zomaar weg, hoef je geen mensen gedag te zeggen?'

'Ik ben wel eens vaker van huis, daar gaan we het niet over hebben.' Pas als ik ophang, dringt tot me door dat hij waarschijnlijk weer een hoer heeft bezocht. Voor het eerst kan me dat niets schelen. Berkman is naar mij onderweg, dat is genoeg. Bescherming. Om het gerommel in mijn darmen tegen te gaan neem ik de laatste bruine banaan die op het aanrecht ligt. Het is alsof ik in geen jaren zoiets lekkers heb geproefd.

September

Overspel is heel gewoon. Ik hoef me niet schuldig te voelen over mijn fantasieën in Donalds sterfnacht, Donald hoefde zich niet schuldig te voelen, volgens de statistieken is het gerommel allemaal heel menselijk; wie het handig aanpakt kan de bestaande relatie er zelfs een 'oppepper' mee geven, althans volgens populair psychologische rubrieken, en anders leidt het uitpraten van de problemen wel tot verdieping. Neem het toch niet zo hoog op – er is zoveel wat jullie bindt, de gelukkige jaren zijn echt niet weggegooid, niet waardeloos na de ontdekking... Er is dus iets mis met mij. Ik ben een conservatieve trut. Ik, die Graham Greene moeiteloos afzwoor toen ik begreep dat hij niet alleen met Catherine Walston een affaire had gehad, maar ook met tientallen anderen, dat hij lijstjes met afgewerkte hoeren had bijgehouden... Ik had me door de dode schrijver even verraden gevoeld als door mijn eerste vriendje Thomas.

Bespottelijk principieel en niet van deze tijd, dat ben ik.

Een dag nadat Joy me had verteld dat Mara hier had gelogeerd, had ik BrotherFood gebeld. Het bedrijf dat mij zo kies met mijn rouw alleen had gelaten in de tijd dat ik nog niet rouwde – omdat ik lang ben blijven geloven dat Donald terugkwam.

Ik had naar Ilse gevraagd, de persoonlijke assistente van Donald, die nu de assistente van zijn opvolger was. Een vrolijke lesbienne, die me te woord stond zoals ik van haar was gewend. Zakelijk maar niet kortaf.

'Hé, dag Lot! Tijd niet gesproken. Sorry dat we... Maar we hebben het hier zo druk gehad. Om de boel weer een beetje op orde te krijgen. Jij?'

'Geeft niet. Ik heb alles redelijk op orde.'

'Mooi. Goed om te horen.'

'Waar ik voor belde... Heb je even tijd?'

'Ja, ja. Voor jou altijd.'

'Mara Styler. Ik vraag het je maar recht op de man af. Hadden Donald en Mara Styler een verhouding?'

Het was een tijdlang stil gebleven. Dat wil zeggen, ik hoorde Ilse hoesten, met een potlood of ballpoint tegen het bureau tikken, snuiven, zuchten. Een schorre giechel die ook een meelevend snikje kon zijn. Ten slotte vroeg Ilse waarom ik het wilde weten. Ik vertelde haar wat ik van Joy had gehoord.

'Kinderen verzinnen zoveel,' had Ilse gezegd. 'Kan ik je over een kwartier terugbellen?'

Binnen tien minuten belde ze. Bevestigde dat het waar was. Iedereen had het geweten. Gemerkt. Ze was niet de enige geweest die Donald wel eens had betrapt.

'En jullie hebben mij niet ingelicht?'

'Nee.'

'Waarom niet?'

'Weet ik niet. Te pijnlijk. Misschien dachten sommigen dat je het al wel wist. We hebben het er ook nooit over gehad. Onderling.'

'Jullie bleven loyaal aan je werkgever.'

'Denk ik.'

'Misschien begrepen jullie het ook wel. Dat hij mij bedroog.'

'Misschien wel. Ik bedoel, niet dat hij jou bedroog... Maar we begrepen misschien wel dat Donald een ander... Juist iemand als hij, met zoveel warmte, hartstocht, zoveel liefde... Ik praat het niet goed, Lot.'

'Neenee.'

'Nee. Maar het was een vrouwenman. Niets in het ranzige. Ook naar mij toe: altijd zorgzaam, aandachtig. Betrokken.'

'Tuurlijk. En bij zo'n warme man past het wel, een verhouding.'

'Doe niet zo cynisch, Lot.'

'Jullie hebben me nooit iets gezegd.'

'Dat hadden we misschien wel moeten doen. Dat is laf geweest.'

'Ook niet na zijn overlijden.'

'Nee. Het enige dat we konden doen was die Mara mijden. Het was voor ons ook niet makkelijk.'

'Ach, kom op! Ilse! Jullie zijn allemaal om hem heen gaan staan.'

'Het was geen afgesproken werk, geen strategie. We wilden niet oordelen. Niet klikken. Als je dat niet begrijpt, snap ik dat.'

'Dankjewel.'

'Nog één ding, Lot. Donald had het ontzettend zwaar, dat weet jij als geen ander. Hij genoot van het succes, maar het ging hem wel boven zijn macht. Ik denk dat hij ons en jou niet wilde laten merken hoe moeilijk hij het zelf soms had. Hij deed alsof hij geen steun nodig had. Was er de man niet naar om zijn stress op ons af te reageren... Maar ik kan me voorstellen...'

'Ik weet al wat je gaat zeggen.'

'Ja. Het is niet iets tegen jou geweest. Maar Mara deed hetzelfde werk, ging met hem op reis, was altijd beschikbaar als hij advies nodig had. Nogmaals, ik ga hem niet verdedigen...'

'Maar je had er wel begrip voor. Jullie. Jullie hadden er wel begrip voor. Dat hij getrouwd was, een dochter had, ach.'

'Je wilde een eerlijk antwoord.'

'Dat is waar. Dat heb ik gekregen. Heel veel dank daarvoor. En ook nog bedankt voor die fijne samenwerking in de jaren ervoor. Dat ik je altijd kon bellen als er iets was, en dat je me dan zo aardig doorverbond of mijn boodschappen aan je baas doorgaf... Heel fijn. Echt waar.'

'Verdomme, Lot! Ik wil er best langer met je over doorpraten, ik snap hoe jij je voelt...'

'Hoeft niet. Schattig aangeboden, maar ik weet genoeg. Doe iedereen de groeten van mevrouw De Wit, of blijf gewoon Lot Sanders zeggen. Hartstikke bedankt!'

Nog diezelfde middag was ik Donalds spullen gaan opruimen, in de hoop dat ik bewijsmateriaal zou vinden. In de agenda die hij in het jaar van zijn dood in gebruik had, stonden de verjaardagen van Joy en mij genoteerd. Alsof hij de data niet uit zijn hoofd kende. Niets over Mara. Ik doorzocht de zakken van zijn jasjes, als in de eerste de beste soap. Vond het papiertje van een hoestbonbon, een ongebruikte strippenkaart, een stick met lippenbalsem – die had ik zelf voor hem gekocht, hij had hem zo te zien vaak gebruikt. Dat ik geen briefjes vond, geen rekeningen was niet verwonderlijk. Donald was altijd al een opruimerige man geweest, iemand die de krant in de doos met oud papier legde als hij hem uit had, zijn giroafschriften meteen in een mapje opborg, post nog dezelfde dag beantwoordde. Ik was degene die alles liet slingeren. Die zonder boodschappenlijstje naar buiten ging en in de winkel niet wist of we nog rijst hadden, uien en koffie en dan maar weer nieuwe kocht. In de ijskast stonden drie potten augurken, waarvan één al over de datum. Chaos, overdaad en verspilling – sinds ik weer alleen was, alleen met Joy, probeerde ik iets meer op Donald te lijken. Gedragen kleren niet terug in de kast of op de stoel naast het bed, maar 's avonds al in de wasmand. Panty's met een ladder niet bewaren voor onder lange rokken, of om van twee halve kapotte een nieuwe hele te maken, maar in de vuilnisbak ermee. Ken jezelf. Als je weet dat je het inpakpapier niet nog een keer gaat gebruiken, hoe mooi het ook is, gooi het dan weg. Zorg dat er altijd reserveonderdelen zijn, gloeilampen, verlengsnoeren, stoppen, batterijen, kaarsen: 'Stel dat ik op reis ben en je zit het hele weekend zonder licht?' Ik kon het hem horen zeggen. Moest nu zelf het goede voorbeeld geven.

Voordat Joy uit school kwam, had ik drie vuilniszakken met zijn spullen gevuld en in de container op het plein gegooid. Tijdens het eten moest ik aldoor niezen van het stof dat ik bij de zoekactie had opgesnoven. De volgende dag had ik spierpijn, hoofdpijn, zere kaken, lichte koorts en mijn stem klonk schor. Griep die het denken verdoofde. Ik lag op de bank, een glas grapefruitsap binnen handbereik, en bladerde door de roddelbladen die ik 's morgens had gekocht. Overspel, bedrog en verraad werden weer woorden die hoorden bij de sterren. Ik had ze niet meer nodig. Ik had niemand nodig. Toen nog niet. Wanneer ben je volwassen?

In de tijd dat ze nog op zwemles zat, had Joy het altijd fijn gevonden dat ik haar hielp met uit- en aankleden. Toen was ze vijf, zes, zeven. Bij streetdance wil niemand ouderlijke assistentie. 'Ga nou, mam,' zei Joy al bij de eerste les en ze had gewacht met het losmaken van haar schoenveters tot ik achterwaarts over de drempel van de kleedkamer was gestapt. Ik moest naar haar blijven kijken. De blik als navelstreng.

Geen ferme knip, hij rafelde langzaam. Maar onverbiddelijk.

Inmiddels ben ik eraan gewend dat ze alleen naar de kleedkamers loopt, terwijl ik haar pasje laat scannen. Ik neem de trap naar het terras, groet andere ouders, degenen met bekende gezichten. Bestel aan de bar een flesje cassis, schuif een stoel naar de glaswand die uitzicht biedt op de dansvloer beneden, zie de meisjes achter hun dikke Surinaamse juf aan naar binnen wandelen. Iedereen is veranderd. De juf heeft namaakvlechtjes in haar haar laten weven, de kinderen zijn bruiner, blonder, sommige iets steviger, andere iets dunner dan voor de zomervakantie, maar ze zijn allemaal gegroeid. Dit is streetdance voor gevorderden. Door een luidspreker horen ook de toeschouwers op het terras juf Laetitia zeggen dat er dit trimester voor het eerst gewerkt gaat worden aan een echte choreografie en niet op zomaar een lekker deuntje: 'Niet dat meidengedoe, dames, dit wordt cóól!'

Ze drukt op de knoppen van de reusachtige gettoblaster in de hoek en door het hele pand schalt nu de hit waarmee Eminem voorgoed afscheid heeft genomen van zijn rapcarrière. 'When I'm gone', welja. De grote spijtbetuiging van de man die roem al die jaren belangrijker had gevonden dan zijn beloften aan vrouw en dochter. Ik had de videoclip een paar maal gezien. In een smoezelig, grauw lokaal zit een handjevol doodgewone Amerikanen bijeen om te luisteren naar de biecht van een ex-verslaafde en ten slotte te applaudisseren voor zijn moed en openhartigheid. Dan mag Eminem naar voren komen om zijn eigen verhaal te doen, dat niet over drank of drugs gaat, maar over de verslaving aan zijn eigen imago. Beelden van volle concertzalen en ruzies thuis wisselen elkaar af. Uitzinnige menigtes bejubelen de goed getrimde zanger in zijn zwarte glamourkostuum, maar als de gordijnen vallen is daar weer zijn dochtertje dat de man in joggingtrui en petje niet mag onderbreken bij het schrijven van zijn scherpe teksten: 'Daddy is busy, honey'. Het medaillonnetje dat zij hem als aandenken geeft, zodat hij op tournee aan mammie en haar kan denken, steekt hij onverschillig in zijn zak. Dochter Hailey reist in een droom haar vader achterna naar Zweden en zegt dat haar moeder haar polsen heeft doorgesneden. Zo kan het natuurlijk niet langer! Dat begrijpen de andere ex-verslaafden ook wel. Het publiek krijgt nog een wijze raad mee voor als hun held van de bühne en uit de charts verdwenen is – in de laatste shots staat Eminem in zijn slecht onderhouden tuin te zoenen met zijn vrouw, maar niet nadat hij de schommel met het stralende kleutermeisje een slinger heeft gegeven. Paradoxaal. Munt slaan uit je eigen tekortkomingen. Miljoenen ontroeren met de dramatische keuze tegen hen, en voor je geliefden. Klein geluk te grabbel gegooid, honderd keer uitvergroot; zelfs het verdriet van het meisje is in scène gezet, zij speelt zichzelf vlekkeloos na, wordt beroemd met haar o zo authentieke pijn om papa. Ook al had Donald me geleerd dit soort commerciële trucjes te doorzien, ik had liedje en clip de eerste keer best aardig gevonden en de tweede keer had ik ondanks mezelf een paar tranen voelen opkomen. Misschien was ik die avond moe geweest. Want de derde en vierde keer en ook nu, in de dansschool, na maanden, doet het nummer me niets.

Bij de meisjes beneden zie ik evenmin enthousiasme.

'Geef ze toch iets van Beyoncé of Christina Aguilera,' hoor ik de ene moeder tegen de andere zeggen.

De warming-up is begonnen. Joy springt in het ritme op en neer, benen wijd, benen sluiten, een klap boven haar hoofd en dan weer armen zijwaarts en gestrekt. Ik zie haar snauwen naar het meisje naast haar, dat geen maat kan houden en steeds met haar hand tegen Joys schouders slaat, juist als Joy weer opspringt.

Al na drie weken school heeft haar meester me apart genomen, me verheugd verteld dat Joy na de vakantie weerbaarder is geworden. Eindelijk reageert mijn dochter zich niet meer af op mij.

'Misschien begint ze de situatie te accepteren,' zei de meester. De situatie. De veranderde thuissituatie, zoals het nog in haar rapport werd genoemd.

Opeens schuift iemand een stoel naast de mijne. Ik ken haar niet, maar dit moet de vrouw van Berkman zijn. Ze heeft een jongetje bij zich dat op hem lijkt, hetzelfde gladde gezicht, dezelfde uitdrukkingsloze grijze ogen, dezelfde verwende trekken om de mond. Hij blijft in de buurt van de bar zitten, verdiept in een *Donald Duck* uit de leesmap. Alles in zijn houding drukt protest uit. Rot op met die stomme hobby van mijn zusje.

'Dus de jouwe is ook door naar gevorderden.'

'Ja.'

'Het is toch dat meisje met die donkere staart, hè?'

'Ja. Joy heet ze.'

'Ja, zie je wel. Sophie, die van mij, vindt haar erg leuk.'

Ik heb Joy nog nooit over een van de meisjes van dansles gehoord. Ze vermaakt zich met hen, maar hoeft met niemand vriendinnen te worden. Een paar klasgenootjes en nu Esther, die ze in de Algarve heeft leren kennen, daar blijft het bij. Ze zijn blijven mailen en soms bellen ze elkaar. Volgend weekend mag Joy bij haar logeren, in Oegstgeest.

'Ik zal me even voorstellen. We hebben al zo vaak hier gezeten. Petra. Petra Berkman. Mijn man ken je. Jullie werken voor hetzelfde blad.'

'Dan hoef ik me niet meer voor te stellen. Maar ik ben Lot Sanders.' Ik geef Petra een hand. We lachen naar elkaar, verlegen. Omdat ze me maar blijft aankijken, durf ik geen slok van mijn cassis meer te nemen. Geslurp uit een rietje – ik lijk zelf wel een kind. Petra Berkman drinkt thee. Ze is net zo gezond bruin als haar man. Grijze merkspijkerbroek, rode katoenen gympen die er goedkoper uitzien dan ze zijn geweest, een corduroy colbert in dezelfde kleur rood, een zwarte omslagdoek met geborduurde bloemen, gouden oorstekers.

'Mijn man is goed met je bevriend, hè?'

'Bevriend?'

'Het geeft niet dat dat zo is. Liever met jou dan met zo'n meisje.'

'Ik weet niet waar je het over hebt.'

'Hij is minstens twee, drie keer bij je geweest. De eerste keer na een borrel van het blad, de tweede keer... En de derde keer in de vakantie. Toen is hij een hele nacht... Nogmaals, het geeft niet. Hij heeft wel vaker iets met een... met een ander. Je bent echt niet de enige, als je dat soms denkt.'

'Dat denk ik ook niet.'

'Ik lees zijn dagboeken. De eerste jaren niet, natuurlijk niet, ik was en ben ook geen achterdochtig iemand, ik wilde weten hoe ik hem kon helpen. Hij is soms zo onbenaderbaar. Over zijn hoerenbezoek schrijft hij trouwens niks. Maar ik ben hem wel eens gevolgd en toen... Nou ja, het gaat steeds weer over.' Ze kijkt afwezig naar de springende meisjes in de diepte. 'Ik beticht je nergens van. Hij kan goed met je praten.'

'Schrijft hij dat?'

'Dat schrijft hij ook aan jou, in zijn mails. Je maakt dingen los.'

Petra vraagt nog net niet 'Wat heb jij wel dat ik niet heb?', maar de vraag hangt om haar heen, als een sterk, bijna agressief parfum.

Dingen losmaken is, hoe vreselijk de uitdrukking ook is, mijn beroep. De laatste bij wie ik aan werk denk is Wieger Berkman. Bij hem heb ik meer over mezelf gepraat dan bij wie ook. Zijn oordeel kan me weinig schelen. In het licht van zijn eigen ondeugden valt alles wat ik vertel nog mee. Misschien heb ik zelfs wel zoveel bij hem durven zeggen omdat ik wist: jij bent chantabel. Eén roddel over mij en ik kan hem zwartmaken bij iedereen die nu nog tegen hem opziet, in de eerste plaats bij zijn vrouw. Dat ze weet dat ze wordt bedrogen, neemt me voor haar in.

'Lot?'

'Ja?'

'Is er echt niks gebeurd?'

'Nee. Als je de dingen hebt gelezen die ik aan hem heb geschreven, dan weet je ook hoe ik over hem denk. Over mijn overleden man, over... liefde, seks, al die onzin.'

De volumeknop wordt weer opengedraaid. Het teken dat de les over een paar minuten is afgelopen. Eminem roept dat een goede song zichzelf niet schrijft. En even later: 'Rejoice every time you hear the sound of my voice.' Op sommige momenten in de clip had hij het gezicht van de jonge Graham Greene. Vertwijfeld en getergd, maar tegelijk spits, geestig. Te wakker. Je kon ook te wakker zijn.

Petra staat op en wenkt haar zoon, die zuchtend het tijdschrift op de tafel teruglegt.

'Je was bang, die nacht dat je hem uitnodigde. Toch?'

'Doodsbang.' Ik vertel haar kort over mijn artikel over Yassin, de onthoofdingen, de rare afspraak van het drie keer aanbellen en het weggrissen van de spullen op de trap. Petra weet alles. We lopen zij aan zij naar beneden, naar de hal. Onze dochters zijn nog niet klaar. De jongen zegt dat hij alvast zijn fiets gaat losmaken, hij wacht buiten.

'Ik ben er niet over begonnen omdat ik van jou dingen over Wieger wil weten. En ook niet om je het idee te geven dat ik je doorheb. Of volg, of zo. Of bevriend met je wil worden, terwijl ik eigenlijk een hekel aan je heb. Dat is het allemaal niet. Dat stadium... Ik heb wel eens met een vriendinnetje van hem... Daar maak je jezelf zo belachelijk mee! Maar ik vind het... sorry dat ik het zeg... zo kut voor je. Ik word bedrogen, jij werd bedrogen. Het verschil is dat ik het weet. Dat ik, als ik het niet meer aankan... Ik wíl niet weg, maar het kan. Blijf ik, dan moet ik niet klagen. Ik weet wat er aan de hand is en toch kan ik ermee leven, omdat er zoveel is wat Wieger en mij...'

'Bindt.'

'Ja. Bindt. Klink ik nu erg truttig?'

Joy komt de trap af. Met een rood hoofd. Flonkerende ogen.

'Het is zo stom dat jij er nu pas achter bent. Wat je man heeft gedaan. Zo stom. En ik vind het gewoon heel erg voor je, dat is alles.' Ze vangt haar eigen dochter op. Het meisje veegt haar bezwete hoofd af aan de sjaal van haar moeder en duwt Petra naar buiten. 'Dat wou ik je even zeggen,' roept Petra nog. 'Van jou weet ik verder echt niks en dat moet vooral zo blijven. Maar besef dat ik... Je snapt het wel, hè?' Ze wuift. Ik wacht met het losmaken van mijn eigen fiets tot zij en haar kinderen de straat uit zijn.

Mijn verontwaardiging over Berkmans ontrouw is voor niets geweest. Namens zijn vrouw heb ik hem het vuur aan de schenen gelegd, maar zij is volledig op de hoogte. Niemand heeft wat aan mij. Ik kan het voor niemand opnemen. Ikzelf en niemand anders ben de underdog die hulp en verdediging nodig heeft. Zelfs in de ogen van een vreemde ben ik zielig. Zieliger dan wie ook. Het kan niet anders of Petra weet ook dat haar man in mijn opdracht Mara Styler uithoort en dat moet toch tot leedvermaak stemmen. Zij is 'dat stadium' allang gepasseerd. Fijn dat er vrouwen bestaan die het nog erger hebben dan zij. Die zo naïef zijn om juist een onbetrouwbare man op een ontrouw-zaak te zetten.

Iedereen is wakkerder dan ik. Dankzij mij kan iedereen zich beter voelen, superieur. Heeft mijn treurnis toch nog een functie. Op dezelfde manier was Donalds leven niets zonder andermans armoede, honger, onrechtvaardigheid. In een gezonde wereld was hij alleen maar een sukkel geweest. Een kwezel, een watje. Levensbang.

*

De jonge kunstenaars kunnen maar niet tot een inhoudelijk debat komen. Acht zitten er op het podium, en alle acht willen ze iets anders. De Poolse architect vindt het belangrijk dat de eigen wortels niet worden vergeten, verdoezeld, want dan maak je je schuldig aan dezelfde misdaad die de communisten vroeger... De Italiaanse cineaste is het met hem eens, maar wil ook kijken naar de problemen van vandaag. Hoe gaat Europa om met de islam? Kan een katholiek land als Italië beter uit de voeten met de komst van de oosterse religie dan het geseculariseerde Nederland? Hoe zit dat met Frankrijk en Groot-Brittannië? De Engelse beeldend kunstenaar heeft daarop geen antwoord, want hij blijft het maar over cyborgs hebben, over sciencefiction en de voorspellende kracht van artistiek geformuleerde doemscenario's. Wat met *1984* en *Brave New World* was gebeurd, gebeurt tegenwoordig elke dag en Engelse kunstenaars hebben het patent op een vooruitziende blik. In Zagreb is speelsheid troef. 'Making fun' de oplossing voor alle oorlogstrauma's. Daar is de Duitse schrijver het uiteraard niet mee eens. Fuck de luchtigheid-an-sich; humor moet altijd zelfspot zijn, afstevenen op de rotte plek in het collectieve onderbewustzijn van een natie. Weet men trouwens dat Goebbels een groot voorstander van luchtigheid

was? Entertainment is de eerste stap naar vergetelheid, hypnose...
Berkman is blij dat hij zijn zin heeft doorgedreven en een beroemde televisiepresentator vandaag de gespreksleider is. De man weet
de uiteenlopende antwoorden in zijn tussentijdse samenvattingen
alsnog bij elkaar te brengen, zodat het niemand opvalt dat hier een
stelletje navelstaarders aan het woord is, ieder van hen doof voor de
inbreng van de anderen, alle acht onkundig van elkaars recente politieke geschiedenis.

Straks bij de lunch zullen de genodigden, Europolitici uit Brussel
en Straatsburg, Berkman complimenteren met de organisatie van
dit congres. Net als de gisteravond, tijdens de borrel na het Cine-
maropa-evenement, waarbij in de verschillende zalen films van en
over de jonge artiesten zijn vertoond. Zijn finest hours – ditmaal
geen literatuurwetenschappertjes uit Groningen en Leuven naast
een pas afgestudeerde Rietveld-flapdrol en een popjournalist van
het NRC *Handelsblad* in een gesprek over religie, voor een handjevol
nietsnutterige leken dat ook nog eens korting op hun kaartje heeft
bedongen.

Een congres als dit is het echte werk. Speelt men. Natuurlijk onthoudt geen enkele beleidsmaker ook maar iets van het gebabbel van
de artiesten, laat staan dat je hun ideetjes ooit terugziet in wetten en
beslissingen – maar voor de kunstenaars staat een optreden als Eu-
rohofnar goed op hun cv en voor de politici onderstreept hun aanwezigheid alhier de waarde die ze hechten aan zaken van de geest;
binnen- en buitenlandse media zijn in groten getale uitgerukt om
uit de monden van 'hun' vertegenwoordigers een paar diepzinnig-
heden op te tekenen.

Als Berkman volgend jaar een vervolgcongres mag organiseren, kunnen de deelnemers genieten van het nieuwe interieur. Misschien verhogen de door Mara uitgekozen meubels en kleuren inderdaad de sfeer, maar zeker is wel dat de gesprekken niet meer alleen over de eigen problemen en prestaties zullen gaan. Azië, Afrika
en de Arabische wereld bestaan ook nog, politiek onrustige, maar
vooral armoedige continenten, en ze hebben Europa hard nodig.
Wordt het niet hoog tijd de blik naar buiten te richten? Nog maar
een week geleden heeft Berkman een column geschreven over een
documentaire die hij rond middernacht had gezien: de wereld tel-
de 246 miljoen kinderarbeiders en maar enkele werden in beeld gebracht. Genoeg om met argwaan naar je eigen shirts te kijken, je

sportschoenen, het speelgoed van je kinderen. Waarom werd zo'n film niet op primetime vertoond? In zijn stukje had hij een lijstje gemaakt van de programma's die diezelfde avond om half negen door de commerciële en publieke omroepen waren uitgezonden. Een quiz, een datingshow, een politieserie, een medisch programma met het thema voedselallergie. Allemaal kijkwaardiger dan 246 miljoen kinderslaven, was zijn snelle conclusie.

Zowel Petra als Mara was trots op hem geweest. Dit was de koers. Maar op dit ogenblik, op zijn eigen congres, voelt Berkman zich ellendiger dan hij zich in jaren heeft gevoeld. Welke koers je ook kiest, het maakt niets uit. Je blijft dobberen op inktzwart water, traag en dik als olie. Te veel stemmen gonzen in zijn oren. Vertellen hem in het Duits, Frans, Spaans, Italiaans en Engels dat hij een meester-organisator is, een groots lobbyist, een kenner van de hele Europese cultuur en daarbij: iemand die weet hoe een goed evenwicht tussen inhoud en vermaak te bewaren. Grandioze, on-Hollandse catering! Niet een paar kleffe broodjes maar een lunch met prachtige visgerechten, een dinerbuffet met de ene avond Zuid-Europese, en de andere avond Oost-Europese delicatessen. Experimentele poëzie als intermezzo. Herinneringen aan Auschwitz naast toekomstdromen over interactieve Gesammtkunstwerken. Klezmer en house, Britten en Bartók, Celtic Voices vermengd met Amsterdamse ghetto-rap of hoe dat heette...

Berkman hoort de Christus-stem in Bachs *Johannes Passion* 'Es ist vollbracht' zingen. Kapot is hij, gebroken. Leeg. Leger dan ooit. Dood en zonder eetlust, zelfs zonder de behoefte aan een vlucht in seks, in de omhelzing, de mond, de kut van een vreemde – hij is nu werkelijk oud en heeft niet het verlangen ergens nieuw en anoniem te zijn, een fascinatie op te wekken voor de man die mogelijk in hem schuilgaat en die hijzelf nog niet kent. Hij schaamt zich dat hij het nog tot voor kort spannend vond om juist bij gewichtige bijeenkomsten weg te lopen, met een gaste die haar kunstje al had vertoond, met andermans secretaresse – of anders naar de Ruysdaelkade te fietsen, voor een vakkundige blowjob in minder dan drie minuten. Een kind geniet ervan te spijbelen, maar hij is zo'n kind niet meer.

In de pauze wringt hij zich naar buiten. 'Ze hebben paling in het groen! Daar ben jij zo dol op!' roept een van zijn medewerksters hem nog na, maar hij antwoordt dat hij nog iets op kantoor moest regelen: 'Je hoeft niets voor me apart te houden, ik moet de mail checken, dat stuk voor de krant corrigeren, over één, twee uur, als het programma verdergaat, ben ik weer terug.'

In het kantoor is het stil. Berkman zet het raam open, steekt een sigaret op. Hij denkt aan de nacht die hij bij Lot heeft doorgebracht. Ze was angstig, had behoefte aan gezelschap. Tot 's morgens negen uur. Het was allesbehalve een oneerbaar voorstel geweest. Ze hadden whisky gedronken, de smaken ervan proberen te benoemen, gepraat. Lot had het liedje gedraaid dat Donald ooit tot het hunne had bestempeld. 'And I love her' van The Beatles. Dat had hij op een van de laatste nachten in Mali voor haar gezongen, nadat hij klaar was met het werken aan zijn plan, en zij was uitgepraat met hun gastgezin. 'To all the stars that shine... Dark is the sky-ai, I know this love of mine, will never die-hai, and I love her...' Een suikerzoete ballad, die haar terugbracht naar de wonden aan zijn voeten, naar een stemming die ze alleen met het woord eerbied kon omschrijven. Heel voorzichtig had Berkman Lot gevraagd of ze echt alles wilde weten van de verhouding tussen Donald en Mara. Ze had geknikt. Daarna had hij, even voorzichtig, verteld dat Mara hem naar hetzelfde liedje had laten luisteren. Ja, het was ook van Donald en zijn minnares geworden. Lot had het niet op de uitvaart laten klinken omdat ze deze intimiteit niet met familie en die lui van BrotherFood had willen delen – voor Mara was het uitblijven van het liedje een teken geweest dat het exclusief van haar en de dode Donald was geweest.

Berkman had het verschrikkelijk gevonden om Lot zo'n pijn te moeten doen. Dit was waar hij zich altijd verre van had gehouden. Sommigen leefden hun leven zó dat ze niet gekwetst konden worden, Berkman leefde om niet te kwetsen. Zwijgzaam als het zo uitkwam. Steevast met oog voor nuances. Als hij sprak of zijn visie opschreef bleef het woord Nooduitgang helgroen in zijn bewustzijn oplichten; hij moest kunnen wegsluipen, niet alleen om zichzelf ergens anders terug te vinden, in volle eenzame glorie, maar ook om lezers en toehoorders tegen wat of wie dan ook, tegen zíjn inzichten, zíjn waarheid, tegen hemzelf in bescherming te nemen. Morgen vond hij toch weer iets anders dan vandaag, waarom dan iemand martelen met wat hij wist en dacht?

Rond vier uur 's nachts had Lot rode ogen gekregen en gaapte ze na elke zin. 'Je bent moe,' had Berkman gezegd. Zelf was hij allang over zijn slaap heen.

'Ja. Jij niet, hè? Maar jij leeft ook veel gezonder dan ik. Je rookt minder, je sport.'

'Je bent ook moe van de angst. Als je wilt, moet je gewoon naar bed gaan.'

'Ga jij maar. Je mag in mijn bed slapen. We hebben geen logeerkamer. Je kunt natuurlijk ook in de hoogslaper van Joy... Of ik ga in het bed van Joy en jij in het onze. Het mijne.'

'Je wilt toch dat iemand de wacht houdt?'

'Ik weet het niet meer. Wat ik wil.'

Berkman was blijven zeggen dat ze gerust kon gaan slapen. Zolang als ze wilde. Als straks de bel drie keer ging, zou hij opendoen, hierboven, in de deuropening luisteren of Yassin de spullen van de trap pakte, en weer naar binnen gaan. 'Echt?' had Lot gevraagd, met tranen van ontroering in haar ogen.

Ze had op haar boeken, cd's en videobanden gewezen en gezegd dat hij alles mocht bekijken. Was naar haar slaapkamer gegaan, snuivend als een renpaard na de race.

Een slaaptekort van maanden, had Berkman gedacht. Misschien het begin van een burn-out, maar het leek hem niet verstandig dat te opperen. Lot had gevraagd of hij Mara aantrekkelijk vond. Of hij met haar naar bed was geweest, of dat graag wilde. Hij had de vragen met nee beantwoord. In plaats van opluchting bespeurde hij wantrouwen. Daarom had hij nog een keer herhaald hoe hij Mara aan de praat had gekregen, bij wijze van verhaaltje voor het slapengaan. Eind goed, al goed: Mara had beweerd dat zij verliefder op Donald was geweest dan hij op haar.

Het kan me allemaal niets meer schelen, had Lot gezegd voordat ze de kamer verliet. Maar een kwartier later stond ze weer binnen, in een dunne, blauwgestreepte herenpyjama die niet van haar man geweest kon zijn – daarvoor was hij te klein. Ze had vergeten haar tanden te poetsen. Ze wilde nog een laatste sigaret. Berkman drukte op de pauzeknop van de dvd-speler. Maurice Bendrix en Henry Miles, de wettige echtgenoot van Sarah, waren elkaar zojuist tegengekomen in het park. Het was donker, avond, en het hoosde van de regen. Toch liepen ze rustig voort, om bij te praten; Miles onkundig van het overspel dat zijn vrouw met Bendrix... Bendrix, die niet wist waarom de overspelige Sarah hem zo plotseling verlaten had. Twee mannen die van dezelfde vrouw hielden en allebei niet begrepen waar ze nu mee bezig was. Miles geloofde dat er iemand anders in het spel was, Bendrix, die zelf geruime tijd 'iemand anders' was geweest, zou ook gaan geloven dat er iemand anders in het spel was.

'Ik wist wel dat je die film zou gaan kijken.' Lot was op de grond gaan zitten. Ze was eruit gekomen, niet alleen omdat ze haar tanden nog moest poetsen, maar ook omdat ze nog had liggen nadenken, even maar, over dat liedje van The Beatles.

'Eigenlijk is het hem ook niet kwalijk te nemen. Dat hij voor haar precies hetzelfde liedje koos als destijds voor mij. Het geeft aan hoe onhandig Donald is. Was. Hoe beperkt. Innerlijk. Noem het fantasieloos. En ik dacht ook nog: die tekst! Het liedje is niet aan een "you" gericht, het gaat over "her". Over "she". Geen liefdesverklaring, nee, de zanger brengt zichzelf te binnen dat hij van iemand houdt. Alsof hij dat hardop moet zeggen omdat hij het anders vergeet. Nou ja, voor een uitgebreide analyse is het een te simpel versje, met die sterren en die donkere hemel, maar het zegt veel over Donald. Het syndroom van Asperger, ken je dat? Daar heb ik wel eens een programma over gezien en... Die mensen zijn vaak heel intelligent, maar hoe ze hun emoties moeten uitdrukken weten ze niet. Dus leren ze dingen uit hun hoofd. "Als je verliefd bent, heb je samen een liedje." Natuurlijk had Donald dat syndroom niet. Hij kon heel goed verwoorden... zijn medeleven met de hele wereld eigenlijk wel. Die emoties waren oprecht. Daar handelde hij naar. Adequaat. En goed luisteren, dat kon hij, en hij wist hoe hij op problemen moest reageren, hoe hij moest troosten. Ook mij. Hoe hij mij... Maar dat is nog iets anders dan jezelf kunnen uiten. Hetzelfde liedje. Als hij niet al dood was, had ik hem vermoord. En toch... Het is zo exemplarisch voor zijn gestuntel, dat het me ook ontroert. In een artikel zou ik het zeker hebben gebruikt. Om zonder al te veel gepsychologiseer iets te tonen, iets wezenlijks, van zijn karakter. Om hem menselijker te maken. Het zit in die kleine dingetjes. Dat je het gaat begrijpen. Dat je misschien zelfs wel op het punt komt dat je iemand... Ik weet het niet. Vergeeft.'

Daar zat ze. In kleermakerszit op de vloer. Een klein, moe, bang, verkouden, zweterig meisje van midden dertig, in een herenpyjama. Op de televisie nog steeds het trillende beeld van de mannen in hun regenjassen, Bendrix in een lichte, Miles in een donkere, met hoed en paraplu.

Berkman had zich het ogenblik herinnerd waarop Lot hem had

betrapt. De manier waarop ze hem had aangestaard had hem woedend gemaakt. Alsof ze hem al tijden volgde, op hem had gewacht, dicht bij zijn fiets, tot hij terugkwam en het slot zou losmaken, om hem dan met één blik te beschuldigen. Door haar aanwezigheid in de buurt van de Ruysdaelkade, door haar veroordelende houding had hij alles onthouden van de hoer die hij die middag had bezocht. De wit satijnen bh die in het rode licht bijna mystiek violet had geleken, maar in de peeskamer, achter gesloten gordijnen en bij gewoon lamplicht, weer een goedkoop stukje stof bleek. Het blonde vlashaar, de rode adertjes op haar wangen, de onregelmatigheden in haar gebit, de te korte ondertanden. Spoortjes zuurstokroze lipstick in de barstjes van haar smalle lippen. De dwingende zeepgeur die haar eigen lichaamsgeur camoufleerde. Haar korte, magere beentjes, de uitzonderlijk vlezige knieën die door de boorden van haar witte puntlaarsjes werden opgeduwd. Witte kousen, wit jarretelgordeltje, op sommige plekken was het kantrandje gerafeld. Marktkraamlingerie. Felblauwe, loensende ogen, opgemaakt in drie tinten paars. Sandra heette geen Sandra, dat wisten ze allebei. Sandra praatte Algemeen Ordinair Amsterdams, maar met een Oostblok-accent. Agnieszka, zo kon ze heten. Of Olga. Of Maria. Iemand die misschien zelfs een jaar had gestudeerd, voor de vorm, omdat haar ouders ervoor hadden kromgelegen, hun dochter een grootse toekomst gunden... Ze had het bedachtzame van iemand die in haar vrije tijd nog wel eens een boek las, niet om zich te ontwikkelen maar gewoon, omdat ze met literatuur was opgevoed. In het kamertje lag geen boek. Berkman en Sandra waren overeengekomen dat ze hem eerst zou pijpen, maar vlak voor het einde wilde hij in haar. Neuken dus. Andere termen waren er niet voor.

Ze kleedden zich uit, met zijn rug naar haar toe had hij een condoom omgedaan. Opeens zag hij dat onder de wastafel een hondenmand stond. Daarin lag een witte bullterriër te slapen; de ogen waren gesloten.

Bijna was zijn lid verslapt. Wat als dat beest straks, als hij op het bed zat en Sandra zijn pik in haar mond had, wakker werd en uit zijn mand zou komen? Het was toch verboden, huisdieren in een bordeel?

Moest het dier degenen met een voorkeur voor bestialiteiten bedienen? Sandra had hem op de schouder getikt, als om te vragen of hij zich wilde omdraaien, naar haar toe. Ze duwde hem op het bed, terwijl ze zijn pik vasthield, tussen haar kleine borstjes heen en weer wreef. Ze nam hem in haar mond, zoog en likte in opperste concentratie. Tikte met haar tong tegen zijn in rubber verpakte eikel, nam vijf, zes plagerige hapjes met haar lippen om haar tanden, alles werktuiglijk, professioneel, zoog hem weer diep naar binnen – Berkman bleef naar de mand met de hond kijken, maar zonder nog langer angst te voelen; Sandra wist precies hoe hij het lekker vond, hij hoorde zichzelf kreunen, ze had hem losgelaten, was gauw gaan liggen, de benen gespreid, iets omhoog met haar bekken, zodat hij zijn kloppende geslacht moeiteloos bij haar naar binnen kon schuiven. Zijn overhemd had hij aangehouden, maar tijdens het stoten trok zij het omhoog, alsof ze net zo graag als hij hun naakte buiken tegen elkaar aan wilde voelen, ze streelde hem daar, keek hem aan, vriendelijk, loom, en vlak voordat hij ging komen zei ze dat hij een mooie man was. Of die opmerking recht uit het hart kwam, deed er niet toe. Voor verlegenheid was hij al te ver op dreef geweest, hij moest nu klaarkomen, kwam, onderdrukte een kreet, viel tegen haar aan, ze had zijn haar vastgepakt, erdoorheen gewoeld en hem weer zacht van zich af geduwd. Toen hij overeind was gekomen, had hij gezien dat de hond nog steeds sliep, of opnieuw sliep, want wie weet had hij als een voyeur meegekeken naar zijn bazinnetje Sandra-Agnieszka en haar trucjes bij klant nummer zoveel. Dit was natuurlijk ook een manier om een hondenfobie te boven te komen. Opwinding verdreef de angst. Hij had het volle condoom in de vuilnisbak gegooid, zich gewassen en aangekleed, betaald. Over zijn schoonheid had het oudere meisje niets meer gezegd, maar toch kon Berkman zich goed voorstellen dat hij iedere hoer een plezier deed met zijn komst. Hij was nooit veeleisend, had geen rare wensen, stonk niet, was slank en lenig, beschaafd – of je dat mooi moest noemen wist hij niet, maar walgelijk kon geen vrouw hem vinden.

Toen hij buiten stond had hij willen roken, maar in plaats daarvan was hij gauw naar zijn fiets gelopen, die hij in een zijstraat in het rek had gezet – een sigaret kwam straks wel, voor de ingang van de dojo waar Bruno zijn karatelessen had.

In deze buurt mocht hij niet betrapt worden. En hij werd toch betrapt. En de eerste dagen nadat Lot hem zo grimmig had aangekeken, had hij haar in gedachten geregeld verward met de bullterriër in de mand onder de wastafel.

Zij was die hond geweest. Zij had alles gezien. Ze zou zich nog een tijdje slapende houden, en dan plotseling overeind komen, neus in de lucht, op hem afstormen, hem tegen een muur drijven, eerst bijten in zijn broekspijp, dan bijten in zijn been, en vasthouden, vasthouden, tot hij lam was van de pijn, de angst voor nog meer pijn, voor geweld, ze zou hem opvreten... Berkman had bedacht hoe hij haar steeds een stap voor zou kunnen blijven, zijn strategie had gewerkt, nog altijd nam ze hem kwalijk dat hij ontrouw was, nog altijd hingen haar vragen in de lucht, maar hij bleef meester van de situatie en hij had haar zover gekregen dat ze hem meer over zichzelf vertelde dan dat ze informeerde naar zijn intieme... Als het al intiem was, zijn seks. Het was eerder het tegendeel van intiem, of misschien was seks voor hem de enige manier om intiem te worden met zichzelf.

Lot zat daar, in haar pyjamaatje op de grond, en opeens had Berkman begrepen dat zij hem niet opzettelijk had betrapt. Dat ze hem niet haatte zoals honden hem leken te haten. Ze was verbaasd geweest, net zo geschrokken als hij.

Hij was zelf het slapende beest, dat desondanks alles had gezien, gehoord, geroken, onthouden – en Lot had het door haar aanwezigheid daar op het pleintje per ongeluk gewekt. Al die jaren dat Berkman zijn driften had uitgeleefd, ver uit de buurt van zijn vrouw, die alles van hem wilde begrijpen en verklaren, al die jaren dat hij met vreemden had geneukt, zich bij vreemden had afgetrokken, zogenaamd om vergetelheid te vinden, had er een camera meegelopen. Alles was geregistreerd. Door hemzelf. Beveiligingscamera's, duizenden banden waarop niet alleen seks, masturbatie, hoerenbezoek, maar ook iedere geile gedachte was vastgelegd.

Berkman had zichzelf bespioneerd, om zichzelf voor het blok te kunnen zetten. Vroeg of laat. Lot Sanders was geen politieagent. Geen rechter. Niet eens een jachthond.

Ze was iemand die, hoewel doodmoe, nog had nagedacht over een zo kwetsende mededeling als die over hetzelfde liefdesliedje, en tot de conclusie had durven komen dat het hergebruik van dat persoonlijke 'dingetje' iets zei over de aandoenlijke gebreken van haar overleden man.

De film speelde alweer toen hij haar op de gang hoorde vragen: 'Kom je me nog even instoppen?'

Berkman had de dvd voor de tweede keer op pauze gezet, was haar achternagelopen en had op haar slaapkamerdeur geklopt. Hij was naar binnen gegaan, voorzichtig, zoals hij de kamers van zijn kinderen in ging. Er brandde geen lampje. Lot beweerde dat ze nergens om had gevraagd, maar hij pakte de boord van het dekbed en trok het iets hoger, tot over haar schouders. Het was nog steeds veel te heet om onder een deken te slapen, de overtrek was klam van het zweet van vorige nachten, rook zoetig, zurig, alsof het bed in geen weken was verschoond. Lots luchtje. Verwant aan de geur van Sophies duimlapje, aan die van het pluchen varkentje waarmee hijzelf had geslapen in La Paz, en later in Den Haag. Hij dacht aan het oortje dat dun was geworden van alle keren dat hij het onder zijn neus heen en weer had laten gaan. Biggy was roze geweest, en later geel geworden, bruinig, grijs. Kleurloos als zijn herinneringen aan zijn geboorteland. Als zijn heimwee, dat ook algauw tot op de draad versleten was.

Berkman was gaan zitten, op de rand van het bed. Op Donalds kussen. Of misschien lag ze juist zelf op Donalds plek, om zich dichter bij de dode te weten.

Lot zei niks. Berkman aaide over haar hoofd. Merkte dat hij zelf slaperig werd. Van de warmte, het duister, de geur, de contouren van het in elkaar gerolde lichaam onder het dekbed. Gewoon tegen haar aan liggen, dat wilde hij – maar hij had beloofd de wacht te houden en over twee, drie uur zou die moslimextremist aanbellen. Iemand moest hem opendoen.

'Weltrusten,' had hij gezegd. Gefluisterd. Met zijn duim had hij een kruisje op Lots voorhoofd getekend, zoals veertig jaar eerder zijn kindermeisjes dat bij hem hadden gedaan. Gebaar dat hij tot dan toe vergeten was.

'Dankjewel,' had Lot teruggefluisterd. Ze zei het die ochtend weer.

Nadat hij Yassin had opengedaan en zich ervan had vergewist dat de jongen alle spullen op de trap had meegenomen, had hij in Lots tas naar haar huissleutels gezocht. Hij was de deur uit gegaan, naar de dichtstbijzijnde bakker gelopen en had broodjes belegd met ei, ham en kaas, croissants, muffins met blauwe bessen, en een flesje verse jus d'orange gekocht. Voor Petra had hij dat nooit gedaan, voor niemand. De ene keer werd er voor hem een ontbijtje gemaakt, de andere keer waarschuwde een vrouw hem tevoren dat ze 's morgens niets at, hoogstens wat fruit. Om naast de altijd actieve Wieger Berkman niet lui te lijken, was geen van zijn vriendinnen ooit langer blijven liggen dan hij. Zijn vrouw sliep wel eens uit, maar alleen als ze zeker wist dat hij al weg was, naar zijn werk, naar school met de kinderen, of om te sporten. Alsof ook zij het gênant vond door hem gewekt te worden.

Lot had zich geschaamd. Elf uur al, en al die tijd was hij voor haar opgebleven. Zij, die zo bang was geweest, had de bel niet eens gehoord. 'Ik durf haast niet te zeggen dat ik in geen tijden zo heerlijk heb geslapen. Ben je niet bekaf? Heb je de film nog helemaal uitgezien? Slecht einde, vind je ook niet? Ken je het boek? Ja, natuurlijk ken je het boek, dat zei je gisteren nog.'

Hij was inderdaad bekaf geweest. Te moe om veel te praten. Ze aten samen, dronken koffie. Achter de nog steeds gesloten gordijnen werd het donker; na een laatste zomerse ochtend zou nu dan de omslag komen die de dag ervoor was aangekondigd. Het eerste gerommel van de donder. Regen. Thuis zou Berkman bijslapen, om 's avonds genoeg kracht te hebben voor de rit naar Frankrijk. Dat zei hij niet. Dat had hij niet gezegd. Zo moet een ochtend zijn, had hij gedacht.

Een paar honderd meter verderop is zijn congres in volle gang en hij zit op zijn kantoor, in zijn werkkamer, en trekt zich terug in de herinneringen aan een ontbijtje in augustus, na een rare, lange nacht. Hij is het aan Lot verschuldigd dat ze nu gauw alles weet. Al drie weken heeft hij Mara niet meer lastiggevallen met vragen naar haar verhouding. Hij had het te druk, Mara was vooral bezig met het project en ook Lot vroeg nergens naar. Ze weten allebei dat er meer moet zijn. Mara had Donald willen redden. Waaruit?

Omdat hij aan Lot denkt, haar plotseling graag wil terugzien, liefst meteen na dit congres en nog voordat hij naar York vertrekt, omdat hij vindt dat ze bij hun eerstvolgende ontmoeting recht heeft op alles, op het hele verhaal, belt hij Mara. Met tegenzin. Hij heeft de afgelopen dagen te veel moeten praten, te veel geluisterd. Maar juist omdat hij toch al murw is, kan dit er ook nog wel bij. Maak maar lust, zegt hij tegen zichzelf. Ga maar met dat dikke Britse lijf naar bed, gewoon aan iets anders denken, maar nu moet ze over de brug komen. Nu. Wat bedoelde Mara met de hel? Iets verschrikkelijkers dan zijn nutteloze congres, dat staat vast, en Donald stond met één voet in die hel. Op de rand van de afgrond, dat kan ook. De beperkingen van het gesproken woord.

*

De moeder van Donald loopt de tuin in. Ik sta achteraan bij de heg en hark er de eerste bladeren onder vandaan. Nog twee, drie middagen en dan is de tuin winterklaar, wat betekent dat ik tot begin maart minder vaak op bezoek hoef te komen. Ik ga ervan uit dat mijn schoonmoeder me komt zeggen dat de thee klaar is, thee, terwijl ze toch al jaren weet dat ik liever koffie of iets fris drink, maar ze vraagt niets. Kijkt naar de grond, mijn schoenen, het hoopje bladeren in de hoek.

'Is er wat?'

'Annemiek ligt in het ziekenhuis. Haar buurvrouw belde net.'

'O.'

'Ze is met rolstoel en al gevallen. Gekanteld. Haar hoofd tegen een tafelpunt. Gelukkig had ze dat alarmding om. Service, hoor. Ze stonden meteen op de stoep. Alleen die sukkel van een... Nee, dat mag ik niet zeggen. Dat. Mag. Ik. Niet. Zeggen. Het is gelukkig een oppervlakkige wond. Hij moet gehecht, dat wel.'

'Een hersenschudding?'

'Een lichte.'

'Hebt u al een kaarsje opgestoken, gebeden?' Mijn schoonmoeder lijkt doof voor het venijn in mijn vraag. Ze knikt. Naar eigen zeggen bidt ze de hele dag, voor iedereen, voor de minister-president zo goed als voor de bakker, voor woedende Palestijnen en Irakezen op het *Journaal,* voor Israëli's en Amerikanen, voor quizmasters en talkshowleiders, voor haar Turkse postbode die een kind met een hazenlip heeft, voor de werkster die ze niet verstaat en anders voor alle doden die ze kent. Bezigheidstherapie. Ze heeft, nadat ik haar erover verteld had, zelfs gebeden voor Guus en voor het Marokkaanse gezin dat hun moeder onder de wielen van Guus' bus had verloren – baat het niet dan schaadt het ook niet en dat de nabestaanden moslims zijn, maakte voor haar God niet uit.

'Ik wil ernaartoe.'

'Prima. Ik blijf wel hier tot u terug bent. Joy logeert toch bij haar vriendinnetje.'

'Daarom ja. Ik wil dat je meegaat.'

'Naar Groningen.'

'Ja. Ik wil niet zo lang alleen in de auto. Kijk, als je op tijd thuis moest zijn... Dan had ik je wel afgezet bij het station, net als anders. Maar jij hebt thuis toch niks. Vandaag. Dus.'

'Mag ze wel bezoek ontvangen?'

'Het is een verrassing.'

Dat zou het zeker zijn. Mijn schoonmoeder gaat nooit naar haar dochter. Naar Annemiek met haar MS en haar gekanker op haar mislukte huwelijk. Ik tuur naar de lucht, die nog even heiig is als toen ik aan het werk begon. Mijn horloge heb ik afgedaan. Hoe laat is het? Een uur of drie? Ik probeer te rekenen. Als we nu vertrekken zijn we op zijn vroegst om negen uur vanavond weer hier, maar dan moet ik nog terug naar Amsterdam, met de stoptrein die, zodra het donker is, lugubere reizigers vervoert. Loensende verslaafden, schreeuwlelijken, opgeschoten Noord-Hollandse boeren met, ook als er geen wedstrijd wordt gespeeld, een supportersjaal om hun nek. Tussen Uitgeest en Amsterdam lijken geen normale mensen te wonen. Grommende beesten die vunzige taal naar elkaar of in hun mobieltje hoesten, op heibel aansturen met de enige neger of bejaarde in de coupé, die op de grond spuwen als een conducteur vriendelijk vraagt of ze hun schoenen van de bank willen halen. Het kan niet anders of de man die me bijna twintig jaar terug van mijn fiets heeft gerukt, kwam uit deze regio. Het Charleroi van Nederland. Kweekvijver voor alle klonen van Dutroux. Hetzelfde vette haar dat, om met zijn slachtoffer Sabine Dardenne te spreken, gespoeld leek met stinkende frituurolie.

'Ik ga niet mee.' Met angst heeft mijn weigering niets van doen.

'Waarom niet?'

'Het zou hypocriet zijn. Van mij. Over u kan ik niet oordelen. Van mij zou het niet eerlijk zijn, om naar haar toe te gaan. Al zou u me met de auto tot voor mijn voordeur brengen, zodat ik niet met de trein... dan nog.' Ik schep de bladeren in de kleine kruiwagen en wil hem naar de composthoop achter de schuur rijden. Mijn schoonmoeder legt een hand op de mijne, zodat ik de kruiwagen weer terugzet.

'Hypocriet? Jij?'

'Ja.' Plotseling voel ik de tranen branden. Het komt door het weer. Al bijna oktober, zo mooi stil is alles. Zo dof en toch zo helder, het licht is dof maar de kou is helder, ik heb al sinds vanmorgen gedaan alsof ik in mijn tuintje in Yorkshire sta en daarbij het oude liedje gezongen. Parsley, sage, rosemary and thyme... Once she was a true love of mine. De aarde veert onder mijn voeten. Vochtig maar nog niet modderig.

De geur van jongenskleedkamers na gymles. Soms een paar wolken, maar de zon schijnt erdoorheen als door de vloeipapiercollages die ik vroeger, als klein meisje maakte – het lijkt alsof het licht en de lavendelkleurige filters samen letters in de aarde schrijven, rimpelingen, een gedicht in een gloednieuw of juist oeroud alfabet. De Ghost Tour-gids zou het hebben kunnen lezen.

Dying
Is an art, like everything else.
I do it exceptionally well.

I do it so it feels like hell.
I do it so it feels real.
I guess you could say I've a call.

Ik herinnerde me de woorden daarnet, ze komen uit het gedicht 'Lady Lazarus' van Sylvia Plath, en ze zijn me niet meer op het lijf geschreven – ze passen als een oude jas om me heen. De dichteres is dood, maar ik sta recht overeind. Ik heb mijn bed opgenomen en wandel. Wandel. Waarheen maakt niet meer uit.

Het valt me zo ontzettend tegen dat ik nu opeens sta te huilen, in de nabijheid van Donalds moeder nota bene, ik bijt op mijn kiezen, knars de snik in mijn keel weg, het maagzuur dat zich tegelijk met de tranen aandient, terwijl ik herhaal dat ik het niet kan, niet wil. Niet mee naar de schoonzus in Groningen.

'Annemiek heeft me zo laten stikken! Iedereen van jullie familie heeft me laten stikken. U ook. Met die brave praatjes van u. Hij en zijn vader allebei in de hemel, tuurlijk, geloof er lekker in. Maar u bent uw man kwijt en uw zoon. En dat u dat niks kan schelen is uw zaak... Mij kan het wel wat schelen. Laat die trut toch lekker omkomen in haar MS. Ik gun haar wel meer dan een hoofdwondje. Jullie allemaal gun ik veel meer. Ik wou dat jullie eens wat voelden!!!'

Zo te schreeuwen is niets voor mij. In mijn puberteit kende ik bijna dagelijkse driftbuien waarin mijn woorden met mij op de loop gingen. Een vlammende tong die me moest bevrijden uit de boeien en ketenen die me gevangen hielden in een meisjeslichaam dat niet van mij was, dat van iedereen leek, van mijn eigen moeder, van mijn leraressen, van mijn vriendinnen; hun wollige dwangbuis sloot altijd te strak om mij heen, verbood me wijd en groots, hartstochtelijk en oppermachtig te zijn. Eénmaal heb ik geprobeerd mijn moeder te wurgen; ik meen nadat ze over de rommel op mijn kamer was begonnen en daarbij ook weer het gestolen seksboek ter sprake bracht. Alsof ik niet genoeg was gestraft.

Toen we allebei waren bekomen van de schrik en ik in een hoek van de kamer ineengedoken zat, natrillend, huilend, een duim in mijn toch al achttienjarige mond, wurgde ze me terug door haar beide armen om me heen te slaan en mijn hoofd tussen haar borsten te trekken, tegen haar trui die altijd lekker rook, naar kruidkoek en warme anijs. Te goed begrepen worden is geen zegen. Mijn moeder wist dat ik overkookte van liefde voor zo'n beetje alle mensen die ik tegenkwam, en geregeld werd bevangen door de gedachte dat ik iedereen moest aanraken, omhelzen desnoods – iedere passant had recht op mijn troost, ook degene die niet eens wist dat hij bedroefd was. Maar troosteres, dat was geen officieel beroep, je kreeg er niets voor terug behalve teleurstellingen en kervende herinneringen aan misbruik van je gulheid. Zelfhaat ook, omdat je je beloften niet kon waarmaken. Omdat het niet altijd liefde was die je deed reiken naar wildvreemden, maar je eigen dorst, een bodemloze put waarin maar één echo rondtolde: die van je eigen naam. *Noem mij de mooiste en de liefste, in je allereerlijkste woorden. Zeg het dan.*

Soms had mijn moeder mij een afgelikte boterham genoemd. Meestal wees ze me er in alle redelijkheid op dat ik mezelf alleen maar pijn deed met mijn openheid en overgave; ik moest iemand worden die de kat uit de boom keek, als iedereen. 'Richt je belangstelling op andere zaken' was haar advies, (waarbij ze niet opmerkte dat je mensen nooit kunt vervangen door 'zaken') en ik volgde de raad op en werd in het vervolg alleen nog intiem met romanpersonages, met papieren mensen die je frank en vrij de leugenachtige binnenkant van hun hoofd toonden, en al die gedachten die niet overeenstemden met het toneelstuk dat ze dagelijks opvoerden. Ik dobberde op hun stream of conciousness, ging in het beste geval kopje-onder, lezen werd een erotische bezigheid, ik verloor mezelf en hervond me in de monologen en dialogen van anderen, versmolt met, en scheurde me los van de blik van mijn favoriete auteurs, luisterde met hun oren, liep in hun voetstappen, doorzocht met hun sleutels en zoeklicht hun verboden laden, bewaarde met hen hun geheimen. Onze geheimen.

Vanaf de dag dat ik ging studeren was ik mijn driftbuien kwijt, voorgoed, was ik onbereikbaar op een manier die voor iedereen het beste was. Altijd met mijn hoofd in Engeland, met mijn verbeelding in de talloze verbeeldingen van Engeland, Ierland, Amerika, Wales, Schotland, voormalige Britse koloniën en opnieuw in Engeland, in Londen, en ten slotte in het saaie Berkhampstead, de geboorteplaats van Greene. *A Sort of Life*, het eerste deel van zijn autobiografische schetsen, was niet alleen het vertrekpunt voor mijn afstudeerscriptie; het werd ook mijn eindpunt. Het was door dat boek dat ik mijzelf volkomen leerde kennen, alsof iemand mijn spiegel had opgepoetst.

De totale rust. Al was hij dood, al kon ik hem nooit meer ontmoeten, Greene gaf me de troost die ik zelf zo graag, maar steeds vergeefs, aan anderen had willen schenken; dat er nog iemand was als ik, geplaagd door dezelfde stemmingen, die zich verschool achter dezelfde onhandigheden, wegvluchtte in dezelfde fantasieën, zich veilig stelde met dezelfde achterdocht, zich liet kwellen en beproeven door dezelfde God die hij met dezelfde twijfel en spot ook weer de deur wees, dat er nog iemand was als ik die dezelfde beduimelde, broze tederheid (niet: goedheid) in mensen zocht, het ontroerde me meer dan Bach me ooit ontroerd had, meer dan diens *Matthäus-Passion*, meer dan *Live Aid*, zelfs meer dan de meest aandachtige seks met Donald me later zou ontroeren.

Ik kon me met mijn aard verzoenen, worstelde niet meer met mijn jeugd, gaf niet toe aan gepieker over toestanden met vriendjes, maalde er niet meer om of ik wel begrepen werd door mijn vriendinnen. Alle tijd die andere vrouwen in de zoektocht naar hun eigen verlangens staken, kon ik gebruiken om te werken, om, meende ik, Donald tot steun te zijn. En een leuke moeder voor Joy. Daar had ik zelfs Greenes boeken niet meer bij nodig – ze hadden me juist teruggegeven aan mezelf.

Ik sta daar maar bij die heg, mijn laarzen in de berg met bladeren, kwaad op de hele wereld, in ijle eindseptemberlucht. Nog geen uur geleden heb ik de laatste roze rozen uit de struiken geknipt en in een borrelglaasje op de eettafel gezet.

'Wat voelen!!!' schreeuw ik nog een keer. Mijn schoonmoeder

244

verroert zich niet. Ik roep dat ze in haar gezin allemaal koud zijn, koud en stug, en vooral onecht, van gips, net als dat oerlelijke Heilig Hart-beeld naast het televisietoestel, met die weeë glimlach om de lippen... 'Geen wonder dat u ooit met een Fries bent getrouwd. Zo iemand zegt lekker niks terug. Geen wonder dat Annemiek ziek is, als je alles moet wegstoppen verkramp je, die spieren zijn kapot van al dat krampen, geen wonder dat er eentje lid is van een Amerikaanse sekte, en geen wonder, helemaal geen wonder dat die lieve Donald...' Mijn handen jeuken, maar een schoonmoeder moet je met woorden wurgen. Kruisigen, zoals Yassin zou zeggen. De dolk in haar zij, nu meteen, want zij, juist zij moet voelen. Janken. Niet van devotie, maar van schaamte. 'Geen wonder dat die lieve, lieve Donald een vuile vreemdganger is geworden! Ja, u hoort het goed! Een bedrieger! Logisch toch als je iedereen opvoedt in huichelachtigheid? Het is hypocriet van mij dat ik godverdomme elke veertien dagen en vaker in deze verdomde kuttuin sta te schoffelen, ja, ja, ik geef het toe, maar ik doe het omdat ik zo stom ben om te geloven dat Donalds vader er nog iets van merkt. Een dode! Voor hem en voor Donald ga ik hier steeds weer heen, terwijl ik het druk genoeg heb. Maar ze hielden van deze tuin. Meer dan u! En misschien, misschien hoop ik dat u eens één keer... Laat maar. Dat u eens één keer laat merken dat u... Nee. Maar ik ga niet nog hypocrieter worden. En ik ga niet mee naar Annemiek. Eén bedrieger in de familie lijkt me meer dan genoeg. Hij had een minnares, mevrouw De Wit. Die hij in ons bed liet slapen als ik godverdomme zelf naar een hotelletje moest.'

Mijn schoonmoeder zegt nog steeds niets. Ik hoop dat ze zal fluisteren dat ik om de buren moet denken, als ze dat zegt, kan ik nog driftiger worden en ik ben al zo goed op dreef. Ze bukt zich en gooit nu zelf een handvol bladeren in de kruiwagen. Raapt de hark op en draagt die naar de schuur. Als ze terugkomt pakt ze de kruiwagen op, rijdt hem naar de composthoop, kiept hem leeg. Ik blijf staan tot ze alle tuinafval heeft opgeraapt en weggebracht. Ze wenkt me terwijl ze naar de tuindeur strompelt. Haar linkerhand houdt ze op haar rug, tegen de plek waar het wel vaker pijn doet. Na het ophangen van de was, het stofzuigen.

'Ik denk dat je maar beter naar huis kunt gaan, Lot. Ik kan het ook wel zelf. De tuin. Naar Annemiek, naar Groningen.'

'Mij best.'

'We gaan er nu niet verder over praten.'

'Nee, natuurlijk niet. Op de waarheid zijn jullie niet erg dol. En nu gaat u zeggen: ik geloof in een andere waarheid, met hoofdletter, jawel, en die waarheid is Jezus, heus, het mag u verbazen, maar ik heb de Bijbel zelf ook gelezen, ik weet precies wat Jezus allemaal gezegd heeft, dat van die weg, die waarheid en het leven dat-ie is en dat niemand tot de Vader komt dan door Hem, je hoeft maar voor Hem te kiezen en hup, je hebt je vergeving voor de eeuwigheid binnen... Maar zo abstract gesteld is het niks waard, dit soort waarheid, dit soort vergeving. Je plakt ook geen pleister op een doorgesneden keel en je kunt geen evangelietekstje over andermans wonden plakken, zoiets hecht niet, je onttrekt er alleen maar...' ik haal adem, 'iets afgrijselijks mee aan het zicht.'

Onzin. Die teruggrijpt naar een opmerking die ze jaren eerder ooit heeft gemaakt. Moeder Teresa had in een interview beweerd dat ze haar werk tussen de door lepra verminkte paria's had kunnen volhouden door in elk gezicht het gelaat van Christus te zien. Mooi had mijn schoonmoeder dat gevonden en haar zoon, mijn man, had alleen maar dociel geknikt om af te zijn van verdere reli-praat. In de trein terug naar huis was ik op het citaat teruggekomen. Volgens mij maakte Moeder Teresa zich schuldig aan dubbele schending van de menselijke waardigheid. Ze wilde de lelijkheid van haar patiënten niet onder ogen zien, negeerde die door te doen alsof ze naar Jezus keek – en daarbij misbruikte ze Jezus ook. In plaats van haar meester werd Hij haar blinddoek, haar roze bril. Een gebruiksartikel, instrument voor cosmetische chirurgie. Medeleven zonder aanzien des persoons – zo kon ik het ook.

Mijn schoonmoeder houdt de deur voor me open, neemt mijn laarzen aan. Op de ijskast ligt mijn horloge, naast mijn tas. Ik pak mijn spullen en loop door de bijkeuken naar de keuken, naar de hal, de voordeur. Ze volgt me gelaten. Dorst heb ik. Een rauwe keel van het schelden. Onderweg naar het station koop ik wel een flesje Spa. Niets wil ik nog van haar hebben, geen druppel uit haar kraan; ze is de moeder van een leugenaar, als ze dat maar weet, en met veel genoegen geef ik haar de schuld van Donalds overspel. Iemand moet boeten. Ik kan die wijd open poppenogen, die nog zo rimpelloze, blozende wangen niet meer zien. De trut was destijds zelfs zo naïef geweest te geloven dat ik Donalds eerste vriendinnetje was. Zo wereldvreemd dat ze tijdens een onaangekondigd bezoekje aan Donalds kamer in Amsterdam niet begreep waarom hij de slaapbank uit had staan. Als eenpersoonsbed was het ingeklapt toch breed genoeg?

*

'Naar York? Je zoon zal genieten! Wanneer ga je ook alweer?'
'Van 24 tot en met 27 oktober. Ik kom op mijn verjaardag thuis, dat scheelt een feestje.'
'Je bent Schorpioen!'
'Geloof ik niet in. Ik ben Wieger Berkman en dat is al erg genoeg. Voor iedereen.'
'Aah! Wat flauw. Moet ik nou zeggen dat je een leuke kerel bent?'
'Hoeft niet.'
Als ze ernaar vraagt zegt Berkman dat het congres een succes is geweest. En dat hij graag iets wil afspreken voordat hij vertrekt, heeft ze al iets met die leemleverancier geregeld?
Een dag later zit hij opnieuw met Mara in de auto. Ditmaal gaan ze met de hare, dat is wel zo eerlijk. De importeur van organische muurverven zit ergens in Brabant, in een gehucht aan de Maas. Helaas, zegt Mara, is het vandaag geen wandelweer. Het regent. Engelse luchten. Soms grote druppels die ritmisch op het dak en tegen de voorruit slaan. Windvlagen. De populieren aan de zomen van de weilanden buigen hun kruinen, alsof ze het blad dat ze bij elke ruk verliezen nog even nastaren. Dan gaat de storm weer liggen, en schildert het lage, harde zonlicht het asfalt spierwit. De ramen van de kantoren op het industrieterrein weerspiegelen de passerende auto's. Aan de andere kant van de weg woonwijken in aanbouw, een enkele boerderij, donker, gedrongen. Baksteen dat zich heeft volgezogen met regen – alles lijkt zwaarder, massief. Onbewoonbaar. Huizen zonder binnenkant, zonder kamers, gangen, trappen. En geen mens te zien. De bouw ligt stil, een tractor staat onbemand in het midden van een zwarte akker, de laatste gele stoppels van het een of andere gewas liggen erover uitgestrooid. Het negatief van een reusachtige boterham met hagelslag. Mara vertelt uitgebreid wat je allemaal kunt zien en doen in York en omgeving.
Over de Ghost Tour geen woord. Ook zij adviseert een bustocht naar Scarborough. Ze heeft het over een abdijruïne, over het huis van de zusjes Brontë, over Sheffield, waar de komische film *The Full*

Monty is opgenomen. Het regent nu weer zachter. De storm is gaan liggen. De ruitenwissers kunnen uit. Een vliesdun gordijn van water pal boven de auto en het gaat met hen mee; alsof ze in een hemelbed rijden, in een capsule van kristal, een zeepbel. De lucht is onbewolkt. Egaal grijs. Aangenaam saai is het, binnen en buiten. Voorbij Utrecht zet Mara de radio aan. Ze luisteren naar het nieuws. Na de reclame volgt een liedje van Kate Bush, 'Cloudbusting', waarvan Mara het refrein vals meezingt.

De leemexpert is een jongen die van aanpakken weet. Op Mara's verzoek wil hij best vertellen waar hij zijn leem, zijn kwartsverf, zijn kalk en kleurstoffen betrekt, hoeveel kleine gemeenschappen nu kunnen leven van zijn opdrachten, hij heeft het over de schelpenzoekers aan de Noord-Afrikaanse kust die in een eigen fabriek de schelpen tot gruis vermalen; van de visserij konden ze niet rondkomen, jongeren waren in groten getale naar de stad vertrokken, maar sinds er vraag is naar natuurlijke muurverven heeft ieder dorp weer een schooltje, een arts, een winkel. Hij dreunt het goede nieuws op omdat het moet, maar zijn liefde gaat duidelijk uit naar de producten zelf. Na de koffie neemt hij zijn bezoek mee naar een grote hal achter het tot kantoor verbouwde arbeiderswoninkje aan de dijk, en toont hun de verschillende soorten verf en leem op de muren, waarbij hij steeds zegt dat zo'n kleine vierkante meter eigenlijk niet genoeg is om een beeld te krijgen van een hele ruimte uitgevoerd in dezelfde verf.

Grofkorrelig of fijn, met de roller of het plamuurmes opgebracht – het maakt allemaal uit voor het effect. Welke sfeer moet het interieur uitstralen? Berkman kan de woorden sfeer en uitstralen niet meer horen en laat Mara antwoorden. Ze wijst aan waar ze haar zinnen op heeft gezet. De jongen knikt, haalt een potlood uit zijn kontzak tevoorschijn en wijst de grassprietjes in het leem aan. 'Af en toe een vezeltje is genoeg. Dat het nét even de egaliteit doorbreekt. Even dat landelijke element.' Met Mara's keuze voor de kleur perzikbloesem is hij het eens. Toch lijkt het hem een goed idee zelf naar Amsterdam te komen, om de ruimte met eigen ogen... Daarna zal hij een offerte mailen en als dat allemaal rond is kunnen zijn mannetjes in januari beginnen.

'Ook zo leuk,' zegt Mara op de terugrit, 'die mannetjes waar hij het over had, zijn personeel, dat zijn ook allemaal Noord-Afrikanen. Marokkanen. Hij verschaft dus ook aan de allochtonen hier goed werk – kunnen ze eindelijk iets met hun traditionele ambachtelijke kennis aanvangen. Dat is toch het mooiste, als het mes aan twee kanten snijdt.'

Ze zijn na de lunch, rond half twee, uit Amsterdam vertrokken. Het is nu tien voor vijf. Het begint al te schemeren. Berkman stelt voor in Amsterdam uit eten te gaan. In het telefoonboek van zijn mobieltje heeft hij de nummers van acht van zijn favoriete restaurants geprogrammeerd, hij wil er al een bellen, maar Mara heeft een beter idee. Bij haar om de hoek is een prima Indiaas restaurant, als ze daar snel wat eten kunnen ze bij haar thuis nog wat napraten. Ze lacht.

'Het is ook echt erg met mij, Wieger. Laatst had ik ineens zo'n trek in champagne. Mijn terugkerende dwanggedachte. Ik moet nu champagne. Ik heb het niet met kleren, niet met schoenen, niet met snoep, of boeken of cd's, godzijdank niet, maar eens in de zoveel tijd wil ik dure champagne, geen namaak, hoe lekker ook, een mooie Moët & Chandon, cordon rouge, of een Veuve Clicquot... Waarschijnlijk omdat ik de hele dag bezig ben met verantwoorde issues. Dat zal het zijn. Dus vlak voor sluitingstijd koop ik bij Gall & Gall zo'n fles...'

Omdat ze 's avonds opeens knallende koppijn had, was de fles toch dicht gebleven. Ook de avonden daarna. Eigenlijk was het niet eens leuk, in je eentje drinken.

'Dan drinken we hem samen op,' zegt hij.

'Je hebt de tijd?'

'Ja hoor.'

'Je hoeft niet met je vrouw te bellen?'

'Ze weet dat ik laat thuis ben. Dinsdag is altijd zo'n dag waarop ik avondafspraken maak. Met sprekers voor een debat, met mensen die me kunnen adviseren over de inhoud van de programma's. Meestal ligt ze al in bed als ik thuiskom.' Vreemd, denkt hij. Uitslapen durft Petra niet, ze is altijd bang dat ze dan lui lijkt, maar vroeg naar bed gaan is geen punt. Meer mannen kent hij, veel meer mannen, wier vrouwen ruim voor middernacht gaan slapen. Om negen uur nog een telefoontje met hun beste vriendin of moeder, nachtshirt, ochtendjas en pantoffels met konijnenoren al aan, of anders een joggingpak met een paar dikke sokken – als het maar makkelijk zit. In bed kijken ze misschien nog even naar een serie met veel relatiegedoe, maar dan gaat de tv echt uit, en hun bewustzijn ook. Geen wonder dat het met de emancipatie nooit wat wordt. Al die sloperige wijven zijn hun eigen glazen plafond en als ze klagen dat ze nooit meer een 'fijn' gesprek met hun man hebben, komt dat omdat ze niet weten, niet willen weten dat een werkelijk verfijnd, diepgaand, warm geestelijk leven pas 's avonds na tienen begint, wanneer er niemand meer belt, de kinderen niet meer met een smoes de kamer binnen komen, de geluiden buiten zijn verstomd. Duizenden ambitieloze kutten telt alleen al dit kleine landje, vrouwen die zichzelf al heel wat vinden als ze ondanks menstruatiepijn en een sudderend conflict met hun werkgever twintig verjaardagstraktaties in elkaar hebben geflanst, een stamppotje hebben opgewarmd, en alle gym- en zwemspullen van hun kinderen op de hand hebben gewassen. Knap van jou, werd je geacht te zeggen en zweeg je, dan lieten ze hun vriendinnen wel bewonderende kreten slaan, want onopgemerkt mochten hun inspanninkjes niet blijven.

De zweep erover, denkt Berkman, en hij kijkt naar Mara, die wél ambities heeft, die tot diep in de nacht kan doorwerken, pijn en tegenslag kan verdragen, maar die hij niet begeert.

*

Iedereen kan het. Vergeven. En iedereen wil het me op hetzelfde moment laten weten. Dinsdagochtend. Joy naar school gebracht, op de terugweg alvast boodschappen gedaan, ik moest wel, het wc-papier is op. Thuis koffie gemaakt, brood gesmeerd, de krant ligt uitgespreid op de bank. De telefoon gaat, ik verwacht dat het Ruben is die over mijn nieuwe artikel over cosmetische chirurgie wil praten; in de mail die hij me in het weekend heeft gestuurd schreef hij dat hij het tendentieus vond, omdat ik hier en daar in de reportage verwees naar een vorig stuk, waarin ik patiënten, artsen en verplegend personeel van een borstkankercentrum aan het woord had gelaten. Volgens Ruben leg ik het contrast er veel te dik bovenop. Hij verwijt me een ergerlijk moralistisch toontje.

Ik neem op met 'Hallo' en een man met een lage, grauwe stem vraagt of ik Lot Sanders ben. Misschien ken ik hem nog, hij is Guus, de buschauffeur die thuiszit, Guus van Ria die ik nog wel eens bij de Hema heb gesproken, Guus van het ongeluk, Guus van de Marokkaanse mevrouw die we samen hebben zien doodgaan. Hij wil alleen maar even vertellen dat het is gelukt. Eerst zijn ze bij de zus van het slachtoffer koffie gaan drinken, drie weken later mochten ze eindelijk ook bij de weduwnaar zelf komen. Hun nieuwe buurjongen was meegegaan. Om te tolken. De weduwnaar had eerlijk gezegd dat hij nog steeds woedend was, bij vlagen, en moeite had Guus de hand te schudden.

'Liever hattie me de keel afgebeten, dat snap je. Dat snap ik ook. In het begin dacht ik: waar zijn we aan begonnen? Zijn nieuwe vrouw is echt nog zo'n kind, dat is een verstandshuwelijk, een importbruidje dat geen woord Nederlands spreekt... Dat maakte het op een rare manier extra droevig allemaal. En die kinderen met die grote, bange ogen... Maar ze doen het op school voortreffelijk. De oudste is na de zomer naar de havo gegaan. We hadden rozen meegebracht. Van die dikke witte. Werden meteen bij de foto van die vrouw gezet. Ik moest verdomme zo janken, meissie. Toen ik dat zag. En je schaamt je dan kapot, hè? Maar achteraf waren die waterlanders de lijm. Jawel. Ineens begint die man ook te huilen, hij zegt, hij zegt, ja, in hun taaltje dan, hij zegt: onze tranen maken ons tot broeders of zo, iets plechtigs, maar ontzettend wáár, hè? En we vallen mekaar in de armen en Ria vangt die kinderen op en zelfs dat nieuwe vrouwtje en de buurjongen... Stonden we daar bij die foto en die bloemen allemaal een potje te grienen alsof ons leven ervan afhing... Echt, Lot, je kunt niet geloven hoe ik me nu voel. Misschien nog wel schuldiger dan eerst, maar ik kan me nu tenminste met recht schuldig voelen. Tegenover iemand. Ik kan hun verdriet niet wegnemen, zij mijn schuld niet – maar we weten het nu van elkaar. Het is uitgesproken. Vriendschap wordt het niet, maar waar ik die mensen kan helpen, zal ik ze helpen. Ik heb toch tijd zat. En Ria ook.' Hij lacht. Vraagt hoe het met mij gaat. Ik zeg goed en beloof dat ik, als ik tijd heb, zeker weer eens langs zal komen. Niet voor een interview, voor de gezelligheid.

'Kijk maar,' zegt Guus. 'Anders komme we mekaar wel weer in de wijk tegen. Jij hebt het ook druk. Maar we voelden het gewoon allebei als een plicht om jou op de hoogte te houden. Wil je Ria ook nog effe?'

Voordat ik iets kan zeggen, heb ik Ria al aan de lijn. Precies hetzelfde verslag, maar met nog meer details. Hoe de kinderen waren gekleed, wat hun hobby's zijn, dat ze een boek met tekeningen en brieven voor hun moeder hadden gemaakt, dat ze dat in de zomer op haar graf in Marokko hebben gelegd. 'Ze namen me zomaar in vertrouwen. Hoe vind je die? En ook met onze nieuwe buren hebben we het fantastisch. Als ze kleintjes op visite hebben, gaan ik er altijd even langs met een cakeje, een paar reepjes. Toch weer een beetje die sfeer van vroeger, maar dan anders. Jaha, we zijn heel blij dat er iets is veranderd. En ook dat jouw stuk er nooit is gekomen, anders hadden we nu misschien ook de EO of zo op de stoep staan, die zo'n verhaal dan weer willen gebruiken voor van die kleffe programma's over God en naastenliefde en al dat gezeur. Zo is het goed. Dat je het weet, daarom.'

Meteen als ik heb opgehangen belt Ruben. De andere redacteuren met wie hij daarnet heeft vergaderd, hebben niets op mijn artikel aan te merken. We spreken nog even over ideeën voor volgende nummers en terwijl Ruben me enthousiast wijst op een nieuwe school voor hoogbegaafde kinderen, begrijp ik waarom hij aanvankelijk tegen ten minste de teneur in mijn artikel was. Sommige dingen veranderen nooit. Sylvia heeft natuurlijk iets aan zichzelf laten verbouwen, dat is het, ze is een paar weken thuis geweest en steeds had Ruben niet willen zeggen wat haar precies scheelde, alleen dat ze veel pijn had, niet mocht tillen en sjouwen, maar ze heeft vast een paar nieuwe borsten gekocht. En nu komt het tijdschrift van haar man met ellendeverhalen over vrouwen van haar eigen leeftijd die niets te kiezen hebben, maar al blij zijn als ze er met een amputatie, een okseltoilet, bestralingen en chemokuren levend vanaf komen. Tendentieus. Het Sylvia-woord bij uitstek.

Al twee keer heeft mijn chef mij een fijne dag gewenst, als hij begint over een lange, handgeschreven brief die op de redactie is binnengekomen. Heeft hij dat nog niet verteld? Afzender is de aannemer, of wat is het, projectontwikkelaar, met zijn rouw om de zogenaamd door de tsunami omgekomen minnares. Hij is mij in het bijzonder en ons tijdschrift in het algemeen heel dankbaar dat we geen woord hebben vuilgemaakt aan haar plotselinge terugkeer, al had hij het ook begrepen als we wel... Zo'n bericht laat je niet aan je neus voorbijgaan. De doodgewaande vrouw heeft zelf naar andere kranten en bladen gebeld, RTL had het nieuwtje met filmbeelden uit Amerika gebracht, waarop de vrouw te zien was op de stoep van haar riante villa in Washington, in innige omhelzing met haar nieuwe man.

'Hij schrijft dat hij het weken heel moeilijk heeft gehad, maar zich ten slotte toch maar troostte met de gedachte dat ze nog leefde. Hier heb ik het berichtje, ik lees je het even voor: "Als bedrieger mag je een ander zijn/haar bedrog niet kwalijk nemen. Wat mijn ex heeft gedaan, is niet bijster stijlvol, maar ze heeft gelijk als ze zegt dat ik haar toch nooit werkelijk gelukkig had kunnen maken. Zoals ik al in het interview zei: het is laf, maar ik durf niet weg bij mijn vrouw. Mijn verwarde gevoelens kan ik vanzelfsprekend nog steeds met niemand delen, net als destijds mijn rouw niet. Toch ben ik achteraf heel blij met het portret dat uw..." Nou komt het, Lot, "...dat uw hartelijke, empathische medewerkster mevrouw Sanders van mij en mijn situatie heeft geschetst. Ik hoop dat mensen door haar artikel zijn gaan nadenken over vreemdgaan en overspel in het licht van hun eigen en andermans sterfelijkheid. Wat begint als een romantisch spel, wordt een groot probleem wanneer een van de spelers wegvalt. Bij deze laat ik u weten dat ik mijn ex zelf heb benaderd en haar heb gezegd dat ik haar een zonnige toekomst gun, ook dit weer in het licht van de dood. Onlangs is bij mij een tumor in de slokdarm geconstateerd en ik wil dat alle eventuele misverstanden en verwijten uit de wereld zijn, voordat ik zelf uit de wereld ben. Nogmaals een vriendelijke groet aan mevrouw Sanders. Sindsdien lees ik al haar reportages en ik heb ook haar boekje gekocht." Goed, hè? Zal ik hem doorsturen? Dan kun je hem boven je bureau hangen.'

'Ik heb geen bureau.'

'Bij wijze van spreken dan.'

'Kijk maar. Het heeft geen haast. Maar het is een aardig briefje. Lief.'

Of ik Ruben eraan moet herinneren dat ik en niemand anders de onthullingen van de minnares heb tegengehouden, weet ik niet. Wat mij betreft blijft hij trots op zijn beleid – de waarheid zou tot weer een discussie leiden en daarbij, ik ken mijn chef nu al zo lang dat ik me niet meer stoor aan zijn kinderlijke blijdschap met complimenten voor beslissingen die hij juist heeft tegengewerkt. Gelukkig gaat de bel. Ruben hoort het ook en zegt: 'Je moet opendoen. Zullen we dan maar neerleggen? Ja? Ik doe hem wel in een envelop, de brief. Oké?'

Haastig mompel ik een groet, loop naar de deur en druk op het knopje van de benedendeur. Een mannenstem schreeuwt wat, na drie keer begrijp ik dat ik naar beneden moet komen. Op mijn sokken hol ik de trappen af. In de deuropening staat een man van wie ik alleen de benen zie. Een bruine ribbroek, gezonde beige schoenen met touwveters. Voor zijn borst en gezicht houdt hij een reusachtig boeket.

'Mevrouw Sanders?'

'Dat ben ik.'

'Dan mag ik u deze bloemetjes geven. Veel plezier ermee.' Hij drukt me de bos in handen en loopt weer terug naar het bestelbusje dat scheef geparkeerd staat. Felblauwe monnikskap. Roze rozen. Sierdistels met een paars pluimpje op hun kop. Daartussen nog drie andere soorten bloemen, waarvan ik de namen niet ken, allemaal in roze, paarsige tinten. Ik betrapte me op het verlangen naar een verliefdheid. Wil dat ze van de man uit York zijn, terwijl die mijn adres niet heeft, waarschijnlijk nooit meer aan me denkt.

Net als in de droom die ik een halfjaar geleden had, de droom waarin Berkman mijn dochter eerst een bootje in een fles en vervolgens een hondje gaf, regent het. Ik zwaai de bloemist uit, sluit de deur, klim de trappen langzaam op, speculerend over de afzender. De kaart die aan het cellofaan is geniet, laat ik nog even dicht. Natuurlijk heb ik geen aanbidder. Of het moet de man zijn uit wiens brief Ruben me daarnet heeft voorgelezen. Slokdarmkankerpathos. Laat ze van Berkman zijn, denk ik, denk ik niet. Ik denk: laat ze van Wieger zijn. En schaam me daarvoor.

Boven vul ik een vaas onder de kraan. Ik snijd het elastiek bij de stelen door, knip ze schuin af, zet de bloemen een voor een in het water. Pas als het boeket op tafel staat, scheur ik het kaartje af.

Mijn schoonmoeder schrijft dat ze erg is geschrokken van mijn boosheid, maar het later goed begreep. Het spijt haar dat haar zoon mij postuum zoveel leed heeft bezorgd. Ook zij heeft niets geweten of gemerkt. Het spijt haar ook dat zij en de familie mij zo weinig hebben kunnen geven aan troost en hulp. *We wisten niet waar je behoefte aan had. Wat mij betreft praten we het uit. Ik hoor wel van je?* Ze wenst me sterkte en veel liefs. Dat past nog net op de dubbele ansicht. Geen woord over het gebed dat ze vast en zeker driemaal daags voor me opzegt. De afwezigheid van zwetserij doet me goed. Bij twaalven is het al en de wasmachine is aan haar laatste toeren bezig. Voordat ik de natte kleren ophang bel ik mevrouw De Wit. Het derde lange gesprek vandaag.

Ze heeft een tuinman gevonden die haar kan helpen, en zich aangemeld voor een cursus, zodat ze zelf ook wat meer kan doen. Wanneer Joy en ik in het vervolg op bezoek komen, zit er geen verplichting meer aan vast. Ook nu weer vermijdt ze religie. Ze vertelt over de toestand van Annemiek en plotseling krijgen we gelijktijdig een lachbui, om een anekdote die eigenlijk niet eens bijzonder grappig is. Het is de wil om bij elkaar te blijven horen. In de dakgoot aan de overkant van de straat zitten twee merels, een mannetje en een vrouwtje. Ondanks of dankzij de regen fier rechtop. En vanaf hier, bezien door het vuile raam, lijkt het of ze elkaar aankijken terwijl ze piepen. Geen taal, dus ook geen innerlijke wereld die verzwegen of gedeeld kan worden. Arme beesten.

Een erg ongeheimzinnig leven, denk ik. En later, als het gesprek met mijn schoonmoeder allang is beëindigd en ik tijdens het ophangen van Joys onderbroekjes naar de duiven staar op het balkon, komt de gedachte terug. Erg onmystiek, zeg ik in mezelf. Alsof mystiek me zo dierbaar is.

*

Een paar weken na hun laatste Zuid-Amerikareis had Mara ook zin in champagne gehad. Ze was om een uur of negen 's avonds met een fles onder haar arm naar Donalds kantoor op een volgende gracht gelopen, niet wetend of haar grote liefde er nog zat. Hij had het druk, dat wist ze wel, hij moest vaak overwerken, maar deed dat net zo lief thuis – de kans dat er op zijn kamer in het BrotherFood-pand nog licht brandde was niet groot en toch had ze zo'n voorgevoel dat hij... Ze had kunnen bellen, dat was makkelijker geweest. Maar minder spannend. Als haar voorgevoel klopte zou dat voor haar het zoveelste bewijs zijn dat ze voor elkaar waren bestemd. Bijgeloof. Kinderachtig, ja.

'Ken jij dat?' vraagt ze Berkman.

Hij weet het niet. Hij heeft haar daarnet gezoend, na twee glazen, ze wilde het zelf, was naast hem gaan zitten op haar Japanse futonbankje, had zijn gezicht gestreeld, plagerig opgemerkt dat hij voor iemand van zijn leeftijd nog weinig grijze haren had en toen pakte hij haar bij haar bovenarmen, trok haar naar zich toe. Vaak gerepeteerde scène, Berkman de meester van de edelkitsch. Mara wilde niet dat hij haar blouse losknoopte. Nog een slokje?

Ze heeft zijn glas bijgevuld, is weer gaan zitten, nu verder van hem af, het is niet tegen hem bedoeld, dat ze wel wil kussen maar niet ehm... Het spijt haar als ze hem nu teleurstelt. 'Met jou heeft het niet te maken. Ik wil niet meer meewerken aan bedrog, dat is één. En twee: er is te veel gebeurd.' Zakelijke inleiding tot de bekentenis waarvoor Berkman is gekomen – hij zal Lot naar waarheid kunnen zeggen dat er alleen maar even is gezoend, meer niet.

Donald was nog op kantoor. Er brandde licht. Mara had aangebeld, een schoonmaker had haar opengedaan. Ze had gezegd dat ze hier werkte, dat hij haar gewoon kon binnenlaten zonder de manager te waarschuwen, 'Ik loop zelf wel even naar hem toe', en zacht was ze de trap op gelopen, zacht had ze de deur van Donalds kamer opengedaan, zacht en snel, zodat ze voordat hij zou kunnen roepen wie er had aangebeld, al tegenover hem stond. Met haar fles.

Donald had er slecht uitgezien. Bleek, ook al was zijn huid nog pas gebruind. Beige vlekken in zijn hals, op zijn slapen, alsof hij zich na een televisieoptreden slordig had afgeschminkt. Hij speelde dat hij verrast was, blij, en toch: zijn houterige bewegingen, zijn dorre stem – uit alles bleek dat hij niet zat te wachten op onaangekondigd bezoek en zo snel mogelijk wilde doorgaan met waar hij mee bezig was.

Natuurlijk was hij er de man niet naar om ook maar iets van zijn irritatie te laten merken. Iedereen kon dag en nacht bij hem terecht, dat had hij zelf vaak gezegd. 'Er zijn' beschouwde hij als zijn voornaamste taak. Vierentwintig uur per dag, zeven dagen per week moesten zijn collega's, zakenrelaties, zijn werknemers, de boeren van de BrotherFood-coöperaties en de media hem kunnen aanspreken. Soms stond zijn telefoon uit, soms was hij fysiek niet present, het weekend was heilig, dat soort dingen, maar de geest moest altijd wakker zijn. Geen routine, verveling, minachting, slapte, wegdromerij, onverschilligheid.

Donald had de fles bekeken, zijn computer op slaapstand gezet, het werk kwam straks wel, en hij was naar het keukentje in de kelder gelopen om glazen te halen, noten, zoute koekjes, iets voor erbij, want gegeten had hij nog niet. Dat hij haar niet meteen omhelsde, kuste ('zoals wij daarnet', gelukkig zegt ze dat niet), had Mara vreemd gevonden. Haar voorgevoel was juist geweest en niet: ze had gehoopt dat hij net zo sterk aan haar had gedacht als zij aan hem en dat zou hebben laten blijken. Al had hij maar iets geroepen als: 'Dit kan geen toeval zijn.'

Voor glazen en nootjes was nog alle tijd, ze hadden toch eerst...? Mara's opwinding was omgeslagen in angst, wantrouwen. Plotseling bedacht ze dat iemand die zo goed als Donald in staat was zijn overspel voor zijn eigen vrouw te verzwijgen, natuurlijk ook de kunst verstond zijn minnares te bedriegen. Was ze wel de enige? Zat hij hier om te werken aan het bedrijfsplan voor de wijnen die over een jaar in de schappen van de grote supermarkten moesten staan, of mailde hij met andere vriendinnen?

Omdat ze het rommelige keukentje in de diepte kende en wist dat hij toch zeker wel een minuut of vijf weg zou blijven, durfde ze in Donalds computer te kijken. Waar was hij mee bezig geweest voordat ze binnenkwam? Ze had de screensaver met het heen en weer springende BrotherFood-logo weggeklikt en een lijst gevonden met wonderlijke titels. Wonderlijke, dubbelzinnige titels. Van sites. Met de muis was ze op een van de namen gaan staan, ze had opnieuw geklikt en er startte een filmpje.

Een peuter van nog geen twee die moest zuigen aan een... De eigenaar van de stijve pik trok de luier van het kindje uit terwijl hij zichtbaar, niet hoorbaar, kreten van genot slaakte, naar adem hapte. Zijn hand ging over het piemeltje van het jongetje op en neer, het kind bleef met wijd open ogen naar de rode, glimmende eikel voor zijn neus kijken, angstig, gedrogeerd of allebei, de amateurbeelden trilden, soms viel er kortstondig licht op het gezicht van de man die bijna op het toppunt van zijn lust was. Achter de bril met het dikke montuur, die hij waarschijnlijk droeg om niet herkend te worden, hadden zijn ogen zich vernauwd. De man voerde het jongetje nu een stukje chocolade en draaide het om, de babybillen naar zich toe. Het kind huilde, zijn blote lijfje schokte. Het kneep in het vachtje waarop het lag. Harige, felroze pluche, een matje uitgespreid op een gewoon tweepersoonsbed in een nieuwbouwslaapkamer, met gewone, teakhouten ladekastjes, messing nachtlampjes en geblokte gordijnen. Het was duidelijk dat de man zich niet aftrok om het kind niet verder te beschadigen, maar alleen om de daad nog wat langer uit te stellen. Het gejammer wond hem op. Mara had niet verder durven kijken. Ze ging weg uit het document, het bestand, maar Donald zou hoe dan ook zien dat ze iets had aangeklikt.

Toen hij bovenkwam met de glazen en de nootjes vroeg ze hem wat hij voor haar verborg. Hij had haar aangestaard. Vriendelijke glimlach op zijn gezicht, vertel maar wat je dwarszit – de altijd begripvolle altruïst. 'Iets verbergen? Ik? Voor jou?'

'Op je computer.'

Nog steeds had Donald gedaan of hij werkelijk niet snapte waar ze op doelde. Hij had het zakje cashewnoten opengescheurd en de inhoud in een schaaltje overgedaan. De fles gepakt en de aluminium capsule van de hals getrokken, het ijzerdraad losgedraaid, met de toppen van zijn duimen behoedzaam de kurk omhooggeduwd, samengeperste lippen, hij had de gesmoorde knal afgewacht, gauw zijn vinger in de dampende flessenhals gestoken om het opschuimen tegen te gaan, toen de glazen ingeschonken.

Mara herinnert zich de reeks handelingen levendig, zegt ze, waarschijnlijk omdat Donald haar daarmee de tijd had gegeven aan zichzelf te twijfelen. Het filmpje was echt geweest, haar misselijkheid was echt – maar wie zei dat Donald van kinderporno hield? Misschien werd hij gestalkt door een anonieme gek die eropuit was zijn imago te bezoedelen.

Ook hield Mara rekening met de mogelijkheid dat Donald in zijn verregaande mensenliefde, zichzelf tot taak had gesteld hele netwerken van pedofielen op te sporen, eerst hier en later in ontwikkelingslanden. 'De bevrijding kon niet ver genoeg gaan. Of vind je het raar dat ik dat dacht?'

Berkman onderbreekt Mara. Hij wil even naar de wc. Al is het maar om zijn handen te wassen. Zijn eigen gezicht in de spiegel te zien. De lamscurry ligt zwaar op zijn maag en toch voelt hij zich flets, krachteloos, als na een uur lang rennen met tegenwind. Net als vroeger, toen hij nog intensiever sportte, wil hij even in zijn pols bijten, tot het bloedt, een beetje, om te proeven dat hij nog leeft, een smaak heeft, vlees is.

Uit het fonteintje komt een dun straaltje water. Berkman bet zijn voorhoofd, strijkt wat water door zijn haar. Tot drie keer toe wast hij zijn handen met zeep, daarna doet hij zijn horloge af en houdt zijn polsen onder de kraan. Overdreven aandachtig bekijkt hij de rode vlekken tussen zijn polshaar. Littekens van zijn eigen gebit, een keurig ovaal van onderbroken streepjes. Zijn ondertanden heeft hij destijds dicht tegen zijn slagaders gezet. Niemand die het ooit heeft opgemerkt.

Hij komt de kamer binnen en meteen begint Mara weer te praten, alsof hij niet is weg geweest.

'Ik balanceerde op een heel dun koord. In een seconde doorzag ik het. Hem. Wilde wegrennen, het pand uit, de stad uit, terug naar mijn eigen land, weg! Alles wegwissen, Amsterdam, de reizen, onze vriendschap, mijn verliefdheid... Wilde blijven en hem slaan, met mijn handen, met die stomme fles op zijn stomme rotkop, glas in zijn gezicht, bloed... Hoe noem je dat? Alles viel op zijn plek. "Kinderporno?" zei Donald, "kinderporno?" Alsof hij niet eens wist wat het woord betekende.'

*

Donald de Wit had rond zijn achtste, negende jaar wel eens meegedaan aan vieze spelletjes. In een speelkasteeltje op het veld achter het oude, te slopen gemeentehuis deden buurtkinderen iets dat ze de Verboden Quiz noemden. Wie mee wilde spelen moest een kwartje betalen en een geheim opbiechten. Eerlijkheid als onderpand. 'Als jij ons verraadt, vertellen wij jouw geheim aan iedereen door.' De quiz bestond uit tien vragen. Degene die een fout maakte, kreeg een opdracht, zoals: loop met je piemel uit je gulp een rondje om de glijbaan, of: kies iemand uit die met zijn hand in je onderbroek mag voelen. Donald zorgde altijd dat hij alle antwoorden goed had en anders kletste hij zich wel uit zijn vergissing – hij was slimmer dan de anderen, maar bovenal bang dat zijn moeder hem vroeg of laat zou vragen wat hij toch steeds op dat verwaarloosde veldje te zoeken had; zijn echte vrienden van school speelden voetbal op het plein, organiseerden speurtochten in het bos, gingen vissen of zwemmen... Wat moest hij met die vreemde kinderen uit het dorpscentrum? Liegen kon hij niet, wilde hij niet. Al geloofde hij zelf niet erg rotsvast in God, hij vreesde de nauwe band die zijn moeder met Hem had, ja, door haar vroomheid bestond God, speciaal voor haar bestond Hij, en God zou zijn moeder een teken geven zodra Hij wist dat haar zoon haar bedroog en anders liet God haar wel langsfietsen, traag, met twee volle boodschappentassen aan het stuur, precies op het moment, op dat ene moment dat Donald voor het eerst en het laatst zijn billen liet zien.

Op een dag deed er een nieuw meisje mee, ouder, maar minder stoer dan de andere kinderen. Ze liet iets te goed merken dat de quiz haar opwond. Al bij de derde vraag maakte ze een fout, ze kreeg nog een herkansing bij de vierde. Twee makkelijke vragen. Hoe heet de vrouw van Pipo de Clown? Wat zetten mensen altijd boven op een kerstboom? Het meisje speelde dat ze nog nooit van Mammaloe en een piek had gehoord, met blossen op haar wangen, met vonken in haar ogen. Pal voor Donalds gezicht tilde ze haar blauwe rok op en stroopte haar broekje, wit met hartjesmotief, naar beneden. Uit zijn zak had Donald een speelgoedautootje gevist. Hij liet de wieltjes over de rug van zijn hand heen en weer rollen en gaf het gifgroene Peugeotje, zijn mooiste, met glazen ruitjes en deurtjes die echt open konden, aan het meisje. Het metaal was koud. Over haar spleetje moest ze het autootje laten rijden. Achter beginnen, bij haar billen, en dan langzaam naar voren. En zo wijd met haar benen dat iedereen goed kon kijken, ga maar liggen op het tafeltje. Het meisje sputterde tegen, voor de vorm, maar deed wat haar werd opgedragen. Soepel. Alsof ze het al veel vaker had gedaan. Een van de jongens riep: 'Oh-hoh, ze vindt het lekker, ze is geil!' en Donald had niet geweten dat er een woord bestond voor wat hij aan het meisje zag, voor wat hij zelf voelde.

'Doe hem erin!' riep dezelfde jongen en nog een keer reed het meisje met de auto over het lijntje, in zijn achteruit ging het Peugeotje, tot aan haar billen. Toen duwde haar hand de lipjes uit elkaar. Donald zag de motorkap even in een donker gaatje verdwijnen, er weer uit komen en er weer in gaan, dit was echt heel erg, heel heerlijk, dat vond het meisje ook, ze maakte gekke geluidjes, alsof ze aan een rietje zoog, gesmolten pistache-ijs van de bodem van een verrassingscoupe wilde opslurpen, terwijl stukjes noot het rietje verstopten. Een zo gretig zuigen en weer blazen, neuriën, zuchten, zingen, dat hij op zijn eigen gulp moest slaan om de pijn van zijn stijve niet te voelen. Het leek of ze eeuwig met zijn autootje kon doorgaan. Ze tilde haar hoofd op om te kijken naar de kinderen, die als gehypnotiseerd naar de bewegingen tussen haar benen staarden, werd nu knalrood, zo rood als haar kutje was geworden, ze drukte het speelgoed nog steviger tegen het spleetje, kronkelde, sloeg haar benen eromheen, straks zou ze ook nog haar onderbroek omhoogtrekken om het ding nog beter te voelen, om het mee te kunnen nemen naar haar huis. Toen vroeg ze zelf: 'Zo goed?', waarschijnlijk hopend dat iedereen nee zou zeggen, maar iedereen zei dat dit meer dan genoeg was. Het was meer dan verwacht ook. De kinderen waren geschrokken, het meisje zelf net zo goed. Als ze al ervaren was, dan had ze deze dingen zichzelf geleerd, thuis, in haar eigen bed, maar ze had zich niet eerder laten bekijken. Gauw verschikte ze haar kleren en liep weg, in de richting van wat later het huis van haar opa en oma bleek – iemand wist dat ze hier alleen maar een paar dagen logeerde en daarom nooit lid van de club kon worden. Het autootje was een beetje nat. Slijmerig spul, maar zachter dan spuug, minder klodderig. Daarbinnen, in het gaatje van het meisje, was het vast een soort slakkenhuisje, misschien woonde er ook wel iets in, geen diertje natuurlijk, maar iets dat leek op wat jongens hadden, iets dat je met een voorwerp naar buiten kon lokken, uit zijn schulp kon lokken, iets dat kon likken en ervoor zorgde dat je geluiden maakte alsof je zelf likte, zoog, slurpte.

Iets met dorst. Was hij met het meisje alleen geweest, dan had Donald wel durven vragen of hij met zijn vinger ook eens had mogen voelen, als een dokter, en dat bleef hij denken, dagen en nachten daarna, en in zijn dagdromen veranderde hij langzaam zelf in het meisje, trok hij zelf zijn broek omlaag, reed hij voor vreemde ogen met zijn autootje door zijn bilspleet, over zijn ballen en ten slotte, met enkel de voorwielen, rondjes om zijn piemel. Het autootje had hij nog dezelfde dag in een sloot gegooid, en masturberen deed hij niet. Niet op zijn negende. Hij hoopte dat hij iemand zou tegenkomen die hem dwong. In een dorp verderop was een voetbalcoach opgepakt die zich volgens zijn vader niet kon beheersen, en toen Donald had gevraagd wat hij daarmee bedoelde, had zijn vader hem gewaarschuwd voor kinderlokkers die zomaar ineens aan je lichaam zaten, op plekken waar jij het niet wilde.

Een eng verhaal. Toch had Donald het tot zijn eigen schrik soms jammer gevonden dat de coach van 'zijn' club hem nooit apart nam, hem nooit vroeg zich uit te kleden of dat zelf deed. Een volwassen man, tegen wie hij onder geen beding brutaal zou mogen zijn, die overmacht had, die hij niet kon weigeren... Gesteld dat hij zo iemand zou tegenkomen, dan werden al zijn verlangens vervuld, zonder dat de kleine Donald schuldig zou zijn. Mocht hij daarna ooit de vraag krijgen of hij iets stouts, iets vies had gedaan, iets met seks, dan zou hij niet hoeven liegen. Hij? Nee, hij zeker niet.

Zomaar een episode uit zijn kindertijd. Vanaf zijn dertiende, veertiende had Donald gefantaseerd over volwassen vrouwen, was hij verliefd geworden op meisjes van zijn eigen leeftijd. In zijn eindexamen jaar had hij een vriendin, in zijn studietijd wat los-vaste relaties, heel soms een one-nightstand – zijn erotische leven verschilde in niets van dat van andere jongens en toen hij verliefd werd op Lot Sanders, kostte het hem geen enkele moeite de wankelmoedige verkering met een oud-huisgenote te verbreken en monogaam te zijn, in woord en daad.

Zij was zijn 'ware'. Hij kreeg al maagpijn bij de gedachte aan bedrog. Als een andere man belangstelling voor Lot toonde, ging hij met dichtgeknepen keel tussen hen in staan en broedde tijdens de conversatie op een vileine grap die hij in haar oor zou fluisteren zodra de ander naar de bar of de wc liep. Meisjes en vrouwen die hem probeerden te versieren, sloeg hij geamuseerd gade; hij bood geen verzet, hij gaf niet mee. Donald trok zijn knie niet bruusk weg als er een ongewenste hand op lag, want zoiets moest je toelichten en de toelichting zou weer aanleiding geven tot een 'dieper', 'persoonlijker' gesprek, maar hij reageerde zeker niet op de gewenste wijze als de verleidster ook nog haar hoofd tegen zijn schouder vlijde. Geen afwijzing betekende ook niet meteen instemming, het uitblijven van een klap was niet de toezegging van een kus. Dat ze dat niet begrepen, zijn aanbidsters, bewees wel dat logica geen vrouwelijke deugd was. Het was leuk ze met hun handicap te pesten. Stoïcijns zat hij de beproevingen uit, beproevingen die dat niet waren, een wassen beeld dat niet smolt was hij, maar eenmaal thuis brak de woede op alle sletten van de hele wereld los. Hoe durfden ze zo godvergeten dom te zijn? Te twijfelen aan zijn liefde voor Lot? Dachten ze echt dat ze met haar konden wedijveren? Dat hij tot het leger idioten behoorde dat vergat verliefd en gehuwd te zijn op al die momenten dat hun vrouw even ergens anders was of in elk geval uit het zicht?

Zijn blinde, voorbarige jaloezie op mannelijke intriganten en zijn woede op de dweepsters kwamen even vanzelfsprekend op als zijn verlangen naar Lot, als haar verlangen naar hem. Zij en hij hoefden zich nooit te binnen te brengen dat, hoe en waarom ze bij elkaar hoorden; hun lichamen regeerden, hadden alle besluiten al genomen lang voordat er afwegingen gemaakt, of discussies gevoerd konden worden. Lot en Donald hadden aan elkaars geur genoeg om elkaar te begrijpen. Het woord zin kwam niet in hun gesprekken voor. Ja, in een glas wijn kon je zin hebben, in een zondagmiddag lang lezen, in boswandelingen en gebraden eend. Zin kreeg je in iets, niet in iemand, niet in je vrouw.

Lot was Donalds zin, en hij misschien de hare, had hij in een filosofische bui wel eens geopperd en dat hadden ze allebei een walgelijke uitspraak gevonden, abstract abracadabra, net Milan Kundera, haha, wat een oplichter, wat een quasi-literatuur, 'Ondraaglijk gewoon!' en die woordspeling was zo melig dat ze elkaar even niet hadden durven aankijken, dat ze hun lachende gezichten in elkaar hadden willen verbergen, jezus, wat zijn we weer flauw.

Pas na een paar jaar begon Lot vragen te stellen. Of het niet eens anders kon? In hun keukentje, tegen het aanrecht, in plaats van eerst wat aan elkaar plukken op de bank, om dan in de slaapkamer... Waarom altijd 's avonds? Als hij wist dat ze thuis zat te schrijven, kon hij toch best een keer in zijn lunchpauze naar huis fietsen, om gauw gauw...? Ze zei dat ze begreep dat hij het druk had, dat ze besefte dat hij te midden van zoveel collega's minder makkelijk aan seks kon denken dan zij, maar ook in het weekend, als Donald alle tijd had om eens iets nieuws, iets anders met Lot te doen, verliep alles volgens hetzelfde schema, nooit vroeg hij haar bij zich onder de douche, nooit kleedde hij zich uit, nooit kwam hij met een stijve pik bij haar als zij onder de waterstralen stond... Nooit merkte ze aan hem dat hij het niet meer kon houden van begeerte.

In de probleemrubrieken in damesbladen werd nog steeds geklaagd over mannen die niet normaal konden knuffelen, maar meteen 'verder' wilden gaan. Vrouwen die er moeite mee hadden dat hun man vaker wilde dan zij, vroegen de deskundige wat beter was: eerlijk zeggen dat ze geen zin hadden, of toch maar lust 'faken' alleen om hun man een goed humeur te bezorgen en af te houden van porno, prostituees, een jongere vriendin?

'Als ik die ingezonden brieven lees,' had Lot tegen Donald gezegd, 'wil ik ook wel zulke problemen. Denk ik: had ik maar een man die me tijdens het kijken naar een film onderbrak omdat hij... Die me stoorde in mijn nachtrust. Je zegt dat je me lief vindt, aantrekkelijk, de mooiste, en dat zal best. Ik doe mijn best je te geloven. Maar het is verdacht dat jij je zo goed kunt inhouden. Jij respecteert me, zeg je zelf. Want je wilt me niet behandelen als lustobject. Fijn, heel fijn. Dat we zo gelijkwaardig met elkaar omgaan. Maar soms mag het wel wat minder gelijkwaardig. Ik zou het een compliment vinden als jij mij midden in een gesprek een keer de mond zou snoeren, zou zeggen: "Je mag straks je verhaal afmaken, Lot, maar nu moet ik met je naar bed, ik kan aan niks anders meer denken." Dat ik eens merk dat ik je gek maak, dat je zo heftig over me fantaseert dat je je aandacht niet meer bij je werk, bij een boek, bij muziek, bij een gesprek kunt houden... Opwinding. Drift. Een waas voor je ogen. En nu niet zeggen: "Van jouw fantasieën merk ik anders ook niet veel, jij neemt toch ook zelden initiatief", want dat is wel waar, maar dat ik niks doe komt omdat ik wil dat jij... In mijn fantasieën begin jij. Dus kán ik ze niet zelf uitvoeren, snap je? Ja, ik streel je, ook dáár, als je de krant leest. Dat is mijn initiatief. Maar je lacht dan maar zo'n beetje, omdat je het gezellig vindt of zo. Gezellig! Donald, wat doe ik dan fout?'

Niets, wist Donald. De foutenmaker was hij. Zelden had iemand kritiek op hem, niet omdat hij nou zo perfect was, maar hij had voldoende zelfkennis en humor om aanmerkingen een slag voor te blijven. Zelfs zakelijke tegenstanders als de managers van Douwe Egberts, Nestlé, Albert Heijn vonden hem aimabel, een waardige strijder in de oorlog om de schappenruimte. Alleen in het allerintiemste faalde hij. Kende hij geen verbeelding, geen spontaniteit, geen expressie. Op de daad zelf had Lot niets aan te merken, ze wilde met niemand anders naar bed, omdat ze ongezien al wist dat niemand hun seks zou overtreffen – maar 'alles eromheen' kon beter. Afrikanen begrepen het. De eerste de beste werkloze, rondlummelende Marokkaan op de Ten Katemarkt kende de regels van het spel en speelde het zonder grof te worden, zonder dat het angst inboezemde – geen geilheid om de geilheid, maar heetgebakerde, hardhandige tederheid, op de rand van... mededogen, al klonk dat misschien stom. Troost dan. In hun blikken herinnerde ze zich dat ze anders was. Een vrouw. De geopende hand waar de vuist in past – de ontvankelijke, stille, maar daarom nog niet passieve partij. Het luisterende lichaam. En ze bekende Donald dat ze soms flirtte, niet in de hoop op een affaire; ze wilde gezien worden, zoals hij nooit naar haar keek. Niet naar haar kon kijken, doordrongen als hij was van het idee dat liefde slechts de overtreffende trap van vriendschap tussen gelijken is.

Er gingen soms maanden voorbij waarin er niets aan de hand leek. Ruzies ontstonden op momenten dat Lot weinig opdrachten had of meende dat Donald neerkeek op haar laatste artikel, omdat de problemen in een Limburgs woonwagenkamp toch schriel afstaken bij die van Afrikaanse cacaoslaven. Dan moest Donald uitleggen dat er van minachting bij hem geen sprake was, hooguit vond hij het zonde dat BrotherFood niet een organisatie van hen allebei was geworden, dat Lot na een paar gepubliceerde verslagen van hun reizen was ingegaan op het aanbod van hetzelfde tijdschrift om op vaste basis reportages te maken over persoonlijke drama's in de nabije omgeving.

'Ik vind het zonde voor mezelf, voor de organisatie. Dat neemt niet weg dat ik ook trots op je ben. Op wat je schrijft. Op hoe je het schrijft.' Hij herhaalde de geruststelling net zolang tot hij geen zelfbeklag en achterdocht meer bij haar bespeurde en meestal kwam Ruben snel genoeg met een interessant voorstel, waardoor ze Donalds vermeende onderschatting van haar talenten weer vergat.

Maar juist als hij het niet verwachtte, begon Lot weer over haar gemis. Tijdens Engeland-tripjes, uitrustend na het vrijen. Op een Oxfords of Londens hotelbed, op een gebloemde sprei lagen ze in elkaars armen, Lot rookte een sigaret, ze hoorden dat de badkraan druppelde maar wilden allebei niet opstaan om hem dicht te draaien, ze waren te moe, te gelukkig om zich ergens aan te storen... Dan ineens zei ze: 'Toch vind ik het soms jammer dat je niet...' en somde alle keren op dat ze had gehoopt op iets wat niet was gekomen.

Toen Joy een jaar of drie was, had Donald zijn dochter plotseling met andere, verkeerde ogen bekeken. Hij had haar in een teil water laten spelen, die hij op de vloer van hun kleine douchecel had gezet. Gehurkt zat hij al die tijd voor de open deur, zodat hij het meisje in de gaten kon houden. Eerst hadden ze samen gespeeld, hij had zijn mouwen opgestroopt, een lege shampoofles gepakt en haar voorgedaan hoe je die onder water kon vullen, ze had gelachen om het geluid van de bubbels en bellen die naar boven dreven, plopplopplop, hij had de inhoud van de fles over haar hoofdje leeggekieperd en gezegd: nou jij. Ze speelde alsof ze zich niet bekeken wist. Met een kapotte barbie, een plastic prentenboekje, met de fles, met een oude tandenborstel. Geen autootje. Toch had Donald moeten denken aan het vreemde meisje in het speelkasteel. Wat als Joy ontdekte dat ze met de tandenborstel, die ze nu alleen gebruikte om de sopharen van haar popje te kammen, ook tussen haar beentjes kon aaien? Zou hij het haar verbieden? Zou hij haar afleiden? Dacht hij aan de vieze spelletjes van vroeger omdat hij opeens inzag dat zijn dochter vroeg of laat ook aan een Verboden Quiz zou meedoen, of anders doktertje zou gaan spelen? Baarde dat hem zorgen, wilde hij haar vaderlijk behoeden, zo lang mogelijk onschuldig houden? Of wilde hij haar eigenlijk graag betrappen, nu of morgen, bij haar eerste seksuele ontdekking? De vragen alleen al wonden hem op.

Even later had hij haar uit het afgekoelde water getild, haar afgedroogd en aangekleed. De gebruikelijke ontroering om haar overgave, om haar natte armen die ze rond zijn nek had geslagen, voelde hij dit keer niet in zijn borst, zijn buik – hij had een erectie en kon maar aan één ding denken: met zijn vinger bij haar naar binnen gaan, even maar, om haar plezier te zien, fonkelend, gemengd met een lichte angst en een duistere zucht om meer.

Natuurlijk was hij van die wens geschrokken. Toen de spanning gezakt was, kon hij de gedachte meteen thuisbrengen. Doodverklaren. Lot was veeleisend en ook al verzweeg ze veel van haar wensen, Donald wist wel dat hij altijd tekortschoot.

Bij een kind, dat nog geen welomschreven libido had, kon je niet in gebreke blijven. Het wist nog niet dat het ook anders, beter kon. Het zou uitsluitend reageren op de handelingen van het moment en ze niet vergelijken met de eigen fantasie, met ervaringen van vroeger, met eerdere partners. Het zou zich overgeven of tegenspartelen, maar kritiek op jouw manier van 'liefhebben' zou het nooit hebben. Geen eisen, geen kritiek... Heel begrijpelijk dat hij behoefte aan zoveel onvoorwaardelijkheid had, vond Donald, en zolang hij Joy niet werkelijk betastte was er weinig aan de hand. Hij had een probleem, dat wist hij nu, andere mensen deden er jaren over om zo'n inzicht te bereiken, goed, hij had een probleem, een kleine psychische wond zouden therapeuten dat vast en zeker noemen, of een traumaatje, een complexje, logisch naast een vrouw als Lot, en nu moest en kon hij zelf wel met dat probleem in het reine komen. Meende hij. Maar zodra hij met Joy alleen was, verloren zijn heldere inzichten het van zijn geilheid.

Hij lag nog iedere avond graag naast Lot in bed, het hoogtepunt van de dag, zo dicht tegen elkaar, naakt, onder de dekens, in de kamer die nooit echt donker werd door het licht van de lantaarn – maar het was een rustig liggen, volwassen, open, eerlijk. Transparant.

In de stoffige, oranjezwarte schemer zagen ze alleen elkaars contouren en toch wist Lot wanneer Donald naar haar keek, zoals hij wist wanneer ze eruit zou gaan voor een glas water, om te kijken of de sigaretten en de kachel uit waren, of ze de pil wel had genomen. Al die soorten 'eruit gaan' kondigden zich anders aan, hij hoorde aan haar adem of het dorst was of nervositeit die haar uit bed dreef. Haar klopjes op het kussen: snel te ontcijferen morsecodes. Waarheid van geuren, bewegingen, van de droogte of vochtigheid van haar huid. De koude, klamme voeten van gisternacht waren anders koud en klam dan vandaag en met zijn eigen voeten raadde hij of Lot lag te piekeren of zich juist bovenmatig verheugde op de volgende dag, zelfs als er niets leuks stond te gebeuren, tenminste, niet dat hij wist.

Lag zijn dochter tegen hem aan, dan kon hij sinds het teiltjesincident aan niets anders meer denken dan aan de pedofiele voetbalcoach, de Inwijder, die nooit was gekomen. Die hem had ontzegd wat hij het vreemde meisje destijds wel had gegeven.

Donald wilde aan zijn dochter goedmaken wat hij zelf was misgelopen. Dat lichaampje, dat nu nog zo'n raadsel voor zichzelf was, dat zich met zoveel vertrouwen aan hem opdrong, dat lichaampje vroeg erom verkend te worden, hij zou haar alleen maar willen strelen, wie zei dat dat niet tussen haar benen mocht, wie zei dat je je kind niet een groot plezier deed als je haar op het spoor zette van...? Joy vlocht haar benen door die van hem, duwde haar ronde kinderbillen tegen zijn kruis. Vlak voordat ze doorkreeg dat er een bobbel zat op een plek die anders plat was, begon hij haar te kietelen en dan vergat hij door haar geschater vanzelf zijn opwinding, ze riep 'papapapa', hij was niet haar vriendje, ze had niet verloren in de Verboden Quiz, ze was zijn dochter en die van Lot en Lot zou later op de avond zeggen: 'Als ik Joy en jou zo hoor, dan voel ik me een buitenstaander, maar niet in het negatieve. Jullie hebben zo'n band samen. Prachtig. Al direct na haar geboorte was dat zo, hè? Of eerder al, toen ze nog in mijn buik zat. Toen zorgde je al zo goed voor ons. Je las haar al voor! Zat je tegen mijn navel te kletsen. Schat.' Ja, een schat van een vader was hij, een prachtige band met zijn dochter had hij, hij gunde haar het allerbeste, ze leek op hem, hij kon geen incestpleger zijn, noch worden, hij zou haar niet verkrachten, Joy hoefde niets, helemaal niets met hem te doen, zo was hij niet, hij stond aan de goede kant van de grens.

'Hou je pyjamaatje maar aan, dat is lekker warm.' Steeds vaker verzon Donald smoesjes om Joy niet bloot te hoeven zien, laat staan te voelen. Maar als ze haast had, zette Lot hun dochter bij hem onder de douche en op avonden dat ze uitging met vriendinnen wees ze op de tube zalf tegen de allergische uitslag op Joys buik en rug. Smeer haar maar goed dik in en vergeet haar kontje niet. Na zo'n uitgebreid welterustenritueel werd de spanning hem te veel. Haar voorlezen deed hij zoveel avonden als mogelijk was, daarna deed hij de afwas en bracht Lot Joy naar de rand van de slaap, met de zalf en een Schots liedje met veel halve noten, over een meisje dat zich na haar gedwongen huwelijk verandert in een merel en in die gedaante terugkeert naar haar moeders tuin. Revanche. 'There I'll be waiting, perched in her garden, on her white lily's stem. Mother shall ask then, who is this blackbird, strange is her song and sad...' Mooi liedje. Goede taakverdeling. Zo goed dat hem dan niet eens iets opviel.

Totdat hij alles alleen moest doen.

Gek werd hij, gek van drift en op weer zo'n avond, na het zalfsmeren, besloot hij dat hij dan in godsnaam maar naar kinderporno moest zoeken, dat hij zich moest aftrekken bij beelden van andere kinderen, liefst onder de tien, de pure, die hij iets wilde schenken wat hij niet mocht schenken, verdomme, hij moest zich ontladen, voordat hij zijn vinger per ongeluk bij zijn dochter naar binnen liet gaan.

Donald de downloader. Binnen een paar weken had hij ontdekt dat er sluiproutes op internet bestonden langs welke je bij de echt harde beelden kwam. Hij bediende zich van codenamen, vroeg een nieuwe creditcard aan die hij uitsluitend zou gebruiken voor het betalen van de filmpjes, wachtte dagen achtereen op de wachtwoorden die hem pas nadat de bedragen ontvangen waren werden toegestuurd, en als hij dan eindelijk kon kijken, 's avonds, in zijn lege kantoor, was de spanning zo groot dat hij al bij de eerste beelden klaarkwam.

Een beetje huilen mocht (geluid zette hij hoe dan ook uit), maar zodra een kind werd vastgebonden of een klap kreeg, haakte Donald af. Ook met anale penetratie had hij moeite. Er bestond nog zoiets als ethiek, dacht hij, om onmiddellijk daarna te gruwen van zijn eigen schijnheiligheid. Zijn afhankelijkheid nam toe en stemde hem bitter. Maar het was precies deze verbittering die hem in zijn werk steeds beter maakte – hij moest iets overschreeuwen. Donalds toespraken op congressen werden gloedvoller, er ging geen dag voorbij of er belde wel weer een redacteur van een actualiteitenrubriek, een radioprogramma, een krant met het verzoek om een interview en door alle media-aandacht steeg zijn status met sprongen. BrotherFood was niet langer aandoenlijk alternatief en idealistisch, maar een serieus te nemen merk, dat aan het begrip globalisering eindelijk een positieve lading gaf.

Soms overwoog Donald een scheiding. Voordat Lot zou gaan klagen dat hij haar en hun dochter tekortdeed. Hij moest de eer aan zichzelf houden. Een klein appartement huren naast het nieuwe kantoorpand, waar hij 's avonds zo laat binnen kon komen als hij wilde en 's morgens vroeg weer weg kon, zonder te hoeven praten en ontbijten. Nu nog kon hij afblijven van Joy, maar hij vreesde de dag dat ze zeven zou worden, acht, negen en op school over seks zou horen, door klasgenootjes nieuwsgierig werd gemaakt naar de betekenis van schuttingwoorden als neuken, pijpen en beffen. Het zou beginnen met 'de jongens pakken de meisjes', kinderen die elkaar met hun wollen winterdassen bij wijze van lasso's najoegen op het plein, met kusjes en gegniffel over verkering... Daarna kwamen 'tietjeknijpen' en 'tongentikkertje'. Joy zou wat willen opbiechten, iets over een spelletje in de bosjes, of dat ze in de kleedkamer van gym per ongeluk en ook wel een beetje expres had gezien hoe Tim de onderbroek van Bilal naar beneden had getrokken, ze zou haar vader misschien vrijmoedige vragen stellen over besneden en stijve jongenspiemels en Donald wist nu al dat hij haar belangstelling zou opvatten als een uitnodiging. Ook als hij tegen zijn lusten zou blijven vechten; het zou een keer misgaan en ruim daarvoor moest hij vertrokken zijn.

Nee. Een scheiding was geen oplossing. Er zou een ouderschapsregeling getroffen worden. Dat maakte het nog erger. Als Joy af en toe een paar dagen bij hem zou wonen, in de weekends zou komen logeren... Nee! Dan was hij met haar alleen in een huis, ze zou de eerste tijd in haar nieuwe kamer misschien niet kunnen slapen van alle vreemde geluiden en vragen of ze bij hem mocht komen liggen... Wilde hij niet vooral scheiden om vaker en in alle rust zijn porno te bekijken?

Was hij al zo verslaafd? Drie dagen zonder ging hem goed af, in het weekend kon hij nog steeds met Lot naar bed en tijdens de daad fantaseerde hij echt niet over kleuters, hooguit vlak voordat zijn orgasme uitbrak, dan hielp het even, de gedachte aan een jongetje, een meisje dat hem gewillig daar liet voelen waar het niet mocht. Grote kans dat zijn vrouw ook niet aan hem dacht, zo was het: wat niet weet, wat niet deert – een dooddoener, maar wel waar.

Moest hij hulp zoeken? Samen met Lot in therapie? Alles wat er dan nodeloos overhoopgehaald zou worden... Lot zou haar kans schoon zien en afgeven op zijn ouders, op zijn opvoeding, een godsdienstwaanzinnige moeder en een introverte Fries als vader, ja, dan kreeg je dit, haar trof geen blaam, zij was altijd openhartig geweest, zij had zich van begin af aan kwetsbaar opgesteld, ook haar minder betamelijke verlangens onder woorden gebracht, maar nooit iets teruggekregen, zij was het slachtoffer van zijn morele superioriteit, hij had haar zelfs Graham Greene ontnomen door haar erop te wijzen dat de zo geëngageerde schrijver een ontrouwe hoerenloper was... Elke keer dat Donald therapie overwoog, voelde hij onmiddellijk een dikke band om zijn keel, alsof zijn vrouw ten overstaan van een onpartijdige derde wraak zou nemen op zijn succes. Lot zou willen scheiden, meteen, zogenaamd om Joy tegen haar vader in bescherming te nemen. Maar nog voor Donald zijn spullen had gepakt, zou ze Ruben bellen met de vraag of iemand niet een artikel kon maken over de zachtaardige weldoener die heimelijk verslaafd was aan de hardste kinderporno denkbaar. Sensatie!

Mara kwam als een geschenk uit de hemel. Ze herkende Donalds werklust, deelde zijn dromen, leerde hem wat hij nog niet wist, wees hem op manieren om zijn productenaanbod niet alleen te vergroten, maar de kwaliteit ervan ook te upgraden. Wist Donald hoe hij boeren kon samenbrengen en stimuleren, Mara kon de achterdocht bij fabrikanten wegnemen. 'Wij hebben niks tegen uw oude recept, maar met deze toevoegingen wordt de smaak alleen maar beter. Een beetje meer suiker en een vleugje gember of rode peper door de chutney en dat muffige mangosmaakje maakt plaats voor iets fruitigers. Met meer body.'

Pleidooien voor mooiere potten, wikkels, doosjes. 'Een authentiek Afrikaans motief is prima, maar trek dan een goede kunstenaar aan, laat de etiketten drukken op beter papier. Nogmaals, het is niks tegen jullie. Geen mens kan op alle gebieden een expert zijn.'

Valse bescheidenheid. Donald kende niemand die zo goed was in bijna alles. Mara had culinair vernuft, een groot gevoel voor sfeer en esthetiek, ze kende de politieke situaties van de landen die ze bezochten tot in details, de mentaliteit van de inwoners – van een afstand kon ze zien hoe in een bepaalde gemeenschap de verhoudingen lagen en wie ze moest aanspreken om haar doel te bereiken. Tegen de afzijdige werknemer die speelde dat hij werkelijk niet begreep wat ze bedoelde, maakte ze een grap en als het moest deed ze hem wel even voor hoe het beter kon. Handen uit de mouwen. Zo moeilijk is het toch niet om die macadamianoten te sorteren? 'Hier, je rolt ze uit over een doek en dan pik je er met een tangetje zo de slechte tussenuit. Ze een voor een in de hand nemen kost uren en erg hygiënisch is het niet.' Donald voelde zich veilig in Mara's nabijheid, gesteund. Geen wedstrijd in wie het beter deed, geen gezeur om aandacht of gewroet in zijn innerlijk. Natuurlijk, ze bewonderde hem. Aan kleine dingen kon Donald merken dat ze meer verlangde dan alleen deze enerverende collegialiteit. Toespelingen op haar verliefdheid hield ze voor zich, zelfs als er geen andere BrotherFood-collega's bij waren, waarschijnlijk uit respect voor zijn huwelijk.

Als Donald al verliefd was, was het niet op haar maar op het idee van een nieuw leven. Hij kon scheiden en met Mara gaan wonen. Ze deden al zoveel samen dat het hem weinig moeite zou kosten om ook met haar televisie te kijken, te koken, te winkelen, te slapen. Een voltijdse lijfwacht, die hem zou afhouden van zijn gruwelijke gewoonte. Kwam Joy bij haar vader logeren, dan was zij ook thuis. Ja, misschien werd Mara zelfs wel een betere moeder voor haar dan Lot. Niet die sombere buien. Kijkdozen knutselen, taarten bakken, vliegers bouwen en oplaten, naar buiten!

Steeds vaker liet Donald bij Mara iets los over Lot. Doelbewust. Dat hij zich soms eenzaam voelde, zei hij. Dat hij had kunnen weten wat de splijtzwam in hun huwelijk zou worden. Hij overdreef de ruzies, beweerde na een paar glazen dat Lot te veel tegen hem opkeek, zich te veel aan hem vastklampte, dat hij haar er soms, en naar hij hoopte ten onrechte, van verdacht haar angsten te gebruiken om hem aan thuis te binden. Maar ach, misschien gaf hij haar ook wel te weinig vrijheid. Als hij op reis was, zoals nu, moest zij toch alles in haar eentje opknappen, ja, wie weet was ze beter af zonder hem, zonder zich verantwoordelijk te hoeven voelen... Of was Lot beter af met een ander, dat kon ook. Moeilijk allemaal, heel moeilijk, maar liefde kon toch evengoed zijn: iemand loslaten? 'Lot zou eens moeten kunnen ontspannen, de ruimte moeten nemen om te ontdekken wat ze nou zelf wil. Wat vind jij, Mara? Onzin om je dat te vragen. Ik ben de enige die weet wat ik moet doen. En ik weet het eigenlijk allang. Ik moet weggaan. Zodat ze wat losser van me komt. Mijn werk haar agenda niet meer bepaalt. Ikzelf haar niet meer afhoud van haar eigen ideeën, plannen, ontwikkeling.'

Wat hij hoopte gebeurde al snel. Mara had hem getroost. Op een hotelkamer in Ivoorkust. Een rustige vrijage, in het donker, bij het ratelende geluid van de ventilator. Ze fluisterde om de paar tellen dat ze nog nooit zoveel van iemand... Dat ze nooit had durven denken aan dit... Dat ze niet te hard van stapel moesten lopen, dat hij de tijd moest nemen... Ze temperde hem met vragen. Wisten ze wel wat ze deden? Was dit wel verstandig? Kunnen we nog stoppen? Hoe moet dat straks met BrotherFood, als wij... Haar aarzelend uitgesproken bezwaren wonden Donald op. 'Ssst,' siste hij in haar oor. 'Niet praten. Het heeft gewoon zo moeten zijn, denk er verder maar niet meer over na. Je bent lekker, heerlijk, o, heeft iemand dat wel eens tegen je gezegd?' Daarop wilde Mara weer wat terugzeggen, vond hij haar niet te dik, te weinig meisjesachtig, en Donald voelde hoe ze onder zijn handen zekerder werd, begon te geloven in haar charmes. Door zijn aandacht, vastberadenheid, overtuigingskracht. Hij wijdde haar in. Kon haar dankbaarheid voelen. Zo was het goed. Niets kon beter. Aan de teleurstellende pogingen van een aangeschoten Britse homo zou ze nooit meer terugdenken. Hij, Donald, was pas een minnaar. Iemand die haar ontdekte, bewonderde, zich over haar lichaam ontfermde als betrof het een zeldzaam talent dat alleen hij kon helpen ontplooien. Seks als masterclass. 'Dat ik jou ooit zou ontmoeten...' Weer legde hij haar het zwijgen op. Over sommige dingen moet je niet praten. Hij kuste haar overal, tot ze in slaap viel. Een reusachtige, mollige, barokke cupido zonder vleugels, zonder pijlen. Onervaren en onschuldig. Grote, kleine Mara. Ze beseft niet dat ze ons redt, had hij gedacht, uit twee mislukte verledens.

Oktober – geboortemaand

'Stoor ik u? Mevrouw Sanders? Mijn naam is Gerwold van Deuteren. Advocaat.' De stem van een jonge jongen. Aardappel in de keel. Hees, alsof hij de vorige avond een reünie van zijn jaarclub bij het studentencorps heeft gehad.

'U stoort niet.'

'Ik heb uw telefoonnummer gekregen van uw chef. Hij wilde weten waarover het ging, want het is geloof ik niet gebruikelijk... Maar ik kon niks zeggen. Zou u zo vriendelijk willen zijn hem ook niks te zeggen? Als hij ernaar informeert? Liever geen pers. En u zult zich afvragen: waarom belt een advocaat dan een journalist, maar het zit zo. Een cliënt van mij is nog niet zo lang geleden door u geïnterviewd. Naar ik heb begrepen was hij zeer tevreden over uw artikel, en ook over de ontmoeting zelf. Volgens mijn cliënt bent u de enige die hem begrijpt. Goed begrijpt.'

Joy zit aan tafel te tekenen. Ze kijkt me vragend aan. Ik gebaar dat ik nu niet kan laten merken wie ik aan de lijn heb. Schrijf op een lege envelop die naast de telefoon ligt: *niet iemand die jij kent* en houd het berichtje omhoog. Ze knikt en tekent verder, een uit haar paardenstaart losgeschoten lok in haar mond.

'Mag ik weten om wie het gaat?'

'Yassin M.'

'Dus toch.'

'Het is niet wat u denkt. Yassin wordt ervan verdacht zijn stiefvader te hebben gedood. Door vergiftiging.' Hier is op geoefend. Toch verraadt een trillertje in zijn stem dat de advocaat het wel spectaculair vindt, een moordzaak. Niet om de zaak zelf, maar om de status die het hem geeft. Ik zie voor me hoe de jongen gisteren, op het feest, af en toe achteloos heeft laten vallen dat hij... Om indruk te maken op zijn oude maten, die het bij echtscheidingen hebben gehouden, bij kleine fraudeschandaaltjes. In mijn gedachten is de eigenaar van de stem lang en blond. De torso van een wedstrijdroeier. Iemand die geen Porsche nodig heeft om vrouwen te imponeren. Die zelfs op kantoor liever een versleten lamswollen McGregor-trui draagt dan een pak, en goed kan spelen dat hij maar een heel gewone jongen is. Bij een ander had cliënt Yassin waarschijnlijk nooit over mij durven beginnen.

'En nu? Moet ik een goed woordje voor hem doen?'

'Nu niks. Hij neemt de schuld op zich, beschouwt zichzelf als volledig toerekeningsvatbaar, het is moord met voorbedachten rade. Vergiftiging is in Marokko heel gebruikelijk, als manier om... Yassin heeft zichzelf aangegeven, nog voordat de politie hem kon arresteren. Hij wil zelfs niet dat ik pleit voor strafvermindering. Wat te betreuren is, want er is genoeg...'

'Zijn stiefvader.'

'Ja. Omdat hij het niet meer kon aanzien. Hoe zijn moeder werd bedrogen, bestolen, vernederd. Mishandeld. Geestelijk en fysiek.'

'Ik dacht dat hij, dat het iets met terreur...'

'Hij was al bang dat u dat dacht, ja. Op grond van wat ik in uw artikel heb gelezen, is het ook begrijpelijk om eerst... Maar Yassin zag door uw stuk opeens in waar zijn ehm... probleem zat, zegt hij. Dat hij zijn pijlen op de verkeerden richtte. De woede moest ergens heen. Is het u niet opgevallen dat hij alweer een tijdje van het internet af is? Ook publiceert en chat hij niet onder een andere schuilnaam, dat is allemaal gecheckt. De AIVD hield hem al maanden in de gaten.'

'Dus zonder dat het de bedoeling was, heeft mijn artikel therapeutische waarde gehad?'

'Haha. Dat kunt u wel stellen, ja. Nu goed, er is iemand dood. Daar moeten we niet makkelijk over doen. Yassin is in hechtenis genomen en hij mag bezoek ontvangen. Aan u nu de vraag of u hem zo spoedig mogelijk zou willen bezoeken. Liefst vanavond nog. Tussen zeven en acht kunt u bij hem terecht.'

Ik vraag of de advocaat er zelf ook bij is, maar nee, hij heeft het te druk. Van Deuteren is het soort jongen waarover ik, als Donald er nog was geweest, een paar nachten na een ontmoeting zeker zou hebben gedroomd. Iemand die speelt dat hij man is. Die, als er niemand bij is, wel eens huilt. Bij het nummer 'One' van U2, bij Beethovens laatste pianosonate. Die net als ik graag in zijn eentje whisky drinkt, zonder daarbij televisie te kijken, te mailen, of te lezen. Je hoort dat hij kan proeven.

Ik noteer de gegevens op dezelfde envelop, onder *niet iemand die jij kent*. De advocaat verontschuldigt zich voor het doorgeven van de ongebruikelijke vraag, en hangt op.

'Raar hè?' zeg ik tegen Joy. 'Ik moet naar de gevangenis. Maak ik al zo lang stukken over eh... bijzondere mensen, enge mensen soms ook wel, maar dit is de eerste keer dat ik iemand in een gevangenis opzoek. Zal ik vragen of je vanavond een uurtje bij Nicky mag? Ik ga met een taxi, dat is het snelste, en dan haal ik je om half negen weer op.'

Joy schudt haar hoofd.

'Ik heb geen zin in Nicky. Laat me gewoon eens alleen thuis. Ik ben negen! Als jij dan je mobieltje meeneemt en mij je nummer geeft, dan is het toch goed? Echt, ik kan dat heus wel. Wat heeft-ie eigenlijk gedaan?'

Ik zucht. Knik toegeeflijk. Zeg haar wat ik van Yassin weet, dat ik naar verschikkelijke filmpjes heb gekeken toen zij in Portugal was, een beetje bang voor hem ben geweest – griezelverhaal naverteld op een luchtig *Jeugdjournaal*-toontje. 'En nu heeft hij de boze stiefvader vergiftigd met speciale kruiden in zijn thee.' Het klinkt bijna als Sneeuwwitje. Een wat mannelijker, Arabische versie.

'Heel goed,' zegt Joy.

'Je weet niet wat je zegt, schat.'

Ze kijkt me ernstig aan. Ze kan best 's avonds een paar uur alleen thuisblijven; nou, dan kan ze toch zeker ook weten wat ze zegt? Resoluut schuift ze de doppen op haar viltstiften. 'Als papa vroeg of laat met die Mara was gaan wonen, dan had ik haar denk ik ook vermoord. Ook als ze lief was blijven doen. En wat ik ook nog zeggen wil: jij blijft veel te aardig over papa. Maar hij wou scheiden, hoor!'

Te aardig. Ze heeft het over mij. Haar wanhopige huilbui op de avond na ons IJmuiden-uitstapje kan ik niet vergeten. Het lijkt alsof mijn hele lichaam in brand staat, steeds als ik de scène weer voor me zie. Rauwe huid, schraal, afgeschaafd – pijn als ik onder de douche sta, pijn bij elke beweging, de stof van mijn kleren schrijnt in wonden die er niet zijn. Dan wil ik klein worden, verschrompelen tot de embryo die ik ooit ben geweest. Me oprollen, onbereikbaar zijn. En ik wil mijn verdriet terug, Joys verdriet.

Als we Donald toch weer gewoon konden missen. Zijn zachte voorleesstem, zijn zondagochtendomeletjes, zijn voetstappen op de trap, in het ritme van de Bach-cantate die hij voor zich uit floot, zijn gerammel met zijn fietssleutels, de gezichten die hij naar Joy trok in de scheerspiegel... Zijn verkouden gesnuif in de dagen nadat hij was teruggekomen van een verre reis, zijn afscheidskusjes op onze kruinen, zijn mond als hij goede wijn proefde of kauwde op het schuim van zijn eerste biertje van die dag, zijn blik als Joy hem liet zien wat ze van lego had gebouwd, als ik de laatste regel van mijn artikel had getypt, het document afsloot en mijn laptop dichtklapte, die blik, van: nu zijn we allebei klaar, die wil ik missen, het warrige gesprek voor het slapengaan, zinnen die tegen elkaar opsprongen als losgelaten honden op een veldje, we hadden elkaar te veel te vertellen, over ons werk, over onze dochter, over wat we in de krant hadden gelezen, over mensen die we hadden ontmoet, geen enkele opmerking hield verband met de vorige, we zeiden en lachten maar wat, spel zonder regels en uitkomst, we ravotten met woorden, om te ontspannen, alleen om te ontspannen, een hoger doel had ons gepraat niet, of het maakte de weg vrij naar dat heerlijke liggen in het donker, wij tweeën, ongeboren, ongedeeld, ondeelbaar en omspoeld door warm-oranje licht, zacht als water, als zoet, vruchtbaar water.

Ik had het ooit allemaal kunnen missen omdat ik wist dat Donald het ergens anders net zo miste, ons miste, ik meende destijds dat hij ons nog erger miste dan wij hem, want hij had in het hiernamaals verder niets te doen, er was geen werk, geen afleiding, in alle rust die hem gegeven was moest hij ons de godganse dag en de godganse nacht missen, wat een hel; dan waren wij levenden beter af.

Na Joys verhaal over Mara en na mijn telefoongesprek met Donalds assistente, is er geen gemis meer over. Rouw, heimwee, verdriet, hoe je het ook noemt – het is vergiftigd door zijn overspel. Vloeibaar vuur met een bittere afdronk. Zoutzuur dat alles langzaam wegvreet. Ingewanden. Beenderen. Zenuwen. Er zijn avonden dat ik amper meer uit mijn stoel kan komen van de pijn. Pijn bij het drinken, het plassen, het omdraaien in bed. Pijn in mijn vingertoppen, in mijn nagels, bij het op het nachtslot draaien van de voordeur. Dan denk ik aan Donalds zus Annemiek, en schaam me dat ik zo lichtvaardig heb geoordeeld over haar MS. En als ik aan haar denk, denk ik: dit is geen MS. Wat ik heb is alleen maar geestelijk. Ik stel me aan, stel je niet aan, verzin in vredesnaam geen namen voor de krampen, de momenten van slapte, want het benoemen is het krijgen, toen het woord burn-out nog niet bestond had geen mens er last van, de kwaal had oververmoeidheid moeten blijven heten.

Ik verbied mezelf de medische sites op internet te bezoeken. Wil niet naar de huisarts. Ik heb niets, tenzij je woede op een dode ook een aandoening kunt noemen. Het zal wel slijten. Of niet, maar dan nog zal ik aan de pijnaanvallen gewend raken, zoals ik in de jaren nadat ik door een onbekende man van mijn fiets was gesleurd, aan mijn nachtmerries gewend ben geraakt. Wakker schrikken en gewoon weer doorslapen, het valt te leren, weet ik.

Liever draag ik de pijn alleen dan Joy ermee lastig te vallen. Zij is ook bedrogen, maar haar vader heeft zijn liefde voor haar niet failliet verklaard. Zij heeft het recht naar hem terug te verlangen, dus spreek ik met haar zomin mogelijk over de keren dat Mara hier heeft gelogeerd en al helemaal niet op valse toon.

Te aardig noemt ze mij nu. Ook geen compliment.

Alles en iedereen in het centrum voor tijdelijke detentie is van een grote knulligheid. De receptioniste in een glazen hokje; haar marineblauwe uniform geeft haar gezellige biggengezicht, opgemaakt in blauw en rood, geen enkel gezag. Ik had door het luidsprekertje net zo goed een vakantie bij haar kunnen boeken. De bewaker die me fouilleert, mijn jas, tas en riem in een kluisje opbergt en vervolgens met me meeloopt naar de kleine bezoekersruimte, maakt een grapje tegen haar, ze is alweer verdiept in een tijdschrift over honden. Ik wist niet dat er zo'n blad bestond. Een ziekenhuishal, ziekenhuisgangen. Zielloos tl-licht, om de paar meter een nietszeggende zeefdruk aan de muur, een landschapje, een boom. Achter een van de wissellijsten een bijna naaldloos, bruin dennentakje waaraan een rood lintje met gouden sterren. De kerstversiering van vorig jaar.

Hoe Yassin erbij zit. Rechtop in zijn stoel, zijn handen voor zich op de formica tafel, maar alles aan hem lijkt kleiner. Misschien komt het door de oversized trui, waarin hij eruitziet of hij gekrompen is. Versleten schoolmeubels, een kartonnen bekertje met modderige automatenkoffie. Opnieuw een monoloog. Dezelfde toon als tijdens ons interview.

'Al die jaren laat ik mijn moeder, het hele gezin de les lezen door een aso die het voor haar ogen met anderen doet, of tenminste in hun bed. Die nooit één cent thuisbrengt, weet je, maar ook jat uit mijn moeders portemonnee. Die haar laat doorlopen met een ontstoken kies en later kaak, zogenaamd omdat de tandarts te duur is. Even kon hij werken in een autosloperij van een vriend, en na drie dagen zit hij al te janken dat hij te vroeg op moet, dat hij rug-

277

pijn heeft, dat er een dokter moet komen... En maar preken. Als het moest met de vlakke hand. Staat niet in de Koran. Stáát er niet. Zeg ik, zeg ik: dat moet je toch weten, man, je kan niet eens Arabisch lezen, jij, en als je mij mept bel ik de politie, dan komen ze je halen, dan ga jij lekker terug naar je ezeltjes, ja toch?' Ik onderdruk een glimlach. Kijk naar de bewaker, maar die staart recht voor zich uit. 'Dan ging mijn moeder huilen, de familie van die gast is zo sluw, die gaan het zo draaien dat jij van alles de schuld krijgt, dat zei ze, ik dus, ze was bang dat ik van alles de schuld zou krijgen, straf zou krijgen, weer zo'n Marokkaans ettertje dat relletjes loopt te schoppen, hou je mond maar, Yassin, hij bedoelt het niet onaardig, hij is een man die het ook maar moet uithouden bij zo'n weduwe... Niet iedereen lijkt op jou en je vader... Tja. Zielig. Echt heel zielig.'

Mijn vragen hadden hem aan het denken gezet. Hij was boos op mij geweest. Hollandse trut, waar bemoei je je mee. Tot ik had gezegd dat ik weduwe was. Eerst had hem dat nog bozer gemaakt. Doorwerken, je kind in de steek laten, lekker is dat. Nadat hij de videobanden en de prints van mijn artikel van de trap had geraapt en had gelezen, gewoon buiten, om de hoek, op een bankje, was hij urenlang rondjes door de stad gaan fietsen. Met het pontje naar Noord, op het volgende pontje alweer terug. Beweging – om rustig te worden. Opeens had hij het gezien. Zijn kromme redeneringen, zijn verdediging van het geweld, zijn ontkenning van het aanzetten tot geweld, het was steeds weer: iets opperen en weer terugtrekken, goedpraten. Wat hem eigenlijk dwarszat was zijn geweten, dat de ene keer zei dat Allah zijn stiefvader wel zou straffen voor diens misdragingen, en de andere keer zei dat hij, Yassin, door Allah gestraft zou worden omdat hij die misdragingen toestond, of in elk geval niet ingreep. Het gesprek met zijn geweten, dat in de pendulebewegingen een steeds hogere theoretische of theologische vlucht nam, stelde het handelen langer uit. Wat hij westerlingen verweet deed hij zelf. Steeds meer woorden had hij nodig om alle problemen die hij zag te beschrijven, steeds meer haalde hij erbij, boeken over Bush en Blair, over de geschiedenis van de democratie, over de opkomst van het oriëntalisme, in zijn hoofd ging zijn morele strijd dag en nacht door, de kringen in het water werden almaar wijder, zei hij, terwijl het kiezelsteentje allang naar de bodem was gezakt. Waarbij het conflict met zijn stiefvader dat steentje was.

'Die onthoofdingen... Ik wilde hem onthoofden. Zo was het. Wat je had opgeschreven over straf na de dood, dat had je zo goed gedaan, mevrouw Sanders. Zo denk ik echt. Nog steeds. Maar toen las ik dat zo mooi, zo waarachtig terug en ineens wist ik: ik word hoe dan ook na mijn dood gestraft. Daar is al niks meer aan te doen. Gewoon een rekensommetje. Ik heb een klootzak zijn gang laten gaan, ik heb mijn moeder laten stikken, zogenaamd wilde ze dat zelf, dat ik niks deed, terwijl ik beter had moeten weten... Als ik naar de politie zou gaan, en ze zouden mijn moeder zelf willen spreken, dan weet ik zeker, dan had ze alles ontkend. "Die jongen verzint maar wat, het is de leeftijd."' Yassin slaat zijn koffie in één teug achterover en kijkt me doordringend aan.

'Nu. Nu werkt ze wel met ze mee. Omdat ze me uit de cel wil krijgen, daarom. Láát haar het maar vertellen, en mijn zusje. Láát die familie van hem maar op wraak broeden – dan ziet de politie meteen hoe het allemaal zit, bij ons. Marokkanen. Ik offer daar graag een paar jaar vrijheid voor. Dat het eens boven water komt, al die smerige rotstreken die dit soort kerels uitvreten. Zo. Ik zzzweer het je, ik ben schuldig, ik moet straf, ik krijg na de dood straf, geen ontkomen aan, maar die vent is opgeruimd en mijn moeder kan gaan praten. Moet gaan praten. Zoals jij kan ze niet meer worden, maar ze heeft wel recht op iets meer geluk, toch? Dat wou ik je even zeggen. En dat ik Engels ga studeren. En dat ik graag je hulp daarbij zou willen vragen. Ken je een boek waarvan je denkt: dat moet-ie lezen? *A Burnt-Out Case*? Breng je dat de volgende keer mee? Na het proces? Ik vind je een heel aardige vrouw. Heel aardig. Echt heel aardig. Bijna een moslim, maar dat ben je niet.'

We schudden elkaar de hand. Als de bewaker er niet bij was geweest, had ik hem over zijn hoofd gestreken en hem misschien wel verteld hoe hij ook mij geholpen heeft. Ik zou hem zeggen dat Nederlandse mannen geen haar beter zijn dan zijn stiefvader, vergis je niet, ze pakken het hooguit anders aan, ze meppen niet, maar ze bedriegen net zo makkelijk en... Een moordenaar. Ik ken opeens een moordenaar en het doet me niets. Ook in de taxi terug naar huis, als ik Yassins verhaal in mijn hoofd woord voor woord terughoor, blijft de echo van een veroordeling uit. Als Donald nog had geleefd, zou ik 's nachts of tegen de ochtend over Yassin hebben gedroomd. Die me begrijpt – nog beter, of dieper dan zijn waarschijnlijk beeldschone advocaat.

Ik loop de trap op. Joy staat al in de deuropening. Ze heeft de benedendeur gehoord, mijn voetstappen. 'Niet schrikken, mam. We
hebben bezoek.' Ik schud mijn jas uit, die nat is van de regen. De
eerste keer dat ik haar 's avonds twee uur alleen laat, en ze heeft al
een onaangekondigde gast binnengelaten, verdomme. Een vriendje
van Yassin? Heeft hij mij uit huis weggelokt om... Zijn dankbaarheid van daarnet was ongeveinsd. Of ik blij moet zijn dat ik iemand
tot moord heb aangezet is de vraag, maar ik geloofde hem toen hij
zei dat hij was gestopt met het nadenken en schrijven over islam en
politiek, omdat hij was gaan inzien dat er dicht bij huis meer te verbeteren viel. Driftig trek ik mijn schoenen uit. Joy is niet onder de
indruk van mijn verwijten. 'We hadden nog zo afgesproken... Je zou
niemand... Kan ik je dan niet eens een uurtje vertrouwen?'

Berkman zit op zijn knieën op de grond, maar komt omhoog
als ik de kamer binnen ga. Aan zijn voeten het schaakbord dat nog
van Donald is geweest. Niemand in onze familie kan schaken. Ik
niet, mijn vader niet. Ook Joys vriendinnen kunnen het niet, willen het niet leren, ongezien vinden ze het een saai, stom spel. Op
ochtenden in het weekend schaakt Joy soms tegen zichzelf, zoals
ik 's avonds patience speel op de computer. Of ze haar vader als te-
genspeler voor zich ziet, weet ik niet. En nu heeft ze Berkman. Toen
hij aanbelde heeft ze niet opengedaan, echt niet. Maar hij heeft ook
nog gebeld, met zijn mobieltje naar de vaste telefoon en hoewel Joy
keurig zei dat haar moeder over een uurtje weer te bereiken was,
heeft ze uit nieuwsgierigheid toch even het raam opengeschoven,
om te zien wie die vreemde mijnheer Wieger Berkman was. Ze herkende hem als de vader van Sophie. Ze herinnerde zich dat ik wel
eens met de man had staan praten, met Sophies moeder trouwens
ook. Goed volk, een collega van mama en ik ken hem ook nog, had
ze gedacht – zo iemand laat je toch niet in de hozende regen staan?

Mijn woede is gezakt. Met de keukenhanddoek droog ik mijn haren en gooi de natte lap in de wasmachine. Natuurlijk mag Joy het
spelletje afmaken, als ze belooft dat ze daarna meteen naar bed gaat.
Ik vraag of Berkman zin in koffie heeft. Hij wil liever thee. Joy roept
naar de keuken dat ze nog limonade heeft en meteen daarna hoor ik
haar tegen Berkman zeggen dat het niet slim is om die koningin zo
lang af te schermen. 'Verdedigend spel is laf.'

Hebben we wel thee in huis? In een blik achter de weckfles met
rijst vind ik nog drie zakjes van een nieuw melange dat Donald mee

naar huis heeft genomen om mij te laten proeven. Mara's rooibos-citrusvondst. Vreemd hoe weinig ik voel. Geen pijn. Huiselijkheid. Mijn dochter ligt languit op haar buik op het zeil, met haar elle-bogen duwt ze zichzelf op, haar handen ondersteunen haar kin, ze tuurt van het schaakbord naar Berkman en opnieuw naar de stuk-ken op het veld, niets aan de hand, als vroeger is het, twee mensen die in geheimtaal over hun zetten spreken, elkaars strategieën aan-scherpen, terwijl ik in de keuken een reep in stukjes breek, specu-laasjes op een schaaltje leg. Pas nu het afwezig is, weet ik dat het haat is geweest die me al die tijd overeind heeft gehouden. Een ruggen-graat van witte, harde, koele haat. Ik ga met mijn koffie aan tafel zit-ten. Voor iets lekkers heeft Joy het te druk met nadenken. Berkman wil wel een koekje, maar ook hij slaat verder geen acht op mij; de kruimels vallen op het zeil en op het bord, met zijn pink veegt hij ze bij elkaar, maar hij verontschuldigt zich niet. Straks zal hij om een doekje vragen.

Ik steek een sigaret op en kijk naar het spel, zonder er iets van te begrijpen of te willen begrijpen. Het mag uren doorgaan, maar om kwart over negen roept Joy 'Remise!' en nog voordat Berkman iets terug kan zeggen plukt ze de stukken van het bord, legt ze in de doos, gaat met het spel naar haar slaapkamer. Ze doet geen po-gingen het opblijven te rekken. Berkman moet zien hoe zelfstan-dig ze is. We horen haar in de keuken haar tanden poetsen, neuri-end. Neuriënd gaat ze naar de wc, wast ze haar handen, pakt ze een schone, droge handdoek van het wasrek in Donalds werkkamertje. In haar pyjama komt ze ons gedag zeggen. Niet: 'Kom jij zo meteen nog even het licht bij me uit doen?', ze spreekt me niet eens aan als mama of mam – ze zegt: 'Dag Lot, dag Wieger, heel erg bedankt en doe de groeten aan Sophie.' Als ik een kwartier later bij haar ga kij-ken, slaapt ze al zo vast dat ze mijn duim op haar voorhoofd niet meer voelt. Geen ergernis. Ze draait zich niet binnensmonds mon-kelend van me af; de eerlijke en daarom kwetsende reflex waaraan ik ben gewend. Waaraan ik toch nooit heb kunnen wennen. Ik geef haar een kruisje zoals Berkman mij dat in augustus heeft gegeven. Je kunt niet weten of God bestaat, maar als Hij bestaat kan Hij net zo goed hier zijn. Thuis. Bij ons.

*

Berkman zit op zijn bed. Drie dikke kussens in zijn rug, als een zieke. Naast hem op het tafeltje een groot glas *ale* dat hij moest bestellen in de lounge, want een minibar kent het hotel niet. Bruno ligt op het andere bed, dat tegen de muur staat, met zijn rug naar zijn vader toe. Het lampje boven hem is uit, net als het stripboek dat Berkman een dag voor hun vertrek voor Bruno heeft gekocht. Ook het boek dat hij voor zichzelf kocht, bij de Engelse boekhandel Waterstone's op het Spui, is uit. Lot had Yassin *A Burnt-Out Case* geadviseerd, dus waarom zou dat niet ook geschikt zijn voor mij, had Berkman gedacht.

Mooie beschrijvingen van een leprakolonie in Afrika. Benauwende hitte, vochtigheid, stank. Gedateerde discussies over het katholieke geloof, maar levensechte personages; je kon hun stemmen horen.

Protagonist Querry, een in het Westen gevierd architect van hypermoderne kathedralen, die ten onrechte voor diepreligieus wordt aangezien, terwijl hij alleen een artistieke roeping heeft. Stukgelopen in alles, kan geen kant meer op. Belandt niet in de kolonie omdat hij zo graag nog iets voor de mensheid wil doen, maar gewoon, omdat het lepradorp aan het einde van de rivier ligt die hij is af gevaren. 'Laat ik dan ook maar blijven.' Langzaam wordt duidelijk dat deze Querry een wispelturig liefdesleven heeft gekend dat hij graag aanzag voor gepassioneerd. De kunstenaar met het overlopende hart – het publiek vergaf hem zijn trouweloosheid niet alleen, maar dichtte hem ook een heldenrol toe. En nu, in Congo, 'beschuldigen' een journalist en een Vlaamse palmoliefabrikant, die ooit seminarist is geweest, hem opnieuw van naastenliefde; hij heeft een Afrikaan die in een koortsaanval het oerwoud is in gevlucht gered, bij de ijlende zieke gewaakt, ondanks zijn angsten... Hoezeer Querry ook zijn best doet het verhaal te ontkrachten, de wens van de anderen om in hem een heilige te zien overwint. Totdat de jonge, kinderlijke echtgenote van de Vlaming zwanger blijkt. En heeft Querry niet een nacht met haar op een hotelkamer doorgebracht? De jaloerse man wil geen verklaring afwachten en schiet Querry neer – een paar dagen later sterft hij aan zijn verwondingen. Potsierlijk, vond Berkman. Hooguit het feit dat Greene de atheïstische, darwinistische lepra-arts het laatste woord liet hebben, sprak hem aan. Berkman begreep waarom Lot dit haar lievelingsroman noemde.

Het gesprek op de smoezelige hotelkamer moest haar getroffen hebben. De jonge vrouw in den vreemde doet bij Querry haar beklag over haar man, die zijn theologische ideeën misbruikt om haar niet alleen te bevestigen in haar domheid, maar ook te dwingen tot seks; God wil dat jij dienstbaar bent aan mij en in de echtelijke eros leert om agape te voelen, ego-loze, nederige naastenliefde... Dat soort gelul. Querry heeft het tijdens zijn bezoek zelf moeten aanhoren. Hij troost het meisje niet, maar doet zijn eigen verhaal. Hoe hij zichzelf en zijn minnaressen heeft wijsgemaakt dat hij hartstochtelijk was, gevoelig, licht ontvlambaar, dat hij niet kon helpen dat hij ook snel weer... Dat het ware vuur alleen brandde voor de kunst, allesverterende zelfexpressie die ten slotte zijn 'zelf' opat, inderdaad zoals lepra de zenuwen wegvreet tot er geen pijn meer over is, tot de ziekte zichzelf heeft opgebrand. Aan de zelfmoord van zijn laatste verovering had Querry geen schuld, had hij gemeend – zijn geliefde had hem eerder en beter moeten begrijpen.

Bij het Vlaamse meisje zet Querry zijn openhartige bekentenissen niet in als flirtmiddel. Hij praat in parabels over zijn leugens, drijft zichzelf tegen de muur. Een man als zovelen, maar een die, niet als zovelen, voor zichzelf doorzichtig wordt.

Door deze passage en deze passage alleen was Lot zoveel van Greene gaan houden. Het kon niet anders. Meer nog dan van Bendrix uit *The End of the Affair*. Querry's biecht: de lang verbeide biecht van iedereen. En er volgde geen absolutie. Niemand die goedpraatte dat Querry zijn werk belangrijker had gevonden dan zijn vaderschap. Greene had Querry zelfs geen zielige jeugd gegeven die de ontrouw moest verklaren. Het stopwoord bindingsangst ontbrak.

Als de argwanende overste van de missiepost na Querry's dood oppert dat de architect misschien toch religieuzer was dan hij zelf aannam, dat zijn wens om mee te helpen, een simpel hospitaaltje te bouwen, wellicht voortkwam uit een zoeken naar God en dat dit zoeken kon betekenen dat hij God al gevonden had, haalt de lepra-arts zijn schouders op. Hij constateert alleen maar dat Querry in zijn laatste dagen heeft geleerd andere mensen te dienen en, ofschoon het geluid dat erbij vrijkwam raar klonk, heeft leren lachen.

Een sympathieke man vond Berkman dokter Colin. Lot had hem waarschijnlijk kleurloos gevonden. Het type waar je geen hoogte van krijgt. Dat nuchterheid en introvertie niet eens voorwendt om mysterieus te lijken. Pas ergens over de helft van het boek begrijp je dat Colin weduwnaar is en een goed huwelijk had. Meer niet. Precies schrijnend genoeg voor Querry. Een korrel zout.

Het is nog pas elf uur. De televisie durft Berkman niet aan te zetten, bang dat Bruno wakker wordt van het geluid. Uit het bier is alle koolzuur weg. Berkman neemt nog twee slokken, dan staat hij op, loopt met het glas naar de badkamer, gooit het leeg in de wc.

Vanmiddag, nadat ze hun weekendtassen op hun kamer hadden gezet, zijn ze meteen de stad in gegaan. Omdat Bruno het zo wilde, hebben ze bij McDonald's geluncht. Kipnuggets, een milkshake, slappe, klamme Franse friet. Motregen die Bruno niet deerde. Hij had opgemerkt dat zijn zusje er zeker over zou hebben gezeurd. 'En mama was een paraplu gaan kopen, wedden?' Dat Bruno op de ferry het dek niet had op gewild omdat hij anders kletsnat zou worden – Berkman herinnerde hem er niet aan. Ze hadden gelezen in het café aan boord, gelezen in het buffetrestaurant, gelezen in hun hut en voordat ze waren gaan slapen, hadden ze samen door de patrijspoort naar buiten gekeken, naar de lichtjes van hun eigen schip, naar de donkere zee en de donkere lucht in de verte. Water en hemel vielen niet van elkaar te onderscheiden, alsof ze door de ruimte zweefden, astronauten in een raket. Al zei Bruno dat hij de overtocht best leuk vond, Berkman wist dat zijn zoon met trotse verhalen op school zou komen. Een dikke ober in donkerblauw, met ludieke witte aanplaksik en witte pet, had hij aangezien voor de kapitein en de man had het spel meegespeeld. Blij dat iemand hem zoveel gezag toedichtte had de ober zijn handtekening op Bruno's boekenlegger gezet, een woeste zeemanskrabbel in paarse inkt.

Het steegje The Shambles had Berkman gauw gevonden. Dezelfde vakwerkhuisjes die Lot en Mara hadden beschreven. Voor de etalage van fotowinkel Past Images was Berkman blijven staan.

'Moet je kijken, Bruno.'

Bruno had gekeken. Portretten van mensen in verkleedkleren. 'Nou en?

'Wil jij niet zoiets? Als ridder op de foto? Als Viking?'

'Hoezo?'

'Gewoon. Omdat dat leuk is.'

'Ik hou niet van zulke dingen. Ik vind carnaval al zo stom. Of laatst nog... met de Kinderboekenweek. Moet je kleren aan die passen bij het thema. Mama wilde me ook nog schminken. Loop je helemaal voor schut.'

'Je kunt zo'n foto voor mama laten maken. Hebben we een goed cadeau als we thuiskomen. Een souvenir. Hoeven we daar tenminste niet meer naar te zoeken. Kom, we gaan even naar binnen.' Berkman had het meer tegen zichzelf gehad dan tegen zijn zoon. Foto's zeiden hem niets. Maar hij moest achterhalen wanneer de eigenaar van de winkel de Ghost Tour liep. Daarvoor was hij naar York gegaan. Voor een stompzinnige avondlijke stadswandeling die Bruno, anders dan deze foto's, wél zou waarderen.

Achter de toonbank stond een bleke, pafferige jongen met een bloempotkapsel en een hoornen bril. Een zo voor de hand liggende imitatie van de Britse nerd dat ze er niet eens om hadden moeten lachen. Hij speelde met de muis van de computer. Het portret op het beeldscherm werd langzaam grijzer, vervolgens weer lichter, de tinten helder, daarna trok er een geel waas over de foto, dat deed denken aan de lucht op een drukkende zomerdag voordat het onweer losbarstte. Berkman gebaarde dat de jongen rustig aan kon doen, ze wilden alleen maar even kijken. Bruno had de gekalligrafeerde prijslijst snel ontdekt. En zijn conclusies getrokken. Schandalige oplichters waren het hier. Een pond was toch nog veel meer dan een euro? Nou dan. Zijn held was Dagobert Duck. De gierige eend met de wandelstok en het hoedje, die liefst dag en nacht rondzwom in zijn met goudstukken volgestouwde geldpakhuis.

Zonder dat iemand hem erom gevraagd had, knipte Bruno voordeelbonnen uit reclamefolders, vulde hij formulieren in voor kortingskaarten en vaste-klantenpassen. Een tic die hij met niemand in de beide families gemeen had en die op sommige momenten minstens zo ergerlijk was als zijn zusjes hebberigheid. Zelfs Sinterklaas had hij, toen hij nog vurig geloofde, niet op kosten willen jagen; Bruno's verlanglijstjes blonken uit in soberheid en als hij op de hoogte was van de prijsverschillen voor een en dezelfde voetbal, schreef hij achter zijn wens de naam van de winkel waar het geschenk het voordeligst was. Alsof hij de hongerwinter nog had meegemaakt.

'Bruno, het is toch mijn geld?'

'Ik vind het duur. Voor een paar foto's.'

'Ik heb er hard voor gewerkt, en ik vind het leuk als jij het doet. Dus geld mag het probleem niet zijn. Wil je als ridder?'

'Ga jij dan ook?'

'Nee zeg.'

'Een matrozenpak. Dat doe ik wel. Vooral omdat we dus met een boot zijn gegaan. Dan lijkt het net of we de foto op de ferry hebben gemaakt.' Een charlestonpakje was ook niet onaardig, Dagobert Berkman had Berkman nog geopperd, zijn zoon in een wit dandy-kostuum, compleet met zwarte zijden strik, cummerbund en lakleren schoenen, een plat rieten hoedje op zijn hoofd, een wandelstok, maar Bruno wilde over geschilderde baren uitkijken, naar een geschilderd eiland in de verte. Als het dan per se moest. Uit de studio achter de winkel was een kleine, blonde, vrolijk lachende man gekomen. 'Hello, hello!' had hij gezegd. 'Have you made your choice already?'

'They just want to look,' zei de jongen achter de computer, die nog steeds met de muis in de weer was. Berkman bekeek de man vanuit zijn ooghoeken. Het moest hem zijn. Lots geliefde gids. Ze had geschreven en ook verteld dat hij klein was, maar in zijn gedachten had Berkman hem toch langer voorgesteld, melancholieker, ouder. Ja, hij had hem in zijn verbeelding het gezicht gegeven van Graham Greene, die hij ook weer alleen van foto's kende. Querry, Bendrix, de acteur Ralph Fiennes, Greene, de fotograaf, Donald – alle mannen die met Lot te maken hadden of hadden gehad, waren in zijn gedachten lang, slank, ze hadden licht gekromde schouders en zacht wangvlees dat losjes tegen de jukbeenderen leek geplakt. Koppen waarin je de schedel goed zag zitten, maar toch allerminst mager. Schaduwen onder hun ogen, olieachtige ogen. Waterafstotende ogen, tranen sloegen naar binnen. Mannen met motregen, aldoor maar motregen, in hun gemoed. Mislukte pianisten, desondanks zingend, vanbinnen, als regen, Scarlatti-sonates, dat werk. Roestige spijkers, bevend, snel, bevend, snel stijgend en dalend, snel dansend, vanbinnen – en hoe ze rakelings scheerden langs het magnetisme van mineur. Er niet aan toegeven en weg, weg. Weg.

Maar mister Past Images bleek een goedgemutste kindervriend die nog altijd zelf het hardst moest lachen om zijn vaste-witzenrepertoire. De professionaliteit waarmee hij Bruno bij de schouders had gepakt. 'Loop maar eens met me mee naar achteren, boy. Hoe oud ben je? Tien al? From the Netherlands? Ja, de wereldzeeën hebben jullie bevaren, of course een matroos, alleen Engelse en Duitse kinderen willen graag ridders zijn. En Zweedse kinderen Vikingen, dat snap je wel. You are so smart, I can see it in your eyes.' Een knipoog naar de vader en of hij het maar wilde vertalen. Tegen zijn zin beantwoordde Berkman de amicaliteit van de fotograaf met amicaliteit. Nog even, dacht hij, en ik geef de zak een knipoog terug. In de studio hield de fotograaf Bruno nog eenmaal het witte kostuum voor, als decor misschien een Javaanse veranda? Bruno bleef bij zijn besluit. Hij ging terug de winkel in en wees een foto aan. Zo wilde hij het. Precies zo, en anders niet. Toevallig was het jongetje op de foto de zoon van de fotograaf. Net als destijds tegen Lot was hij over zijn eigen kinderen begonnen, de kletsmajoor, als hij zo doorging stonden ze over drie uur nog in de winkel. Een paar winters geleden had er sneeuw gelegen op het plein hierachter en toen had hij zijn kinderen onmiddellijk van huis laten komen. '...Een zaterdag was het, zulke vlokken, hup, de pakjes aan, naar buiten... Lovely, isn't it? The real Dickens atmosphere, have you ever heard of Scrooge, *A Christmas Carol*?' Voor de tweede keer terug naar de studio, waar de hulpjongen het stranddecor al had laten zakken. Bruno had zijn jas en schoenen uitgetrokken, hij vouwde zijn broek op, legde die op een houten troon. Toen had hij geroepen: 'Hé, papa, kom kijken! Deze kennen wij!'

Achter de quasi-antieke zetel was een wandje met foto's die de lijsten in de winkel niet hadden gehaald, maar waarschijnlijk ook weer te goed waren om te verkommeren in een album.

'Dat meisje zit op streetdance. Bij Sophie. Ik weet niet hoe ze heet. Maar mama zat laatst met die moeder te praten. Weet je wie ik bedoel?' Berkman had geknikt. 'Bruno jongen, let eens op, die mijnheer staat daar al met je jasje klaar. Mooie knopen. Ze lijken wel goud. Met, wat zijn het, ankertjes erop.'

*

Lot was opgetogen geweest. Nadat ze Berkman had verteld over haar bezoek aan Yassin, had ze hem en zichzelf een Auchentoshan ingeschonken. Als hij wilde kon hij daarna nog een Dalwhinnie proeven, een Glenmorangie, een Macallan. Ze mocht van Ruben een reportagereeks maken over whisky. Greene had bij leven miniaturen verzameld. Proefflesjes die stonden uitgestald op een plank in zijn Londense appartement, of in zijn flatje in Antibes, de schrijfkamer in de villa in Anacapri, dat wist ze niet uit haar hoofd. Maar er was meer: je kon lid worden van de vrienden van Laphroaig, waarbij je dan een virtueel stukje Schotse grond kocht in een landschap dat je via een webcam kon bekijken, dag in dag uit. Zelf staarde ze graag naar de ruige, onherbergzame vlakte rondom de stokerij, naar de heuvels in de verte, ze werd er rustig van, soms stelde ze zich voor hoe ze diep in de drassige bodem wegzonk.

Er verschenen steeds meer whiskyboeken, literaire whiskyverhalen, whiskycursussen, whiskyreizen en whiskydagen – over een maand, in het tweede weekend van november kwamen alle liefhebbers bijeen in de Pieterskerk in Leiden. Steeds meer vrouwen gingen whisky drinken en dan heus niet alleen de zachte Lowlandmalts – Speyside en Islay werden steeds populairder. Whisky was een way of life geworden, een religie voor mensen die bestand waren tegen eenzaamheid, gure stormen, woeste hoogten, verraderlijk drijfzand, verraderlijke getijden, verraderlijk stralend goud zonlicht, hoog aan de noordelijke hemel, dat snel werd verslonden door asgrauwe wolken, die opdoken als voorhistorische monsters uit de ijzige, fluitende zee. Golgotha na de kruisafname. Portretten van whiskyfanaten zou ze gaan maken – Lot vermoedde in de cultus heimwee naar een oergevoel, naar iets hoekigs, aards, ruws.

'Leuk hè? Eindelijk eens niet zo...'

'Realistisch.'

'Ja. Want het gaat hier om een sfeer. En tegelijk is dat misschien wel realistischer dan al die concrete probleemverhalen die ik heb moeten aanhoren... dan al die verslagen bij elkaar. Zoals poëzie. Die kan waarachtiger zijn dan welk eerlijk gesprek ook. Maar nu genoeg over mij. Je bent hier niet zomaar. Heb je weer iets... ontdekt?'

Berkman had gewild dat hij er wel 'zomaar' was. Toen hij had aangebeld had hij niet verwacht een meisje alleen aan te treffen. Hij had zich voorbereid op het brengen van een loodzwaar bericht, hij was nat en koud, zijn kleren waren doorweekt, maar hij had nu eenmaal van zichzelf geëist dat hij zijn taak volbracht had voordat hij met Bruno een paar dagen weg zou gaan. De verrassing dat Joy hem binnenliet – en hem meteen wees waar hij zijn schoenen kon uittrekken, hem zelfs een paar droge sokken van haar vader had gegeven...

Met plezier had hij tegen Lots dochter geschaakt en even was hij daarbij door schaamte overvallen; met zijn eigen kinderen speelde hij beduidend minder enthousiast.

Hij had weer iets ontdekt, ja. Het klonk zo simpel. Alsof Mara hem alleen maar een liefdesbrief had laten lezen, een paar foto's van haar clandestiene geluk had getoond.

'Lot, een vraag vooraf. Sta je nog steeds op het standpunt dat je alles van Donald wilt weten?'

'Dat heb ik toch al gezegd. Alles. Dat liedje verdroeg ik toch ook? Hoezo? Was Mara niet de enige? Ging hij net als jij... naar de hoeren? Ik weet het niet, hoor, maar ik voel de laatste tijd helemaal niks. Ja, pijnaanvallen. Krampen. Vlagen van een woede – die toch nergens heen kan. Maar het lukt me niet om over Donald na te denken, om iets te begrijpen, om het allemaal op een rij te krijgen. De feiten, zijn eventuele emoties, frustraties. Die van mezelf. Het wil...'

'Het wil geen verhaal worden.' Berkman had op zijn zakken geklopt om te weten of hij nog ergens een pakje sigaretten had. Niets. Hij had onderweg nieuwe willen kopen, voor de zekerheid, reservesigaretten, maar het was steeds harder gaan regenen en de eerste de beste snackbar die hij was binnengegaan had alleen nog maar mentholsigaretten en shag in het assortiment, de verkoop van rookwaren liep niet meer.

'Precies. Geen coherent verhaal. Als ik probeer het in kaart te brengen, verstar ik. Ik? Mijn lichaam. Echt, er kan nog veel meer informatie bij. Het maakt me allemaal niks meer uit. Voor mijn part was hij een verkrachter. Anders dan jij soms denkt, ben ik niet goed in vergeven. Ja, zo'n Yassin, dat is een koud kunstje. Mij heeft die jongen niks geflikt.'

'En Donalds bedrog is onvergeeflijk.'

'Onvergeeflijk. En daarin bestaan geen gradaties. Er is geen overtreffende trap in onvergeeflijkheid. Weet ik nu pas. Als je op de bodem zit van je... van je woede, zoals ik, van je onbegrip, je verbijstering... Doe er dan nog maar wat vreselijkheden bij. Jij wilt roken en je hebt niks bij je.' Ze had gelachen. 'Vráág er dan gewoon om! Ik heb genoeg, een hele slof.'

Lot had hem een pakje gegeven, zodat hij niet steeds bij haar hoefde te bedelen. Na een paar trekken had Berkman de brandende sigaret in de asbak gelegd en een envelop uit de binnenzak van zijn jasje gehaald.

'Ik heb het opgeschreven. De... informatie. Van alle dingen die Mara heeft losgelaten heb ik geprobeerd wél een samenhangend verhaal te maken. Op jouw manier. Het spijt me als ik onduidelijk ben. Ik wilde jou het hele verhaal geven, maar ik vind ook: jij moet het kunnen lezen wanneer jij dat wilt. Het is schokkend.' Berkman nam weer een trek van zijn sigaret. 'Ik vond het schokkend. Misselijkmakend. En het is cru, maar het zal lijken alsof ik met dit verhaal over Donald mijn eigen hoerenbezoek probeer goed te praten. De dief die de moordenaar aangeeft en daarmee de verontwaardiging over zijn eigen misdaad afzwakt: kijk, het kan nog erger. Zo is het niet bedoeld. Dat je dat weet. Als je het gaat lezen.'

Hij had haar de envelop overhandigd. Zo onplechtig als mogelijk was. Tegen beter weten in had hij gehoopt dat Lot hem zou opbergen, in een kast, een la, met de mededeling dat ze misschien over een halfjaar, een jaar... Dat ze het gezellig zou willen houden, nu. Achter de gesloten gordijnen klaterde de regen door. Als hij ooit een whiskydrinker zou worden, werd Dalwhinnie zijn merk, dacht Berkman. Vriendelijke, honingachtige smaak. Licht, warm. Lot had de envelop opengescheurd en hem boven op een andere gelegd: *niet iemand die jij kent*, las hij. Hij had aan Petrus moeten denken, de discipel op de drukke binnenplaats, die vlak na Jezus' gevangenneming tot driemaal toe tegenover nieuwsgierige omstanders beweerde dat hij de arrestant echt niet kende, nog nooit in diens buurt was geweest.

Was het verraad van Judas zoveel erger?

Waren de leerlingen, de vrienden die in de Hof van Olijven in slaap waren gevallen toen hun Heiland bloed zweette van doodsangst, niet de grootste verraders? 'Kunt Gij dan niet één nacht met mij waken?' had Jezus gevraagd – geen antwoord.

Wat was waken? Berkman had teruggedacht aan de nacht dat hij was opgebleven, in deze kamer, terwijl Lot even verderop haar angst voor Yassin wegsliep, haar vermoeidheid van weken.

Was dat waken geweest?

Op dit moment las Lot de zeven geprinte A4'tjes, met opgetrokken benen op de bank, onder een stoffige schemerlamp.

Wie niet beter wist, zou denken dat ze zo wel vaker bijeenzaten: hij slaperig, zomaar wat om zich heen blikkend, verdroomd, met een sigaret in de ene, en een glas Dalwhinnie in de andere hand, vrijdagavond, straks een cd opzetten, welke? Zij verdiept in een tijdschrift, een boek, een brief van een verre vriendin, ook moe, ook ro-kend, ja, prima, een muziekje, Barbers *Adagio for Strings*, zet je het niet te hard? Allebei op sokken. Haar dat nog niet helemaal droog was – alsof ze net samen hadden gedoucht.

'Verdomme, wat moet ik hierop zeggen? Niks natuurlijk. Jezus, Wieger. Wat denk je, zou die Mara dit niet gewoon verzonnen kun-nen hebben?'

'Nee. Zo iemand is het niet.'

'Nee, ze is niet... Het moet waar zijn.'

'Het is waar. Ze dacht dat ze hem kon redden.'

'Onbegrijpelijk. Ik vind het on-be-grijpe-lijk. Ze bleef verliefd. Op mijn man. Op Donald. Terwijl ze hem had betrapt. Terwijl ze... Ik vraag me af: hoe verliefd was Donald dan op haar? Je schrijft dat hij na die eerste nacht dacht dat hij er wel mee kon stoppen. Met zijn... verdomme. Ik krijg dat woord mijn mond niet uit.'

'Even heeft hij dat gedacht, ja. Maar het was een verslaving. Zou jij van de ene dag op de andere... kunnen stoppen met roken?'

'Wieger! Dit gaat niet over roken. Niet over drank. Of drugs. Dit gaat over... gadverdamme. Het is zo... zo misdadig. Kleine kinde-ren. Ik snap heus wel wat je bedoelt met "verslaving". Het zal wel iets met adrenaline te maken hebben. Misschien wonden niet al-leen die filmpjes hem op, maar ook de gedachte dat hij betrapt zou kunnen worden. Of macht. Dat hij macht had over die kinderen. Dat hij macht had over zichzelf, over zijn verlangens. "Ik bepaal helemaal zelf waar ik opgewonden van raak. Niemand hoeft het te weten, te begrijpen, erin te delen." Jezus, mijn man. Nog een won-der dat hij tussendoor gewoon met mij... en met Mara... naar bed kon. En dat zij met hem kon neuken. Ik bedoel, als ík had geweten dat hij...'

Berkman had geknikt. 'Ze vond het ook moeilijk. Ze moest zich eroverheen zetten. Vond ze zelf. Ze heeft meer filmpjes bekeken dan die ene die ik in mijn stuk beschrijf. Expres. Om te walgen. Om van hem los te komen. Maar ze kwam niet van hem los. Ze bleef geloven dat ze hem met veel geduld...'

'Geduld en liefde zeker. Ik heb bijna met haar te doen. Dat moet toch een vorm van zelfkastijding, van automutilatie zijn om met zo'n smeerlap zelfs maar te... Nee. Ik heb het over mijn man. Waar is die creditcard eigenlijk gebleven? Kan de recherche...? Ze doen nu toch grootscheepse onderzoeken? Dat ze via zijn creditcardgegevens... Moet je toch ook niet aan denken. Dat er ineens politie voor je deur staat. "Mevrouw, uw overleden echtgenoot was in het bezit van harde..."'

'Ze heeft de kaart in stukken geknipt en in de gracht gegooid. Hij had hem al laten blokkeren. Al eerder heeft ze hem alles laten vernietigen, wegwissen, ik weet niet hoe je dat noemt.'

'Ze is dus niet zelf naar de politie gegaan.'

'Dat heeft ze overwogen.'

'Nog een geluk, nou ja, geluk? Dat hij niet daadwerkelijk...'

'Sorry, Lot. Hij heeft ook... Twee keer is hij alleen naar Azië geweest. Zonder Mara, zonder andere mensen van zijn team. Vietnam, Cambodja. Dat weet je.'

'Ja, dat weet ik. Hij bezocht daar een uitgetreden franciscaan of zo, een oudere man die er al jaren woonde, die hem rondleidde langs projecten, ja, daar kwam hij heel, hoe noem je dat, geïnspireerd van thuis. Geëxalteerd. Dat is een beter woord. Hij straalde. De energie spatte ervan af. Nu ga je me niet vertellen dat hij daar... Met jonge kinderen? Waarom heb je dat niet opgeschreven?! Wieger?'

'Omdat Mara ook niet exact wist wat daar was gebeurd. Donald beweerde dat hij ze grif heeft betaald, in dollars, alleen maar om ze bloot te zien. Zich een beetje te laten masseren. Geen seks. Hij heeft alles aangehouden.'

'Je bedoelt: zijn broek.'

'Ja.'

'Sympathiek, hoor. Gadverdamme. Gadverdamme. Mijn eigen man. Nou begrijp ik opeens ook waarom hij geen enkele op- of aanmerking had over mijn artikel over die pedofiel, weet je wel? Die van die buxusstruikjes, die hovenier. Vlak voor Donalds dood stond het erin, je hebt het misschien niet gelezen. Het kwam later in die bundeling. Waar ik nog een prijs, een journalistiek prijsje... Jezus. Ook nog sekstoerisme. De man die vocht, vócht tegen kinderarbeid, tegen slavernij, tegen fabrieksdirecteuren die kinderen blootstelden aan giftige dampen van verfstoffen, bleekmiddelen, insecticiden, noem maar op. Heeft Mara dát niet eens kunnen bedenken? Dat dit toch wel...' De wanhoop in haar ogen. Had hij haar in zijn armen moeten nemen?

'Dat heeft ze bedacht, Lot. Dat heeft ze bedacht. Maar ze heeft ook gedacht: mensen vinden niets heerlijker dan een voorbeeldfiguur te zien struikelen. Diep te zien vallen. Want dan hebben ze weer een excuus om zelf alles bij het oude te laten. Armoede, ongelijkheid, uitbuiting, milieuvervuiling; niks tegen te beginnen. "Als zo'n BrotherFood-man al een rotzak is, hoef je die hele club ook niet te vertrouwen." Dat denkt het publiek en ik denk dat Mara dat goed heeft gezien. Dat zo'n scoop mensen van de plicht zou ontslaan...'

'Dat is waar.'

'Ja.'

'Dat is waar. "Death of a Hermit. The Saint who Failed". Het kopje van een artikel dat een hijgerige journalist schrijft na de moord op de hoofdpersoon uit *A Burnt-Out Case*. Heb ik pas herlezen. En Yassin daarnet nog aangeraden. Je hebt het goed opgeschreven, het verhaal.'

'Dankjewel.'

'Het moet voor jou ook ellendig zijn geweest. Ik kon niet weten dat je dit...'

'Niemand kon dat weten.'

'Voor Mara is het ook verschrikkelijk.'

'Ja. Ze sliep hier om hem te bewaken. Hij had jou voorgesteld een hotel te nemen, omdat hij zag dat hij je te veel belastte. Niet om haar langdurig te kunnen.... ontmoeten, zien. Of misschien wel, maar dan bleef dat verlangen onbewust. Zichzelf heeft hij wijsgemaakt dat die reisjes echt waren om jou... En pas toen jij al weg was, bekroop hem de angst dat hij...Volgens Mara is er in jullie bed niks onbetamelijks gebeurd. Dat kon hij niet, dat kon zij niet.'

'Wat zal ik vannacht dan lekker slapen.'

'Doe niet zo sarcastisch.'

'Ik mag sarcastisch doen. Na dit verhaal.'

'Ja.'

'Ik mag sarcastisch doen. Dus Mara sliep hier om te voorkomen dat hij achter zijn computer... Maar hij downloadde die rotzooi toch alleen op kantoor?'

'Denk even helder na.'

'Ik zie het niet.'

'Omdat hij bang was dat hij Joy...'

'Nee.'

'Zo was het.'

'Onze dochter.'

'Ja.'

'Godverdómme!'

'Nooit, nooit heeft hij een vinger naar haar uitgestoken. Dat heeft hij Mara huilend bekend. Smekend. "Geloof me." Ze moest hem geloven.'

'Ik geloof hem ook. Daarin. Daarin geloof ik hem wel. Dat van die Thaise kinderen is iets anders, daar heeft hij de boel zeker mooier gemaakt, maar...'

'Vietnamese kinderen.'

'Ja. Bedoel ik ook. En Joy kwam op de leeftijd die hij zo... gad-ver-dam-me... zo aantrekkelijk vond... En plotseling sterft hij. En het was geen zelfmoord, dat is uitgebreid onderzocht bij de autopsie. Mag ik nog één keer cynisch doen?'

'Ja.'

'Dat noem ik nou een wonder. Voorzienigheid. Dat hij sterft voordat hij zich op een dag, een avond, toch een keer niet zou hebben kunnen beheersen. Alsof hij met zijn dood zijn dochter heeft gespaard. Joy weet van niks. Wat vind je, is het mijn schuld?'

'Jouw schuld?'

'Dat ik te veel van hem vroeg? Als... als man, geliefde?'

'Zo stelde hij het zichzelf misschien graag voor. Dus zo heb ik het ook opgeschreven. Maar ik geloof dat niet. Ik geloof dat het hoe dan ook zou zijn gebeurd. Omdat hij vastzat. In zijn rol, in de eisen die hij zichzelf stelde, in zijn perfectiedwang. Hij moest van zichzelf moreel zijn, sociaal zijn, hartelijk, omnipresent, open, toegankelijk, toch geen missionaris, geen berekenende manager, nee, een gewone jongen... Bang voor fantasie, dat leek hij me. Iemand die bij het opstaan zijn dromen, als hij ze al onthouden heeft, liefst zo snel mogelijk vergeet. "Dat leidt maar af." Zo iemand. Je weet niet waar je verbeelding je kan brengen. En je niet te veel afvragen, bij de mensen die je ontmoet. Daarmee voorkom je dat je associaties een loopje met je nemen. Dat je zonder aanwijsbare reden opeens een hekel aan iemand krijgt.'

'Zo iemand, ja. Dat was Donald. Maar dan hoef je toch niet meteen...?'

'Die filmpjes waren door anderen gemaakt. Je kijkt naar de fantasieën van anderen. Via die beelden ga je zelf wat voelen. Je bent niet creatief, maar recreatief. Schone handen.'

'Schone handen. Een obsessie met schone handen. Weet je? Ik zou me wel willen bezatten. Nu. Met jou erbij. Dat je me vasthoudt voordat ik duizelig wordt. Of ga springen.'

'Je gaat niet springen.'

'Nee, niet springen. Ben ik te moe voor. Ik ben zelfs te moe voor nog een whisky, je hoeft mijn kots straks niet op te dweilen. Fijn, hè? Je kunt rustig naar huis.'

'Ik ga niet rustig naar huis. Ik laat jou hier achter met die papieren... Zo stom, dat ik heb kunnen denken dat dit de beste manier was om je... om het je te vertellen. Over rustig gesproken. Hoe heb ik in godsnaam kunnen denken: dan geef ik haar die envelop en dan kan Lot hem rustig openmaken, op haar gemak, als ze er zelf aan toe is... Alsof je hier ooit aan toe kunt zijn. En over twee dagen ga ik al op vakantie.'

'Geeft niet. Wanneer kom je terug?'

'Op de zevenentwintigste. Mijn verjaardag.'

'Grappig. Dezelfde dag.'

'Als Donald?'

'Alsjeblieft niet. Als ik. 27 oktober. En weet je wat ik je nooit heb verteld? Niet lachen, beloof je dat? Ach, je gelooft het toch niet. Ik kan wel van alles verzinnen.'

'Zeg het nou.'

'Mijn ouders... Mijn ouders zouden mij Wieger hebben genoemd. Als ik een jongen was geweest. Wilhelmus naar mijn opa, Ignatius en Erasmus naar de helden van mijn vader. Hij heeft bij de jezuïeten op school gezeten, vandaar.'

*

De omgekeerde volgorde. Eerst de foto's, dan de Ghost Tour. Terwijl de fotograaf een proef-polaroid had gemaakt, had Berkman terloops geïnformeerd naar de wandeling. Was zoiets wel leuk voor een jongen van tien, die amper Engels verstond? En welke van de tours zou de gids adviseren? De man antwoordde dat het geen kwaad kon om iets voor half acht 's avonds voor de deur van de winkel te wachten – grote kans dat er iets zou gebeuren dat de levens van vader en zoon blijvend zou veranderen. En die kans werd nog groter als ze niet vandaag, maar morgenavond hun opwachting maakten.

Bruno moest de lange, koperen verrekijker in de komende paar minuten niet te dicht bij zijn gezicht houden. Op het proefkiekje zag het eruit of hij op een trompet blies. De arm iets laten zak-

ken, was het advies. En kijk verheugd, maar ook weer niet al te vrolijk. 'Jullie schip heeft maanden op de open oceaan rondgedobberd,
nu is er eindelijk een eiland in zicht. Maar het kan net zo goed een
luchtspiegeling zijn. Of een verschrikkelijk oord, met onbegaanba-
re wegen, hoge bergen, oerwouden vol wilde beesten, een primitieve stam die mensenvlees eet... Zo moet je kijken. Cannibals perhaps! Now you are looking as if you will find a coconut-paradise
out there, with beautiful, half-naked, blackeyed girls... But I want to
see some fear. Try to be serious.' Alweer had de fotograaf naar Berkman geknipoogd.

Het mannen-onder-elkaar-toontje, waar Berkman toch al nooit
tegen had gekund. Bruno riep dat hij niets van meisjes moest hebben en of zijn vader dat even voor hem wilde vertalen. De fotograaf
sprong als een kangoeroe achter zijn statief op en neer. 'Wacht maar
tot over een jaar of drie, vier, and we shall see...'

Zijn schaterlach, meerstemmig, alsof de man een tot de nok gevuld supportersvak in zijn borst verborg, maakte hem onuitstaan-
baar. Geestloos, had Berkman gedacht. Of dan ten minste geest-
arm. Kinderlijk blij met zichzelf en met zijn studio; een donkere,
muf riekende verkleedkist vol met antieke troep die niet bedoeld
was om er de realiteit mee te ontvluchten – er was voor de man geen
andere realiteit dan deze. Het kon niet anders of naast zijn bed lag,
behalve een meesterwerk van Dickens, ook nog *Het betoverde land
achter de kleerkast* van C.S. Lewis.

Bruno volgde al zijn aanwijzingen op. Hij tuurde weer door de
koperen pijp, maar nu met de ernst die er van hem gevraagd werd,
hij liet de kijker in een soepel gebaar tot harthoogte zakken, bleef
turen, zette zijn voeten iets uit elkaar, de afstand ertussen gelijk aan
die welke de man met zijn kortvingerige handen aangaf. Berkman
had gedacht aan de armoedige Oost-Europese kinderen die in por-
nofilmpjes figureerden. Zomaar. Hij kon er geen mening over hebben, niet hier, hij voelde geen medelijden, geen verontwaardiging.
Het onderwerp was uitgekauwd. De enkele keer dat hij nog iets las
of zag over de martelingen en seksuele vernederingen van Iraak-
se gevangenen in de Abu Ghraib-gevangenis werd hij evenmin geraakt. Wat voor de ene mens een pijnlijke, dagelijkse realiteit was,
een trauma, was voor een ander allang een past image geworden.

Hij had zijn jas uitgetrokken en op de houten troon gelegd, boven op Bruno's broek. Hij betrapte zich op een glimlach in de rich-

ting van Lot, van de foto waarop Joy en Lot... Ze droeg dezelfde jurk als Mara, blauw fluweel, zoals ze had beschreven, maar Mara had in het gewaad een opgewekte aardappelboerin geleken, die zich voor de gelegenheid had gesopt en geschrobd met een spons en een blok Ossegalzeep, in een zinken teil gevuld met ijskoud pompwater; een 'voor-mij-geen-tierelantijnen'-vrouw die toch heimelijk trots was op haar zondagse robe. Een modern, een te modern gezicht had Mara. Wakker, open, daadkrachtig, geëmancipeerd, een opvallend glimmende, dikkige, roze, ronde kin als de punt onder een uitroepteken: in alles onmiddeleeuws zeker van haar zaak.

De kathedraal van York, op de achtergrond, was van vette, okeren verf gebleven. Hoe anders zat Lot in hetzelfde decor. Bleek als een kankerpatiënt. Fijngesneden ogen, neus, lippen, hongerkoontjes, een hoog voorhoofd waar, als ze geen band met sluier had gedragen, het flitslicht van zou zijn teruggekaatst.

Kopie van de allervroegste, houten Madonnabeelden die hij in het museum van Warschau had gezien. Uit de tijd dat Wrocław nog van Duitsland was en Breslau heette.

Lot keek in de camera als opgejaagd wild, even sereen als bevreesd, even onschuldig als hysterisch, bitter, de jonkvrouw die niet meer geloofde in de terugkeer van haar geliefde strijder, de blik uitgebeten door desillusie, imploderende woede, woede die was opgebrand. Red mij, zei ze. Red me, verlos me, verlos me van mijn vergeefse verlangens, knal me gewoon maar af. Gauw. Nu. Ik wil niet meer.

Berkman moest blijven kijken. Die lood-, die hagelvragende blik. Vernietig mij, maak alles donker, kus me dood.

De fotograaf tot wie Lot zich had gewend, had de codes niet kunnen lezen. Had, net als op dit moment met Bruno, alleen zijn werk gedaan, meer niet. Als hij al had opgemerkt dat Lot een mooie vrouw was, dan was hij haar toch al na een halfuur weer vergeten, perfecte prerafaëlitische *look* of niet. En natuurlijk had de man niet geweten dat Lot weduwe was. Toen niet, nu niet.

Hij zou ook niet anders naar de vrouw op de foto kijken als Berkman hem straks bij de kassa vertelde... Dan was er een tragische geschiedenis, so what?

Bruno mocht zijn matrozenpakje uittrekken, zijn broek en schoenen weer aandoen. Hij scheen opgelucht, maar niet omdat hij de sessie zo verschrikkelijk had gevonden.

Op de computer in de winkel bekeken ze gedrieën het resultaat. Van de zes foto's die op het scherm verschenen, koos Bruno er twee die hij uitvergroot wilde zien. Hij was het met de fotograaf eens dat een grijze of zilverige gloed de plaatjes geheimzinniger maakte. Alsof ze minstens een eeuw geleden waren geschoten, met een camera obscura waaraan een reusachtige zwarte lap bevestigd was, een mantel die de fotograaf van top tot teen had omhuld.

Berkman betaalde en beloofde over een uur terug te komen om de afdrukken op te halen. Eerder kon ook, had de man gezegd, maar dan waren de foto's nog niet helemaal droog.

Berkman vouwt zijn kleren op. Voordat hij gaat slapen opent hij nog eenmaal het bruine, kartonnen mapje met de portretten van zijn scheepszoon met verrekijker. Petra laat ze waarschijnlijk meteen inlijsten. Sophie zal jaloers zijn. Waarom doen ze nou nooit zoiets leuks met haar? Zij houdt veel meer van verkleedpartijen dan haar broer, en toch zijn er van haar alleen maar saaie schoolfoto's – hadden ze in die winkel trouwens prinsessenjurken? Ook in het roze? Opnieuw denkt Berkman aan de eigenzinnige Joy, die in een ridderkostuum naast haar moeders troon had gestaan, de punt van haar zwaard stevig voor haar voeten geplant.

Hij slaat zijn dekbed open, gaat liggen, knipt de leeslamp boven hem uit. Achter zijn gesloten oogleden blijft hij de foto van moeder en dochter zien. Wazig nabeeld, alsof regen de kleding, het decor en de gezichten in elkaar laat overlopen. Het lukt hem niet de foto scherper te krijgen. Zo exact als hij zich het laatste gesprek met Lot herinnert, woordelijk, het voor zich ziet, uitgeschreven, compleet met aanhalingstekens en interpunctie, zo moeilijk is het haar beeltenis in zijn geheugen terug te vinden. Zelfs nu hij zich Joy weer voor de geest kan halen, blijft Lot een schim. Welke kleur ogen heeft ze? Hoe kijkt ze? Hoe beweegt ze, loopt ze? Waarom blijft haar mond in zijn gedachten steeds maar een smal, rood streepje en worden de lippen niet menselijk rozebruin, van hier en daar gebarsten, dunne huid? Waar zijn de beginnende rimpels, de plooitjes rondom, die de mond een leeftijd geven en iets prijsgeven over rookgedrag, een manier van lachen, peinzen, pijn verbijten? Hoeveel vrouwenmonden en vrouwenhanden Berkman zich ook herinnert, die van Lot zitten er niet bij. De kin van Mara, de kin van zijn vrouw, honderden kinnen kan hij oproepen, en wangen en voorhoofden, neuzen, oren, nekken, wenkbrauwen en wimpers – Lot is weg. Gewist. Uit zijn systeem. Wanhoop die hem vreemd voorkomt. Paniek.

Lot is onvindbaar. Kwijt. Heeft hij de fotograaf vanmiddag nog in stilte verweten dat de man waarschijnlijk niet goed, niet echt naar Lot gekeken had, de blik die 'red me' vroeg niet had opgemerkt, nu slaagt hij er zelf niet eens in haar aan te kijken. Haar voor of achter zijn ogen, zijn geestesoog te krijgen.

Bruno hoest in zijn slaap. Haalt zijn neus op. Draait zich knorrend om, het dons kraakt als de boterhamzakjes van vroeger. Berkmans favoriete gezelschap, ook 's nachts.

'Slaap je al, papa?'

'Bijna. Hoezo?'

'Lig je nog te denken? Ik kan horen dat je ligt te denken. Als ik zelf lig te denken, klinkt dat precies zo. Een beetje zuchterig. Wat je ook wel eens hebt als het heel erg heet is, in de zomer, of met koorts. Van die elektriciteit in je hersens. Overal.'

'Ik heb het niet heet.'

'Dan is het goed. En aan je voeten denken. Dat je ze zwaar maakt, in gedachten, en dan je hielen, je kuiten, je knieën... Je adem erheen sturen, zei die meester bij karate een keer, dat helpt, daar word je kalmer van. Nou ja. Weltrusten maar.'

Berkman denkt aan zijn voeten. Aan zijn tenen, de brosse nagels, de gele eeltkussentjes eronder. Het blijven dingen, bloedeloze losse onderdelen, ver van zijn elektrische hersens verwijderd. Dat ze blootliggen, buiten het krappe ledikant, dat weet hij, maar voelt hij niet. Zijn voeten blijven van plastic. Als hij straks zijn benen onder de dekens optrekt, kan niemand klagen over zijn koude klompen. Berkman probeert zijn adem te sturen, luidruchtig. De kans is groot dat Bruno nog ligt te luisteren. Een overhoring. Al bij de eerste teug schijnt het hem toe dat iemand hem een klap op zijn borstbeen geeft.

Met een schok veert hij op, zijn armen gebogen voor zich uit – alsof hij zijn belager wil omhelzen.

'Wat doe je nu?'

'Ik droomde, denk ik. Nu echt slapen, Bruun.'

'Geloof jij in engelen, pap?'

'Nee. En jij?'

'Ik weet het nog niet. Wat ik geloof. Ik ga pas ergens wat van vinden als ik... als ik er genoeg van weet. Of over heb gelezen. Die geesten die we morgen gaan jagen, die zijn niet echt. Jij zei dat het Ghost Tour heette, maar het heet Ghost Hunt wat wij gaan doen. Maar eerst gaan we naar die treinen, toch? Na het ontbijt. Als ze spek hebben ga ik dat nemen. En worstjes en heel veel roerei, net als op de boot en...'

'Bruno!'

'Stel, er staat hier een engel in de kamer en je ziet hem niet. Dan heb je er ook niks aan. Ik bedoel, dan kun je niet denken: ik hoef niet bang voor boze geesten te zijn, want ik word toch beschermd. Omdat je dat niet zeker weet. Maar omdat je ook niet zeker weet of er boze geesten bestaan... Over al die onzichtbare dingen, daarover lig ik dan weer te denken. Meestal. Vannacht ben jij bij mij. Dat is wel fijn.'

'Dankjewel.'

'Ja, graag gedaan. Ik ga echt slapen. Da-hag.'

Was Berkman ooit geschrokken van Lots blik, omdat ze hem zag, betrapte en, had hij gemeend, beschuldigde, veroordeelde – hier, in een hopeloos verouderde Britse hotelkamer, op een nacht een halfjaar later, is hij even angstig omdat ze niet naar hem kijkt. Onzichtbaar blijft, onzichtbaarder dan de engelen en geesten waarin hij toch al nooit geloofde, de alleronzichtbaarste, omni-absente – door zijn schuld, zijn grote schuld. Als hij beter had gekeken, destijds en tijdens hun ontmoetingen, had hij haar wel onthouden. Hij wil terug, en liefst meteen. Om Lot. Omdat hij heimwee heeft.

*

Na Wiegers vertrek heb ik de brief, het verslag, het verhaal, de reportage, hoe moet je het noemen, nog twee keer herlezen. Ik probeerde te doen alsof de naam Donald er toevallig stond, naar een ander verwees; er waren genoeg Donalds op de wereld, Donalds die er net zo stom uitzagen als paste bij hun naam.

Ik had altijd een hekel aan mijn mans naam gehad, die hoorde bij dikke, domme, luie opscheppers, reclamejongens die per ongeluk schatrijk waren geworden, met een slogan voor vetarme kaas of een melig filmpje van een minuut over maandverband met vleugels. Licht gedrogeerde, brutale uitgaanstypes die zich graag voorstelden als Donnie.

Toen ik net verliefd was, had ik vriendinnen niet durven vertellen hoe 'hij' heette. Ik praatte er maar zo'n beetje omheen en troostte me met de gedachte dat een Cor of Joep nog veel verschrikkelijker was geweest. Donald zelf had het nooit begrepen. Een naam was een naam, handig om mensen van elkaar te onderscheiden, je had mooie en minder mooie namen, maar ook als ik Trudie of Bep had geheten zou hij dat prima hebben gevonden, wat was dat nou voor onzin dat de klank associaties opriep met het verkeerde type: 'Ik ken niet eens een Trudie, jij zou mijn eerste Trudie zijn geweest, zoals ik jouw eerste Donald ben, dan is er toch van associaties geen sprake?'

Om dezelfde reden snapte hij niet dat ik, uitsluitend vanwege de naam Wieger, blij was dat ik geen jongen was geworden. Maar Wieger klonk veel te lichtblauw, te zomers, te fladderig voor een Lot-als-man. Misschien kwam het door het woord wieg dat ik me er een hygiënisch wonder bij voorstelde, iemand die tot op hoge leeftijd naar Zwitsal rook, geur van onschuld, van seksloosheid. Wiegers leken me werkzaam op zeilscholen, op parachutescholen, als duikinstructeurs of skileraren, snel als de wind waren ze, glad als spiegels. Mooi van ledigheid en ziekelijk gebruind. Granen, rauwkost, vitaminepreparaten – zo sterk dat ze een kies zonder verdoving konden laten trekken, zo gezond dat ze ook van tien glazen bier niet, nooit dronken werden. Al ging de hele wereld rondom een Wieger aan geldnood, ziekte of verslavingen ten onder, hijzelf bleef slagvaardig, verdrietloos. Duitse klank, Duits temperament, nooit een *wieso*-vraag, nooit eens stilstand, doorgaan, werken, *Dasein, gründlich*.

Namen!

De Donald in Berkmans verhaal bleef mijn eigen Donald, mijn eigen man. Ik had nooit geweten dat hij op kantoor naar kinderporno keek, dat hij daarnaar keek om te voorkomen dat hij Joy iets zou aandoen, dat hij Joy had bekeken als... lustobject, nee, als het geile meisje dat hij jaren geleden in een speelkasteel zijn speelgoedautootje had gegeven. Mijn man, die steeds had beweerd geen fantasie te hebben. Die zich zogenaamd niets kon herinneren van vieze spelletjes in zijn kindertijd. Die mij het gevoel had gegeven dat ik krankzinnig was geweest, als kind, om met een Pietje Bell-pocket tussen mijn dijen... Iemand die ik niet gekend had. Die zich niet had laten kennen. Een Wieger avant la lettre.

Ik zat daar maar, met de papieren in mijn handen. In de asbak een heuveltje van peuken, slordig op elkaar gestapeld. Afgehakte ledematen; want door sommige, bij het uitdrukken gekromde filters, de suggestie van knieën en ellebogen.

Ik dacht aan alle stukken die ik de afgelopen jaren had geschreven. De aldoor toenemende mensenkennis. Hoe ik daar om geroemd was. Er mijn bestaansrecht aan had ontleend, juist op die verveelde ogenblikken dat zelfmoord trok. Donald zou makkelijk een andere vrouw vinden. Joy had recht op een herkansing, bij een stiefmoeder die beter dan ik op de praktijk was toegesneden, die bruiste van levenslust, een sportieve mama met rijbewijs, die er zonder verkrachtingsvrees met haar dochter op uit trok, de bossen in, of op zomaar een vrijdagmiddag voorstelde de koffers te pakken: 'Als ik doorrijd, staan we morgenochtend als eerste voor de poort van Eurodisney.'

Met het fruitmesje in mijn handen, met mijn handen in het afwassop had ik me vaak het omgekeerde van onmisbaar geweten. Vervangbaar tot in elke cel. Maar wat ik schreef, kon niemand anders schrijven. Niet volgens Ruben.

Ik was de enige in mijn soort. Daarom moest ik door, had ik mezelf dan ingeprent, meestal vergeefs – het was in zulke dorheid eenvoudiger om in God te geloven dan in mijn eigen talenten, in mijn eigen noodzakelijkheid, in mijzelf. Zinloosheid, wilsarmoede. De afwezigheid van een toekomstvisioen. Dan probeerde ik me te verheugen op het lang weekend Oxford, dat Donald voor de maand erop had geboekt, op het recital van Brendel in het Concertgebouw, op Joys verjaardag, op haar gezicht als ze de peperdure fossielen van slakkenhuisjes, prehistorische libellen en boomstammen uit het pakpapier tevoorschijn zou trekken, leukleukleuk, maar het bleef alsof mijn geest zich bediende van een verdraaide stem, een drammerige sopraan drong me namaakvreugde op, met namaakvlinders in een namaakbuik. In een versteend, verhoornd, verkalkt, fossiel, dood lichaam. Depressies van hooguit een halve dag, een paar uur. Maar niet minder duister. En dan, op de bodem van het bodemloze zwart, verscheen Greene aan mij en scheen het mij toe dat hij juist nu, juist in dit allesvernietigende niets, het dichtst bij mij was, ja, met mij leed, alles zag, herkende, kon vergeven.

Ik moest niet blijven bestaan omdat ik zo goed kon schrijven, ik moest blijven schrijven om hem te eren. Om aan hem terug te doen wat hij in mijn somberheid aan mij had gedaan. Ook hij had een paar maal in zijn leven met zelfmoord gespeeld. Russische roulette, een geladen pistool tegen zijn slaap. Ook hem had het vorsen in wildvreemde zielen, in zijn eigen wildvreemdheid uitgeput, maar steeds weer was hij doorgegaan, leuk of niet leuk was geen vraag, het was een kwestie van jezelf breken en uitdelen, tot de laatste kruimel, tot er niets meer over was. Hij moet ook bij me zijn geweest, alle slapeloze nachten, waarin ik dan ten minste in gedachten rondzwierf in een wereld die me van gras tot wolken onbekend, of erger nog, vijandig voorkwam.

Mijn bloed, mijn wijn, mijn roes.

Dankzij Greene en Greene alleen had ik de grootste sukkels en onbenullen uit mijn overtuigingen kunnen verlossen. Van hem had ik geleerd ze niet vast te klinken aan hun zogenaamd benauwde visie, maar de tralies te breken; niet omdat ik ze mijn licht gunde, maar omdat ik mezelf hun licht gunde.

Konden Ruben en Donald en de uitgever van mijn interviewbundel beweren dat ik zelfs de onaanzienlijkste stumper een stem had gegeven, al schrijvend was het omgekeerde gebeurd, wist Greene, wist ik. Ik had een stem gekregen. Een bereik. Een toon, een stijl, ademruimte, lucht. Ik kon me laten raken door details die ik nooit zou hebben opgemerkt als ik trouw was gebleven aan de meningen die ik me vanaf mijn puberteit had gevormd.

De vaas met slappe, allang uitgebloeide treurtulpen in een verder brandschone, Volendamse pronkkamer; als ik die topzware, wijd opengesperde bloemen, die obsceen hun zwarte stampers toonden, hun zwarte poeder morsten, achteloos beschreef, wist de lezer genoeg. Tussen cd's van BZN, Abba en andere middle-of-the-road-artiesten die ene met Brittens *War Requiem* – waarom?

Er was geen mens met wie ik geen raakvlakken had, had ik geleerd. Iedereen had raakvlakken met iedereen. Maar dat erkennen was ook: jezelf opgeven. Zwaar had ik dat zelden gevonden. Eerder een sport. Hoogspringen, zoiets. Of hordelopen, over mijn aard en oordelen heen. Ik moest alle mensen kunnen zijn. Alle slaven, alle beulen. Alle boeren, alle fabrikanten, alle supermarktbazen, alle koopjesjagende klanten. Al mijn personages, allemaal.

Zelfs in mijn rouw was ik niet uniek geweest. Ook ik liet, sinds Donalds dood, tulpen en andere bloemen staan tot de stelen wit en de bladeren uitgevallen waren, het water naar rotte eieren stonk. Ook ik draaide Britten.

Na haar wiedergutmachung-boeket had ik zelfs mijn schoonmoeder in mijn hart kunnen sluiten – voor haar bidden ging te ver, tenzij vriendelijk over iemand denken ook een vorm van bidden is. Yassin was me er door zijn eerlijkheid alleen maar dierbaarder op geworden. Ik kon me voorstellen dat ik Mara zou groeten als ik haar ergens zou tegenkomen en mocht dat pas over een jaar zo zijn... dan zou ik misschien zelfs de moed hebben te buigen voor het toeval, door haar niet alleen de hand toe te steken, maar haar ook een kop koffie aan te bieden – natuurlijk niet in een café waar we beiden herinneringen aan konden hebben.

Berkman mocht denken dat ik hem zijn hoerenloperij en vreemdgang nog steeds kwalijk nam, maar sinds die nacht in augustus, sinds zijn welterustengebaar en feestontbijt, vond ik mezelf bijzonder hypocriet. Dezelfde zonden had ik Graham Greene op den duur, toen was gebleken dat hij niet van wijken wist, toch ook vergeven – van de ene op de andere minuut, bijna onbewust en in elk geval moeiteloos? Zijn oeuvre was er nooit minder om geworden en aangezien Greene zijn oeuvre was en zijn oeuvre de levende Greene, een warm, zacht, neigend lichaam, treurtulp van huid en bloed en ogen, zijdedun en toch alomvattend, stevig, stil, hand en kelk en mantel... Ik kon vergeven. Iedereen.

Behalve Donald. En ik had nog wel hovaardig gedacht: wanneer ik eenmaal de hele geschiedenis ken...

'To all the stars that shine...' Al onze liedjes, deuntjes, dat ene van hem, de meeste van mij, ik hoorde ze plotseling allemaal tegelijk, mousse van gitaren en piano's, van voorzichtige stemmen, van ongevaarlijke voetstappen in de nacht buiten, en de groezelige woorden drongen erin binnen, als wormen; babybillen, zalf, aftrekken, spleetje, insmeren, kleuterpiemel, autootje, vastbinden, schaamlipjes, badwater, gaatje, klaarkomen, kinderporno, vinger, kinderporno en de echo van mijn eigen gadverdammes.

Had Berkman het relaas op kleitabletten geschreven, in glazen platen geëtst, dan had ik de hele boel tegen de muur kunnen stukslaan. Ik kneep de dikke printpapieren samen tot een prop, wilde de bal weggooien, maar papier kon niet breken, het geluid van rinkelende scherven zou uitblijven en stom, maar ik geloofde dat Donald ergens moest kunnen horen hoe graag ik hem vernietigde, zijn verziekte geest, zijn verziekte lichaam, al was hij zo dood als maar zijn kon, nooit zou hij ontkomen, hij die niet eens een bedrieger was geweest, maar een... Ik vouwde de prop weer open.

Gooide de verkreukelde papieren op de grond, trok mijn nog klamme schoenen aan, ging op de tekst staan, stampte, veegde mijn voeten eraan af. Geen modder. Een paar korrels zand en straatvuil, vochtvlekken, op sommige plaatsen geen letters meer – schaafwonden.

Belachelijk, maar ik stelde me voor dat ik de brief urenlang onder de koude kraan hield, alsof papier kon rillen, het kon uitschreeuwen van ellende, ik zag voor me hoe ik de vellen als zeemlappen uitwrong, witte vingerafdrukken in transparant, doorweekt papier, daarna blauwe plekken, korsten, zwellingen.

Langzaam afbranden, het horen sissen en knetteren, zachtjes, het verkruimelen van de asrand – Donald oproken als sigaret, de blauwe damp nakijken en erin spugen; zoveel wreedheden wilde ik begaan, ik wilde hete koffie over de papieren gieten, omdat ik er nog altijd spijt van had dat ik Donald tijdens een van onze eerste en dus laatste ruzies, in de begintijd, voordat Joy er was, alleen maar lauwe koffie in het gezicht had gegooid. Na weer zo'n schampere 'ik weet toch zeker wel hoe de mensheid in elkaar steekt'-opmerking van hem. Hij wel, ik niet! Koffie, niet eens raak. Het meeste was op zijn schouder terechtgekomen, in het badstof van zijn toch al afgedragen ochtendjas – wist ik meteen een goed kerstcadeau, want uitwassen had geen zin.

Opnieuw nam ik de papieren in mijn handen, opnieuw maakte ik er een bal van. Vogel met verwarde veren, kaalgeplukte dos, ik rolde de prop tussen mijn voeten heen en weer, pakte hem van de grond, zette mijn nagels in de kreukels, trok draden en vezels los, snippers met en zonder letters, delen van letters, inktdruppels, onleesbaar zwart printerbloed, ik liet het sneeuwen, liet het Donald sneeuwen, ik drukte de prop in mijn linkervuist kleiner, mijn tanden groeiden uit mijn mond, ik, kat, ik zou straks de prop de kop afbijten, door pezen, aders, zenuwen heen. De kop? De pik.

Plotseling moest ik lachen. Hoe ik erbij stond, me uitleefde op papieren die niet eens van Donald waren, maar van Berkman, en dan die simpele, door Freud allang ontmantelde castratiedrift...

Papieren! Ik herinnerde me een in alles mislukte, macrobiotische kunstenares die ik had geïnterviewd voor een reportage over het gevecht om het behoud van de commune Ruigoord; zij had me uitgebreid verteld over de baat die ze had gehad bij Speyertherapie. Al wat je dwarszat schreef je op, je las de brief aan je valse moeder, gewelddadige vader of voortvluchtige ex-geliefde een aantal dagen achtereen over, dan verbrandde je de vellen, gooide de as in de wc, trok scheldend door... Een kaarsje branden, bidden, staren in een brok bergkristal en zie, een nieuwe tijd was aangebroken, de aangetaste bestanden waren van de harde schijf gewist. Wonderlijke beeldspraak voor iemand die in een roestige caravan woonde, zonder radio en televisie, zonder stromend water – te midden van magere geiten, blowende dichters en schimmelend knolgewas. Ik lachte, lachte. En ook dit was, bedacht ik, absurd.

Die godvergeten luciditeit. Die commentaarstem. Via een webcam keek ik naar 'mijn' Laphroaig-grond in Schotland, naar een stukje natuur, maar zelf was ik allang geen natuur meer; ik was een ik dat een ik bekeek, een registrator, en er was geen Donald om 's avonds aan te vertellen wat ik had gezien, de ongemonteerde versie. Om te huilen.

En toen huilde ik. Ik zat op de grond, daar waar Wieger een paar uur eerder met Joy had zitten schaken, ik zat op de grond en keek naar de plek voor me, waar het bord had gestaan. Ik miste het schaakbord en Wieger en Joy, ook al sliep ze verderop, ik huilde, ik depte de tranen van mijn kin, met de prop die ik nog in mijn handen had, ik wilde mijn duim in mijn mond, iemand die me op schoot trok, die mijn schouders neerdrukte om het schokken te dempen, ik wilde mij in een ander verstoppen, omhelsd worden en zachtjes toegesproken – in een taal die ik niet eens hoefde te verstaan, in Gaelic, Pools of Berbers, ik wilde zelf iemand omhelzen en tegen me aan drukken, een oude pop, een katoenen lap was al genoeg, ik sloeg de prop papier tegen mijn borst, drukte hem bijna in mijn hart, vouwde mijn handen er als kommetjes omheen en wiegde heen en weer, gedachteloos. Tot drie uur 's nachts heb ik zo gezeten.

Zonder dorst, slaap, trek in sigaretten.

Tot het klaar was.

Ik kwam overeind, borg de prop weg achter een stapel boeken, zette de kachel lager, haalde een removerdoekje over mijn gezicht, deed de lampen uit, ging naar de keuken, at, staande aan het aanrecht, nog een sinaasappel. Opeens wist ik heel zeker dat Donald even vaak als ik met hetzelfde mesje in zijn handen aan dezelfde dingen had gedacht. Berkman had het niet opgeschreven, Mara had het Berkman niet verteld, omdat Donald het Mara ook niet had verteld, niemand had hij het verteld, maar ik kende hem: hij had zichzelf gehaat, van jongs af aan, als Greene zichzelf, als ik mezelf, en heel vaak dood gewild. Werden niet veel meer heiligen door hedendaagse psychoanalytici ontmanteld als suïcidaal? Offervaardigheid, versterving, zelfkastijding – veel te grote woorden voor die o zo gewone, gezellige man die Donald was, maar toch: zijn onafgebroken naastenliefde kwam voort uit het verlangen onzichtbaar te worden, op te lossen in een niets waarin niemand zich zelfs maar zijn naam herinnerde. Werklust tot de dood. Maar nog eerder zou hij al zijn wandaden hebben toegegeven dan te bekennen...

Schillen weggooien, vuilniszak verwisselen, tandenpoetsen, afwassen, mesje afdrogen, in de la terugleggen, pil niet vergeten, pil innemen, glas water drinken, gas en espressomachine controleren, alles uit, ja, lege asbakken terugzetten in de vensterbank op het balkon.

Buiten bleef ik nog even staan. In geen van de huizen rond de binnentuin brandde nog licht. Wat ik aanzag voor sterren konden net zo goed satellieten zijn, of vliegtuiglampen. Toch werd ik aangekeken.

Iemand zei dat we samen waren. Geen stem in mijn hoofd, een stem naast me. Ik kon hem goed verstaan. Accentloos Nederlands, maar of het een man of een vrouw was die sprak, een oud of jong iemand, kon ik niet uitmaken. Geen karakter, geen lichaam: een stem. Samen.

Daarna was het weer stil.

Eenmaal in bed dacht ik aan de hel. Ik was ermee gaan rekenen, aangevuurd door Yassin. Stomme, moderne, oecumenische christenen, new agers en ietisten, die nog wel wilden geloven in een leven na de dood, maar de hel hadden geschrapt – wat maakte het dan nog uit hoe je leefde? Als, als ik al zou geloven in een leven hierna, dan inclusief straf, verdoemenis en boetedoening.

Samen.

Ik was daarnet samen met mijn man geweest. Op de bodem van de hel. Zijn eenzaamheid. Hoe hij misschien jaren, altijd opgesloten had gezeten in zijn eigen kale, armoedige aard. Tegen wil en dank ascetisch; al had Donald van muziek, drank, machtige desserts en mij gehouden, het bleven betoverende schaduwen op een grotwand. De echte idealen waren buiten, daar moest je de blik op richten, tot het sneed, tot je blind was... En niemand begreep hem. En dat was niet erg, want waarom zou je in godsnaam begrepen moeten worden? Hij had zijn onbegrepenheid niet als hel ervaren. Want hij vond het ook niet nodig iets van zichzelf te begrijpen; zelf, zelf, wat was dat voor vinding, je leefde toch niet om jezelf... Net als een voornaam was zelfkennis handig. Praktisch.

Maar jezelf voor jezelf doorgronden? Zelf? Er konden gewoonweg geen gedachten aan zelfmoord zijn, er was in hem geen zelf, niet zoals anderen een zelf hadden, dat ze bovendien buitengewoon boeiend vonden, waar ze hele dagen mee zoet waren, zo'n zelf had hij niet, kon hij ook niet vermoorden, wilde hij niet weg hebben, kapotmaken, nee hoor – maar het doodsverlangen was er wel geweest, ik had het herkend, ik was verliefd geworden op...

Nu, na zijn dood, wilde hij misschien alsnog zelfmoord plegen, maar als je dood was kon dat niet meer. Het leven ging door, je kon je er niet aan ontrukken. Je schuld bleef je schuld, werd nog grotere schuld, er was geen afleiding meer, geen ruis, je was niet alleen wat je had gedaan en misdaan, je was ook wat je had nagelaten: nalatigheidszonden – ook die bestonden. Donald had verzuimd zich te laten kennen. Niemand had hem werkelijk mogen liefhebben, want niemand had zich aan hem mogen ergeren, hem mogen kritiseren, hem mogen betrappen op onredelijkheden, op zijn eigen ergernissen. Hij was toch goed en normaal tot in elke vezel?

Dat was de ware hel. En ik was daar zo-even met hem samen geweest, dat besefte ik, ik had hem willen vernietigen, ik, die me altijd schuldig had gevoeld om dingen die ik had gedacht, niet had gedaan. Die iedereen vergaf omdat ze elk vergrijp afmat aan haar eigen zondige gedachten, ik had Donald daarnet schuldig verklaard, onvergeeflijk genoemd, ik had het voor de eerste keer in mijn leven aangedurfd om onversneden kwaad op hem te zijn, hem te haten, met heel mijn lichaam, op het belachelijke af – en daarmee zijn losgeld betaald. Misschien.

Er was geen hiernamaals, dat wist ik ook wel.

En geen Verlosser die mijn man nu tegen de borst zou drukken. De enige reden om in al die onzin te blijven geloven was Greene. Is

308

Greene. Geesten, engelen, Maria, Jezus, God, Liefde – of ze er wel of niet waren, maakte niets uit: Graham Greene bestond. Dat had ik zelf gezien, ervaren. En met dezelfde eigen ogen zou ik hem terugzien. Ik zou hem kunnen aanraken, zelfs dat. Hem, niet iemand anders, niet eens Donald. Na mijn eigen dood.

Epiloog

Het boeken van de York-reis had nog heel wat voeten in de aarde gehad. Bij de Ferry-maatschappij eisten ze dat je een arrangement nam. Dat wilde zeggen: twee overnachtingen op de boot, een nacht in een hotel naar keuze, maar wel uit hun eigen folder.

Berkman wilde uitsluitend met de ferry heen, vervolgens twee nachten in een hotel dat hij op internet had gevonden, en dan aan het einde van de laatste middag een vliegtuig terug vanaf de luchthaven Leeds-Bradford. Na een kwartier onderhandelen met het meisje van de rederij had hij haar zover gekregen dat ze een enkele reis voor hem en zijn zoon noteerde: meer kon ze niet doen.

Zijn wijzigingen hadden het hele tripje meer dan zeshonderd euro duurder gemaakt. Spijt heeft Berkman er niet van.

Bruno was in geen tijden zo openlijk geestdriftig geweest, bij alles wat hij zag. Ze hadden het dak van de Minster beklommen, de stenen waren glibberig geweest, doorweekt, de reling was laag en oogde gammel, maar ondanks de regen hadden ze goed zicht gehad, zo scherp, zo weids dat Berkman bij het zoeken naar het zwarte, leistenen dak van hun hotel, tussen de haarvaten van straatjes, geen last van dieptevrees had gehad. De huizen, de winkels, de bijna lichtgevend groene veldjes ertussen, de oktoberboomkruinen die van bovenaf glansden, wollig, als plukken uit leeuwenmanen – als je een definitie van het adjectief menselijk zocht, was het deze aanblik, had hij gedacht; deze aanblik van bouwlust, beschermingszucht, de zo broze bas die uit kalk, zand en bakstenen opklonk, alsof daar, aan de grond, iemand ontwaakte of nee, onder de douche stond te brommen, een lied dat geen lied wilde worden. Damp van hooi en hop, mollig en bitter, van gist en mottenballen... Een stad die je zou bewaren, ook als je jezelf allang vergeten was. Van versleten kalfsleer was het uitzicht, beige, papierdun en onregelmatig golvend als een ooit rijk gecapitonneerde leesstoel waarvan de knopen hadden losgelaten, waaruit de vulling langs de naden was ontsnapt. Wie sprong las in zijn val alle boeken die hier ooit waren gelezen en geschreven, las letters van bliksemfel licht, patronen in keien en asfalt, spiegelend, waterwoorden, onderwaterwoorden, zeewierwoorden en waarom had hij niet geweten, maar opeens had Berkman 'Full fathom five thy father lies...' gemompeld, kwam dat niet uit Shakespeares *Tempest*, een fragment dat hij voor zijn mondeling eindexamen... En waarom kende hij het vervolg niet meer?

Ze hadden over de vestingmuren de stad rond gelopen, de vikingennederzetting onder de grond bezocht, maar ook een paar kleine, degelijke historische tentoonstellingen – Bruno vroeg om uitleg bij de kleinste details op de vergeelde plattegronden en vertelde 's avonds, in de pub, op zijn eigen manier de geschiedenis van York na, terwijl zijn lamskoteletjes en doperwten koud werden; eindelijk geen ouderlijk commentaar. Net als Joy had Bruno de tweede nacht met het met rode verf besmeurde, witkanten zakdoekje onder zijn kussen geslapen – want net als Joy was hij het enige kind tijdens de Ghost Hunt geweest.

Berkman had moeten toegeven dat de man zijn rol voortreffelijk had gespeeld. Klasse. Meer talent dan de eerste de beste omhooggevallen soapster in eigen land; zijn tekstbeheersing alleen al. Ieder woord kreeg de juiste adem, de juiste grimas; als de man 'deep' zei, zakten zijn wenkbrauwen, daalden zijn mondhoeken, vielen zijn wangen in en duwde hij met zijn handen een denkbeeldige heuvel de grond in, zacht, een massa bijeengeharkte herfstbladeren die niet mochten wegwaaien op de wind. Om dan bij de woorden 'dark' en 'night' het hoofd weer op te heffen, met de blik de hemel af te zoeken, op zijn hoede, alsof er elk moment een reusachtige arend, havik, zeevalk uit een tak of dakgoot achter hem kon vallen, een lap van vlerken, met kromgeslepen snavel en gesperde klauwen, die het op zijn blonde nekhaar had voorzien.

Het was precies dit meesterschap waardoor Berkman gedurende de tocht een nog grotere hekel aan de man had gekregen. Had hij de dag ervoor nog met Bruno over hem kunnen praten als dat grappige fotoraafje, nu hij zelf als een brave leerling achter de hoge hoed aan sjokte, volstond dedain niet meer.

Had hij het de man de dag ervoor nog kwalijk genomen dat hij niet goed naar Lot had gekeken, tijdens de Ghost Hunt begreep hij waarom Lot zo goed, zo waarachtig, zo als zichzelf naar de gids had gekeken. Zo vragend.

Dit was iemand aan wie je je uitleverde, nog voordat je je had kunnen afvragen of overgave een deugd was, of je er wat mee won.

Of de persoon in kwestie je overgave wel waard was.

Omdat Bruno het wilde had ook Berkman zijn tong uitgestoken tegen de klanten in het glimmende Italiaanse restaurant, had hij geschreeuwd en zijn ogen in zijn kassen laten rondrollen. Maar hij had zijn deelname aan de griezelact als een nederlaag ervaren, zeker toen bleek dat de man hem al die tijd had staan te bekijken, veilig weggedoken in een steegje, en hem later een sprekende kopie van Hannibal Lecter, een 'perfect human monster' had genoemd.

Nog nooit had Berkman iemand een klap gegeven, maar monster of niet, hij had de gids wel willen slaan, omver willen werpen, willen trappen, zonder enig vertoon van agressie – koelbloedig, sadistisch tot in zijn schoenzolen. Akelig, akelig mannetje dat je er bent. Ze moesten dat laddertje op je schedel stukslaan. Realitytime! Qualitytime! And now for something completely different...

Op de terugweg naar het hotel had Bruno opgemerkt dat er de hele tocht lang geen druppel regen was gevallen. Pas toen ze over de kleine parkeerplaats van het hotel naar hun kamer in het bijgebouw liepen, brak er weer een bui los, zo hard dat Berkman niet wilde teruggaan naar de lounge voor dat ene glas bier dat hij maar zou bestellen. 'Het regende toen we hier aankwamen, het regende de hele eerste dag, het heeft vannacht geregend en vanmorgen en vanmiddag en ook nog toen we van het cafeetje naar de winkel liepen...' Terwijl Berkman de sleutel met veel moeite in het vuile slot wrong, de klink optilde en met zijn schouder tegen de deur aan duwde, was Bruno de wonderen blijven opsommen, als een kardinaal die de paus smeekt om dan ten minste zaligverklaring van een van zijn vrome, dode, maar over het graf heen nog mirakels verrichtende landgenoten. Toen Berkman, eenmaal binnen, nog steeds niets had teruggezegd, had Bruno hem vanaf de wc toegeroepen: 'Volgens mij ben jij gewoon jaloers.'

's Morgens zingt Bruno 'Lang zal hij leven' voor hem en geeft hem het cadeau dat hij in Nederland al samen met Petra heeft gekocht. Een tube hair- and bodywash van Calvin Klein, niet in de geur van zijn eau de toilette, Eternity, want die was uitverkocht. Hopelijk vindt hij Truth ook lekker, bauwt Bruno zijn moeder na. Ze ontbijten, pakken hun spullen, gaan nog eenmaal de stad in. Voor Bruno koopt Berkman een schaakspel met tinnen figuren en als zijn zoon alweer in een andere hoek van de snuisterijenwinkel staat, bij de vitrines waarachter hele veldslagen staan opgesteld, koopt hij gauw nog een tweede spel voor Joy.

Veel te vroeg zijn ze terug in de lobby. Een welwillende baliemedewerker tilt hun bagage onmiddellijk uit het berghok en vraagt of hij een taxi naar het station moet bellen. Het is pas half één. Bruno zegt dat hij dan nog wel even kan zwemmen. Hij trekt zijn zwembroek uit zijn reistas en gaat in zijn eentje naar de kelder, waar zich een klein bassin, een zaaltje met daarin drie hometrainers en een loopband en twee zonnebankcabines bevinden, die tezamen als Health Club worden aangeduid. Met de handdoek die Berkman van de receptionist in zijn handen krijgt gedrukt, gaat hij Bruno achterna. Beneden roept hij zijn zoon, maar krijgt geen antwoord. Geen van de kleedhokjes, geen van de wc's is op slot. Berkman opent de deur die toegang geeft tot het badje. Donkerblauwe tegeltjes kleuren het rimpelloze water bijna purper. Een vlijmende chloorgeur wordt nog eens verzwaard door die van chemische dennen – het kan ook eucalyptus zijn.

'Bruno?' Het blijft stil.

De airco ruist. Naar de rand van het bad durft Berkman niet te lopen. Mocht Bruno uit zijn schuilplaats tevoorschijn sluipen en hem van achteren naderen, dan bestaat de kans dat hij Berkman in zijn enthousiasme een duw geeft, bam, het water in.

'Bruno, dit is niet leuk. Je bent verdomme tien. Dat een kind van drie nou dit soort geintjes uithaalt...' In de hoek van de onlangs nog mintgroen gepleisterde ruimte staan twee witte, plastic tuinstoelen. Ernaast een pot met een namaakkamerpalm. De ultieme treurigheid. Berkman denkt aan de schrijver die zijn talenten heeft geofferd voor een kuuroord in Polen. Aan de praatjesmaker die in eenzaamheid rouwde om zijn door de tsunami verzwolgen minnares. Aan Lot die een treffend portret van de overspelige man had gemaakt, niet wetend dat ze zelf door haar man was bedrogen. Mensenkennis, ja. Aan de seminarist die zelf geloofde dat hij zijn roeping tot het einde trouw zou blijven, omdat hij de theorie zo goed kende. Aan de paniek die hij had gevoeld, de eerste nacht in dit hotel, omdat hij zich Lots gezicht met geen mogelijkheid kon herinneren. Aan zijn overdreven jaloezie, gisteravond, op de gids. Aan het Donald-relaas en hoe hij het in alle haast had geschreven, bang iets te vergeten, bang de dingen redelijker voor te stellen dan ze waren geweest. Aan het einde van het toneelstukje, ook gisteravond, waarbij de gids had gesuggereerd dat hij de dolende geest van de kinder-moordenaar was, van de wreedaard die zijn muitende werknemer-tjes levend in nat beton had gestort...

Het is alsof dit water alle losse gedachten met elkaar verbindt. Maar Bruno is weg. De hele wereld is weg. Sterven doe je altijd al-leen, dat is geen nieuw inzicht, nooit heeft de gedachte Berkman verontrust. Wat, als hij hier...? Net als Donald? Hoofdpijn. Een hor-zel die in zijn wenkbrauw steekt, soms, een trillend ooglid, vaker, vermoeidheid die hij niet kan toelichten. Het gore tl-licht trilt door hem heen. Als iemand hem nu roept, kan hij geen antwoord geven. Zijn stem – hij heeft nooit een stem gehad. De naam van zijn zoon ligt hem voor op de lippen, maar hij blijft zwijgen. De man die altijd te laat komt. Of daar bang voor is. Die niets wil missen en daardoor te laat komt op de plek... Waar hij nodig is. Hij? Nodig? Nee. Bru-no kan niet kwijt zijn, niet hier, Berkman voelt dat zijn zoon in de buurt is, hem begluurt, hem nog even in spanning wil houden. De bekende grap.

Behalve Bruno is er nog iemand anders in de ruimte. Op de bo-dem van het bassin. Heeft iemand zich hier ooit...? Een stomdron-ken hotelgast? Alleen omdat Petra dat gezellig vond, had Berkman af en toe een aflevering van een Britse detectiveserie meegekeken. Zijn hoofd was steevast bij heel andere zaken geweest, maar het kan best zijn dat hij toch een beeld heeft onthouden, van een mannelijk, middelbaar lijk in een opbollende gabardine regenjas. Iemand die dreef, op zijn rug. Reusachtige schol. God ja. En een drijvend hon-denlijk ernaast. Dat laatste had het tafereel iets geruststellends ge-geven. Baasje en hond, samen afgemaakt, samen ronddobberend in een blauwbetegelde eeuwigheid. Voor dode honden hoef je boven-dien niet bang te zijn.

Bruno loopt inderdaad van achteren op hem toe, in zijn zwem-broek, lachend. Hij heeft al die tijd achter een volkomen zinloos gordijntje, tegen een overbodig, decoratief glaswandje gestaan. Britse klussersvlijt. Dat zijn vader zijn voeten niet heeft gezien, ze staken er gewoon onderuit!

Meteen springt hij in het water, crawlt vijf slagen vooruit, tikt de rand aan, zwemt in acht slagen naar de overkant. De beperkte om-vang van het bad is geen reden om er gauw weer uit te komen. 'Ga maar boven zitten met een krantje en dan roep je me als we weg moeten. Ik had niet gedacht dat we ook nog tijd over zouden houden voor dit.'

In de lounge kan Berkman zijn aandacht niet bij *The Independent* houden. Om toch iets te doen te hebben, schrijft hij alvast zijn column voor het blad. Sinds jaren niet op een computer, want net als zijn telefoon heeft hij zijn laptop thuisgelaten, maar met zijn Parker op het briefpapier van het hotel. Een aquarelletje van hun gevel, begroeid met klimop, in de linkerbovenhoek.

Zomaar wat observaties over de omgang van diverse Europese landen met hun eigen geschiedenis. Voorbeelden te over van hoe het wel en hoe het niet moet. Een simpele invuloefening. Opiniëren op de automatische piloot. Maar schuldig voelt hij zich er niet om. Al duurt het nog maar een paar uur voordat hij weer in Amsterdam is: eigenlijk is hij op vakantie. Hij hoeft niet te werken, denkt Berkman. Hij hoeft helemaal niets, maar doet het toch. Als dat geen plichtsgevoel is.

Voor de derde keer deze avond bekijkt Petra de foto's van Bruno. Ze klapt het mapje dicht. Zucht. Zegt: 'Nog een geluk dat jij er niet opstaat.'

'Ik hou niet van foto's, dat weet je.'

'Niet van jezelf, niet van anderen. Van geen van de dames met wie je mij hebt bedrogen heb je een foto bewaard. Ik kon er tenminste geen vinden. En eet die taart nou maar op, Sophie en ik hebben hem niet voor niks gebakken. Het was haar idee. Ja! Wat zit je me nou aan te kijken? Dacht je dat ik van niks wist? Lot Sanders, die moeder van dat meisje met wie Sophie...'

Natuurlijk. Berkman had Lot van Donalds zonden op de hoogte gesteld, nu had zij zijn afwezigheid aangegrepen om zijn vrouw in te lichten over zijn eigen escapades.

Al op Schiphol had Petra raar gedaan. Ze had Bruno uitgebreid geknuffeld, maar hem alleen een kus op zijn wang gegeven. Meer was ook niet mogelijk geweest; bij het opengaan van de schuifdeuren in de aankomsthal had Sophie naar hem staan schreeuwen, uitzinnig, alsof haar vader na jaren levend uit oorlogsgebied was teruggekeerd, terwijl ze het al niet meer had verwacht.

Ze was hem in de armen gevallen, hij had haar opgetild, hij had kusjes en likjes gekregen van haar plakkerige waterijsmondje, in zijn oor had ze gevraagd of Bruno en hij wel iets moois voor haar hadden meegebracht, maar erg zacht kon ze niet fluisteren en Petra was kwaad geworden. Je vraagt toch niet meteen nadat je iemand welkom hebt geheten om een cadeau? Trouwens, je hoort nooit om iets voor jezelf te vragen, wat is dat nou?!

Sophie was in huilen uitgebarsten, ze had het allemaal niet zo bedoe-hoeld, ze had de stoel van haar vader juist zo mooi versierd, thuis, ze wilde hem zo graag zijn pakjes geven, echt waar, ze was niet hebberig, zij niet – en ze had daarbij niet eens door dat ze ook nu weer het middelpunt van de begroetingsscène was, dat haar broer bleek aan de zijlijn stond, acteerde dat hij er niet bij hoorde, thuis het liefst meteen naar zijn kamer wilde om zijn tas uit te pakken, de ansichtkaarten die hij had gekocht op zijn prikbord te spelden, een altaartje met York-parafernalia te bouwen rondom het prachtige schaakspel.

In de auto was Bruno, aangespoord door zijn moeder, toch maar over hun belevenissen gaan vertellen. Petra had hem in haar achteruitkijkspiegel nu en dan lachend toegeknikt en 'leuk' en 'gaaf' en 'wat goed van jullie' gezegd, maar Berkmans blik had ze vermeden. Ze duldde hem naast zich. Meer ook niet.

Thuis moesten ze meteen haar pompoensoep eten, anders werd het voor de kinderen veel te laat. Bij de koffie met taart werden er cadeautjes uitgewisseld, de foto van Bruno werd bewonderd, Petra hanteerde een strak draaiboek, vijf minuten voor dit, zeven minuten voor dat, gespannen, alsof ze om acht uur stipt een belangrijke afspraak had. 'Spelen en televisiekijken doen jullie morgen maar, dan heb je er nog alle tijd voor, nu snel naar boven en naar bed. Ik kom straks nog even kijken, geef papa nu alvast maar een kus. Dan kan hij het *Journaal* zien. Ook al is het geen bbc-kwaliteit, hij zal het wel gemist hebben.'

Verbouwereerd was Berkman in de woonkamer achtergebleven. Hij had niet eens aan het *Journaal* gedacht. Hij had zijn kinderen best willen instoppen, zelfs een verhaal willen voorlezen, hoe kwam Petra erbij hem zo schamper voor te stellen, als opgebrande, alleen in het nieuws geïnteresseerde zak? Was dat omdat hij zijn punt cheesecake onaangeroerd had gelaten? Omdat hij niet vrolijk genoeg op zijn verjaardagsgeschenken, de slingers en ballonnen had gereageerd?

Alleen omdat het van Petra moest, had hij de televisie aangezet. Hij was naar de keuken gelopen en had een tweede kop espresso voor zichzelf gemaakt. In de donkere tuin had hij een paar trekken van zijn sigaret genomen en gedacht aan de laatste uren met Bruno samen. Ze waren net voor zonsondergang opgestegen, tussen rode en roze wolken had Engeland er paradijselijk bij gelegen, geen afgebladderde arbeidersstraatjes, geen straatvuil, niet de azijngeur rondom buitenwijkpubs en fish and chips-barretjes, de verloedering die maakte dat Berkman nooit echt onvoorwaardelijk van het land kon houden.

Als het aan hem had gelegen, hadden ze dagen- en nachtenlang doorgevlogen, hadden ze nog minstens een etmaal lang met de kist boven zee gehangen. Onbereikbaar voor iedereen. In Nederland geen schemer. IJmuiden, Haarlem, Amsterdam waren opgebouwd uit oranje en gele pixels, tegen een grijsgroen, dan weer nachtzwart scherm.

Hij was weer naar binnen gegaan. Niet moe – Petra was moe. Dat had ze hem willen laten merken. 'Kijk eens hoe goed ik de boel in de hand heb. En nog energie voor tien. Jawel, ik wel. Rust jij maar lekker uit van je vakantietje.' Tijdens het weerbericht was ze naar beneden gekomen. Ze had met een half oog meegekeken, terwijl ze hem het schoteltje met taart in de handen had gedrukt. Vreten, jij, had Berkman gedacht. Waarschijnlijk had Petra het niet zo bedoeld.

'Die Lot, die Lot heeft niks gezegd. Ik heb haar een paar weken geleden zelf aangesproken. Omdat ik had ontdekt dat jij had ontdekt dat haar man, haar overleden man... En ik flap eruit dat ik weet dat jij ook... Daar sta jij van te kijken. Het maakt me niks uit of jij daar wel of niet van staat te kijken. Al jaren heb ik je door. Meisjes van je werk, hoeren, affaires, porno, of van die dingen voor een nacht... Kon ik aan je zien. Niet ruiken, nee, je wast je kennelijk heel goed, of aan jou blijven geuren niet hechten, dat kan ook. Maar het zijn van die curves. In je... in je gedrag. Dat je je afsluit, niet meer reageert, gestrest loopt te doen, ook tegen de kinderen, en dan ineens ben je er weer. Nadrukkelijk hartelijk. Zeker als je het net met zo'n griet hebt uitgemaakt of zo. Dat je je dan een hele held voelt. Ik weet het niet. Ik weet alleen dat ik er niet meer tegen kan. Met het doorzoeken van je spullen ben ik allang gestopt. Ik heb je ooit achtervolgd, maar het was zo... Het is zo vernederend om jezelf als een soort speurhond bezig te zien, als een klein, jaloers meisje... Zoals Sophie daarnet deed... Altijd bang dat ze iets tekortkomt, misloopt,

dat de verdeling niet eerlijk... Zo wilde ik niet zijn. De gesel eroverheen. Let op alles wat er wel is, Petra. Wees daar dankbaar voor. Die
anderen gebruikt hij alleen maar om zijn... Met jou deelt hij werkelijk iets, al is het maar een gezamenlijk geschiedenisje. En de kinderen natuurlijk.'

Ze vraagt of Wieger meeloopt naar zijn werkkamer. Hij staat op,
gaat achter haar aan de trap op. Als ze in zijn kamer zijn, Petra de
deur met haar kont heeft dichtgeduwd, het licht heeft aangedaan,
pakt ze zijn mobiele telefoon, zet hem aan, toetst de pincode in.
Zijn geboortedatum, 2710. Vandaag.

'Hier. Die laat je gewoon thuis liggen. Zogenaamd om niet in de
verleiding te komen in Bruno's bijzijn te gaan werken. Vond ik lief!
Vond ik lief van je! Maar moet je kijken: zes sms'jes van Mara Styler.
Berichtje één. Ze hoopt dat ze je niet in verlegenheid heeft gebracht
met haar ontboezemingen. Met die "kisses". Het betekende niets.
Twee. Het betekende natuurlijk wel iets, maar niet dat. Dat je dat
snapt. Ze heeft zo lang niks van je gehoord. *Drie.* Ze is je heel dankbaar dat je zo aandachtig naar haar hebt willen luisteren. Ze heeft
echt het gevoel dat ze nu schoon schip kan maken, klaar is voor iets
nieuws. *Vier.* Ook al is er sprake van vriendschappelijke gevoelens,
het project gaat voor. We moeten het er maar nooit meer over hebben. *Vijf.* De eerste stoffen zijn in de maak! Kom zodra je terug bent
kijken! Uitroepteken. *Zes.* Uitgerekend in die paar dagen dat je onbereikbaar bent, gaat het fantastisch met de orders. Weer een paar
modellen binnen, zien er mooi uit. Mis je nu al.'

Petra geeft Berkman zijn telefoon. 'Zes tekstberichten en vier ingesproken berichten op je voicemail. Op je computer: een aanstel-
lerig literair verhaal over een vent die verslaafd is aan kinderporno.
Zal je wel van die Lot gehoord hebben, die interviewt zulke types.
Toch? En haar naam komt erin voor, maar ook... ook die van Mara.
Mara de reddende engel. Maakt me geen fuck uit of dat verhaaltje
van a tot z verzonnen is, of dat het autobiografische... elementen bevat, haha, mijnheer de artiest, maar je bent verliefd. Je bent verliefd.
Misschien voor de duizendste, misschien voor de eerste keer, want
ik vraag me af of je op mij ooit echt... Doet er allemaal niet toe. Dat
je nooit misselijk was, dat je nooit zenuwachtig was als we elkaar
even niet zagen, dat je, ook als er een andere kerel naar me stond
te kijken, nooit jaloers was... Weet ik veel of je eerder wel eens echt
verliefd bent geweest! Maar je bent het nu! Je bent helemaal geen

idealistische Fair Trade-man, nooit geweest ook, je bent tot over je oren verliefd op dat stomme mens met haar Engelse accent en daarom ben je naar York gegaan, om lekker aan haar te kunnen denken! Ons heb je maar twee keer kort gebeld, maar haar heb je misschien wel elke nacht aan de telefoon gehad, op je kamer, als Bruno sliep, op fluistertoon... En als hij daar wakker van werd, heb je gelogen dat je met mij...' Berkman wil weg. Maar Petra is achterwaarts naar de deur gelopen en staat er nu met haar rug tegenaan. De armen over elkaar geslagen. 'Lieve schat, ik ben niet krankzinnig of zo. En het maakt me geen ene sodemieter uit of het Mara is of een andere bitch. Maar geef toe dat je verliefd bent. Ben je verliefd?'

'De kinderen. Kunnen we niet beter beneden... Straks worden ze... Ze slapen waarschijnlijk nog niet eens.'

'En nu ineens aan je gezinnetje denken! Kan me niet schelen of ze ons horen. Weet je wat me kan schelen? Dat jij op een dag doodgaat in de armen van een ander. Of dat hier thuis iets ergs gebeurt, dat Bruno te lang wegblijft en dat ze komen zeggen dat hij is overreden, dat Sophie is verdronken... Of dat het huis in de fik vliegt, weet ik veel, en dat ik jou dan niet bereiken kan. Omdat je ligt te krikken met een onbekende trut. Of ik kom er ruim na je begrafenis of oké, crematie pas achter... Wat als je daar in York een hartaanval had gekregen? Zit ik hier met jouw mobieltje vol berichtjes van een andere vrouw... Je denkt daar niet bij na! Dat je dood kunt. Dat wij dood kunnen gaan. Je volgt je impulsen, onschuldig tijdverdrijf, even de werkdruk afreageren, met ongelukken houd je geen rekening. Hooguit ben je bang dat iemand je een keer betrapt, dat zo'n griet met wie jij... Terwijl je weet dat vrouwen zo niet zijn, zelfs lang nadat de stiekeme relatie op een rotmanier beëindigd is houden minnaressen hun mond. Maar als je dood wordt gevonden in een bordeel? Wat dan?! Ik wil dat je kiest, Wieger. En als je zo nodig buiten de deur wilt rotzooien, wil ik namen, adressen, telefoonnummers. Op zijn minst. Liever niet, natuurlijk, maar ik... Ik kan je delen, als het per se moet. Met die Mara, met God weet wie. Alleen die onzekerheid wil ik niet meer. En als jij die wel wilt, ja, die wil je, prima, dan rot je maar op. Weet je wat? Ga nu meteen maar weg. Je koffer staat nog in de gang.'

Monoloog die jaren is voorbereid. De deur wordt voor hem opengehouden. Service van het hotel. Berkman wil naar de kamers van Bruno en Sophie, hij wil zien hoe Bruno zijn souvenirs heeft uitgestald, maar Petra geeft hem een trap tegen zijn schenen. Die kant op. Doorlopen, lul. Halverwege de trap draait hij zich om. Dat hij zich zijn eigen huis laat uitzetten is één ding, maar mag hij dan eerst even zijn column overtikken en doorsturen? Zijn stukje had gisteren al op de redactie moeten zijn.

Petra haalt haar schouders op. Iedereen heeft een computer, zegt ze, ga je stuk maar schrijven en verzenden bij die ander. 'Dit bedoel ik nou. Het zegt je ook werkelijk niks, dat ik boos ben. Nee! Je columnpje is belangrijker. Man, wat is jouw mening belangrijk! En dat ze daar bij het blaadje allemaal kunnen zeggen: al is hij eens een paar dagen niet voor werk, maar voor zijn eigen ontspanning in het buitenland, toch levert hij weer keurig op tijd zijn bijdrage in. Knap, hoor. Wat een vlijmscherpe en toch genuanceerde intellectuele observaties! Ja-ha, die deadlines. Maar dat je vrouw ook een deadline heeft, dat je huwelijk... Flauw, zo'n woordspeling. Weet ik wel. Ik ben niet leuk. Met mij kun je niet lachen.'

Berkman wil naar de wc. Hij durft niet. Hij weet nu al dat Petra achter de deur zal blijven doorpraten. Terwijl hij blijft zwijgen, zwijgend piest, zwijgend doortrekt en zwijgend zijn handen wast. Ze plukt zijn jas van de kapstok. Geeft die aan hem. Zijn sjaal. Zijn koffer. Ze hurkt naast de mand bij de deur en graait er een paraplu uit, een knirps die haar vader een keer heeft laten liggen.

Hij had nog niet gemerkt dat het weer regende, neemt de spullen aan, zegt dankjewel. Deze keer houdt Petra de deur niet voor hem open. Misschien wil ze toch dat hij blijft.

Dat hij de moeite neemt om te antwoorden, terug te praten, desnoods te schreeuwen, te slaan, te janken. Maar hij gaat weg, omdat hij dat zelf nu ook wil. Hij moet.

Berkman zegt dag, opent de voordeur, gaat naar buiten, zet zijn koffer neer, trekt de deur ook weer zelf achter zich dicht, zacht. Loopt de straat uit. Blijft op de hoek staan wachten. Rookt zijn tweede sigaret van die avond, kijkt op zijn horloge, het is bij tienen. Als hij zijn peuk heeft uitgetrapt, loopt hij nog eenmaal terug. Het licht in zijn werkkamer brandt weer. Hij weet zeker dat Petra het had uitgedaan voordat ze hem naar beneden stuurde. Anders dan daarnet zijn de gordijnen gesloten. Tussen zijn spullen is ze gaan zitten. Te uitgeput om ze opnieuw te doorzoeken. Als ze is uitgehuild, zal ze geluiden maken die de kinderen moeten wekken. Sophie waarschijnlijk niet, maar Bruno zal zeker uit zijn bed komen om te vragen wat er is. En misschien weer beginnen over te veel elektriciteit in zijn hoofd. Petra zal zeggen papa is weg, papa, niet Wieger, alsof ze zijn andere zusje is. Nu zijn we hier helemaal alleen, met zijn drieën. En Bruno zal met haar te doen hebben, zonder verder door te vragen. Morgen bergt zijn zoon al zijn York-aandenkens op in een la en spreekt hij niet meer over zijn reisje, vergeet het, uit piëteit. Om niemand te kwetsen.

Talent voor een dubbelleven. Nu al. Niet omdat dat alles spannend maakt. Het moet.

Door het park naar Lot. Bellen dat hij er aankomt kan hij niet. Zijn telefoon ligt nog thuis. De koffer rolt over de paden, achter hem aan. Een aangelijnde hond, die hij uitlaat voordat het park er helemaal uitgestorven bij ligt. Af en toe haperen de wieltjes, daar waar een boomwortel het asfalt heeft opengebroken. Een fietser zonder lichten roept dat hij moet uitkijken. Bij het optillen van de koffer, over het obstakel heen, valt de nog steeds ingeklapte, in zijn hoesje verpakte paraplu op de grond. Berkman ziet hem niet. Waar het ding ook terecht is gekomen, hij laat hem liggen – zijn schoonvader mist hem toch niet. Angst dat de fietser zijn gehannes in het natte gras zal aangrijpen om terug te komen en hem een tik te verkopen. Maar geen angst voor honden. Zijn koffer is een hond, Berkman voelt zichzelf een hond. Alles hier is gemaakt voor honden, zelfs de koude regen, de plassen, het warme licht van de lantaarns. Over vijftien dagen loopt Sophie hier met een lampion, met honderden andere Amsterdamse kinderen, Sint-Maartensliedjes te zingen. Daarna een tocht langs de deuren in hun eigen straat, snoep ophalen, mandarijnen.

Langs het meertje loopt hij. Tegen een treurwilg ligt een zwarte hoop. Een deken, een vuilniszak. In de struiken het gescharrel van merels. Lawaai alsof ze op mensenvoeten door takken en gebladerte kruipen, sneller loopt hij, het zijn maar vogels, geen mensen, geen geesten, dat hij gisteren nog in York met de Ghost Hunt mee wandelde kan hij niet geloven. Ver weg. Zelfs Lots huis lijkt ver weg. Op de helft van de route is hij, even ver van zijn eigen huis als van de krakkemikkige etage van Lot, hij is afwisselend op zee en in de lucht, op de ferry en in het vliegtuig, nergens, onderweg, gedachteloos. Het parkwachtershuisje, de tennisbanen erachter. Het Kattenlaantje. De bewoonde wereld.

Voordat hij oversteekt laat hij een hardloper in een fluorescerend geel hes passeren – het gehijg en gepuf klinken als muziek in zijn oren. Broederschap van renners. Je bent niet de enige die verslaafd is aan rondjes door het park. Aan blaren, zweet en regen.

Half elf stipt staat hij voor haar deur. Belt aan, drie keer, kort-kortlang, zodat Lot in elk geval weet dat het een bekende is. Ze zal het raam openschuiven. Hij weet nog niet wat ze zal zeggen.

Binnen schenkt hij Lot en zichzelf ongevraagd een Laphroaig in. Hij heeft onthouden waar de glazen staan. Ze zegt dat ze dacht dat hij Dalwhinnie lekkerder vond.

'Wil je je schoenen uitdoen? Het klinkt een beetje tuttig, maar ik heb pas gedweild. Het huis een goede beurt gegeven. Najaars-schoonmaak. Ben ik meer van. Nog gefeliciteerd met je verjaardag.'

'Jij ook.'

'Je bent eruit gezet.'

'Ja.'

'Vervelend.'

'Ja.' Even belachelijk als haar vraag of hij rekening houdt met de schone vloer, is zijn vraag of hij zijn column straks op Lots computer...

Lot knikt. 'Goed, hoor. Je stoort me niet. Of wel, maar ik vind het fijn dat je stoort.'

'Eerst jij. Hoe is het gegaan nadat ik je die... brief?' Berkman zet de asbak tussen hen in op de grond. Geeft Lot een sigaret, vuur, steekt er zelf een op.

'Gewoon. Een slapeloze nacht gehad. Daarna was ik eruit. Zo-maar een theorie, een werkhypothese. Kijk. Ik denk dat Donald tot het type behoorde dat... Dat hij niet graag bestond. Die mensen heb je, die zich afvragen: waarom ben ik in godsnaam geboren? En niet met de nadruk op ik, maar op geboren. Die niet liever een ander, desnoods beter mens hadden willen zijn – die er niet hadden willen zijn, die nooit om hun verwekking hebben gevraagd. Passief doods-verlangen. Geen concrete pogingen, maar simpel: onoplettend in het verkeer, de vrachtwagen echt niet zien. Lastige aandoening als je vindt dat je niet mag klagen, omdat er veel erger lijden in de we-reld is dan die zeurende onvrede van jou.' Ze kijkt in de rook. 'Ik denk dat hij iets zocht waarover hij zich schuldig zou kunnen voe-len. Schuld legitimeert de gedachte aan zelfmoord. Een geweldig inzicht is het niet, misschien duid ik het te veel in... in noties die ik zelf ken. Waar of niet, het is een theorie waar ik mee voort kan. En daar gaat het om. Nee, ik ben nog steeds kapot. Maar nadenken hoeft niet meer. Wat ook hielp: ik heb het aan mijn ouders verteld. Mijn vader kwam de volgende dag. Om Joys kleerkast uit te mesten, de zakken weg te brengen naar het Leger des Heils. Heel lief. Vandaag kwamen ze allebei. We zijn met zijn vieren naar een film geweest. Die over pinguïns. Joy en mijn vader zijn daarna terug naar huis... Ik heb met mijn moeder gewinkeld. Een tas, een paar nieuwe laarzen en een regenjas van haar gekregen. Veel te duur, ik vroeg nog of ik moest bijleggen, wilde ze niks van weten. Toen heb ik ze mee uit eten genomen. Nergens meer over gepraat. Gezellig. Om weer eens hun dochter te zijn. Ze wilden met de trein van zes over tien. Jammer. Als je eerder...'

Berkman kijkt de kamer rond. Het ziet er inderdaad netjes uit.

'Heb je die bloemen ook van je ouders gekregen?' Berkman knikt met zijn hoofd in de richting van een grote mandvaas in de hoek. Rode rozen.

'Nee. Drie keer raden.'

'Weet ik veel.'

'Van BrotherFood. Niet voor mijn verjaardag. Ze weten niet eens wanneer ik... Ik heb nooit veel om mijn verjaardag gegeven. Maar ze zijn internationaal gegaan. De eerste Europese vestigingen. Hiep hiep hoera.'

Stilte. Praat nou door, denkt Berkman. Klets nou. Houd het licht en normaal. Laat me die tas en die nappaleren laarzen zien, trek die nieuwe regenjas aan, geef een modeshow. Hij vraagt of hij de cadeaus mag bekijken. Vertelt wat hij zelf heeft gekregen. Alles staat nog thuis. Niet waar: zijn nieuwe doucheschuim zit in zijn koffer. Lot zegt dat haar cadeaus in haar slaapkamer liggen. Loop maar even mee.

'Wordt Joy dan niet wakker?'

'Had ik dat niet gezegd? Ze is met mijn ouders meegegaan. Zomaar. Omdat ze er zin in had. Het laatste weekend van de herfstvakantie. De buren daar hebben een nest jonge poesjes. Misschien neemt mijn moeder er een. Zei ze op de tramhalte. Ze was een beetje aangeschoten.'

Op het bed liggen de nieuwe spullen. De laarzen wil Lot niet aandoen, want omdat ze geen rits hebben gaat het nog stroef. Berkman pakt de jas van het bed. Het kaartje hangt er nog aan. Tweehonderddertig euro. Hij houdt hem voor haar open. Als ze hem aanheeft, zegt hij mooi. Je kraag – let erop dat die niet omgevouwen... Zo. Goede kleur, dat groen. Nu toch die laarzen, gewoon hard persen, zie je wel, dat leer moet even oprekken. Naar je voeten gaan staan. Naar je... je leest. Tas om je schouder.

Zo heeft de fotograaf haar aangekleed.

Door de smalle gang waarin alleen een kaal peertje brandt, laat hij Lot heen en weer lopen. Ze bloost. Praat gauw door over hem, heeft Bruno dat douchespul zelf uitgezocht, heb jij een vast merk, ik vond het altijd weer leuk om dingen voor Donald te kopen, of hij met alles even blij was weet ik niet, maar voor een ander de stad in gaan, etalages bekijken met de ogen van je man, ja, leuk, leuker dan winkelen voor jezelf, ik kies altijd maar het eerste het beste, Eternity of Truth, wat is het verschil, als er een eeuwigheid is, dan is die ook de waarheid en omgekeerd, ja toch, zo goed, die jas is echt warm, moet je voelen, die voering, die isoleert, gek eigenlijk dat Petra nooit eerder zo woedend... 'Ben je soms echt verliefd?'

'Ik denk het. Ziek, leeg, angstig, jaloers.'

'Mara?'

'Nee.'

Lot duwt hem weg uit de deuropening van de slaapkamer. Trekt de jas weer uit, gaat op het bed zitten, worstelt met de laarzen. Zet de hak tegen de bedrand, doet een stap achteruit, losser komt de laars niet. Een nog roder hoofd. Ze heeft het benauwd. Claustrofobische voeten, ja, dat bestaat, hoor. Ze lacht. Gespannen. Opnieuw die blik van opgejaagd wild, van een haas die vastzit in een voetangel.

'Ga zitten. Hou je vast, dan trek ik.'

Linkerlaars. Rechterlaars. Lot valt achterover op het bed. En komt weer omhoog en Berkman herkent het gebaar, de gebogen armen, hij stelt zich voor hoe zij hem omhelst, pakt de jas, omhelst de jas, snuift aan de kraag. Ze lopen achter elkaar aan naar de woonkamer. Dan zegt hij het. Hij snuift nog een keer.

'Ik heb je gemist. Ik wist niet meer hoe je eruitzag. Ik had bezorgd om Mara moeten zijn. Moeten denken aan mijn mobieltje. Dat ik dat mee moest nemen, voor als zij... Ik heb het thuis laten liggen omdat ik niet in de verleiding wilde komen jou steeds te bellen. Ik was zo bezorgd om jou. En ik wilde niet bezorgd zijn. Je foto hangt daar nog. In die winkel. Wist je dat? Ik had meteen een hekel aan die man. Hij wel. Hij wel een foto van jou. Terwijl... ik je ken. Ik zou...'

'Je moet je column nog overtikken en doorsturen. Toch?'

Ze zet haar laptop voor hem aan. Hij opent zijn koffer, legt het schaakspel voor Joy ernaast op de grond, haalt het hotelpapier tevoorschijn en gaat op Lots plek aan de eettafel zitten. Haar werkplek. Haar laptop. Is er nog van die thee van laatst?

Als Wieger de laatste punt heeft gezet, het stuk verzonden heeft, legt Lot haar krant weg. Ze zit in de stoel van Donald. Rookt. Kijkt hoe hij de computer dichtklapt. Omdat hij die ochtend in augustus zei dat hij van de film *The End of the Affair* de muziek misschien nog wel het beste vond, heeft ze de cd opgezet. Onder het typen had Wieger gezegd dat het hem ontroerde, was dit nou Samuel Barber, nee, dat niet, maar hij herkende het ergens van.

Lot zei: 'This is a diary...' Hij had het meteen geweten en was doorgegaan. Snel. Vingers die regen maakten. Alsof hij zichzelf na jaren eindelijk bij zichzelf te binnen kon brengen.

'Ik weet niet of ik jou heb gemist. Ik droom over je. Al sinds april. Kuise dromen. Niet zoals... Behalve gisteren. Toen jij die Ghost Tour liep, ben ik hier op de bank in slaap gevallen. Met de tv nog aan. Even maar. Vroeger had ik het veel vaker. Dat ik na het eten en het *Journaal*... Hazenslaapjes, noemde mijn vader dat. Wieger? Vind je me nu walgelijk? Dat ik... over jou... zo'n eh... droom?'

'Ik zou willen dat ik... Maar ik mag het niet. Van mezelf. Niet over jou. Ik wil je niet bezoedelen. Kan ook niet, kon ik ook niet, want ik herinnerde me je gezicht niet eens meer, laat staan... En dan steeds maar die repeterende gedachte: ik moet haar zien, ik moet weer weten hoe...'

'Bezoedelen?'

'Ja, alsof je heilig... Voor mij ben je heilig. Ik heb er geen ander woord voor. Niet heilig in kwezelige zin. Dierbaar dan. Iemand met wie ik uiterst voorzichtig... Omdat je al onze geheimen bewaart. De onze. In je lichaam. In je... niet lachen. In je hart.'

'Dankjewel.' Op dezelfde droge toon als ze daarnet 'hiep hiep hoera' heeft gezegd. Hij staat op en kust haar, en kijkt opzij om te zien of de gordijnen helemaal dicht zijn. Hij kleedt haar uit met dezelfde aandacht waarmee hij haar daarnet in haar nieuwe jas heeft geholpen, alles gaat makkelijker uit dan de laarzen, hij laat zich uitkleden, ze mag hem zien, hij vecht tegen zijn schaamte, voelt dat hij zelf nu ook bloost, denkt aan de onzekerheden van Mara, van andere vrouwen, vindt ze hem niet te glad, die afhangende schouders, zijn navel met de moedervlek erbovenop, krijgt hij niet toch een buikje, aan alles twijfelt hij en de twijfel likt als vuur aan zijn voeten, verbrandt hem, dat zij hem ziet, met die ogen, die ogen die alles al hebben gezien, altijd al, hij kan het niet waarmaken, niet hier blijven, al zou Joy het prima vinden, hij is getrouwd, hij wil getrouwd blijven, tot de dood hen scheidt is hij van Petra, van de kinderen, van zijn huis, ze had gelijk, nog nooit eerder was hij verliefd geweest, nu wel, nu wel, al meer dan een halfjaar is hij verliefd, overal heeft hij de tekens gelezen, kinderachtig bijgeloof, noemde Mara dat niet zo, op de bouwkeet naast de opengebroken Van Baerlestraat stond, te midden van andere graffiti, in spuitbusletters 'I am the detective', niets was toeval geweest, alles stond geschreven, hier hoort hij, maar hij is getrouwd, hij wil dat Bruno zonder wroeging aan zijn York-vakantie kan terugdenken... Hij mag een minnares hebben, op voorwaarde dat Petra weet wie en waar en wanneer... Hij loopt over, hij gaat in Lot, hij sluit zijn ogen niet, hij voelt wat zij voelt, zij is net zozeer in hem, hij huilt, verdomme, zijn tranen komen in haar ogen, ze kijkt zo mooi, zo mooi wanhopig, wat denkt ze zelf, nee, een minnares, zo mag hij haar niet behandelen, al stemt ze er zelf mee in, hij wil haar de pijn van het vergeefse wachten besparen, de zelfverwijten, de schuldgevoelens, zijn afwezigheid op belangrijke dagen, Kerstmis, Pasen, haar en zijn eigen verjaardag. Beter niemand, beter geen man dan zijn afwezigheid. Ze komen. De vloer, het zeil is nog steeds koud.

Zwembadbodem. Azuur licht achter zijn ogen, in zijn ogen, een nabeeld, hij drijft nog, zij drijft naast hem, hun kinderen, hun hond. De hond die ze nooit hebben gehad en nooit zullen hebben. Het begin van alles. En het einde.

Ze drinken nog een glas en gaan slapen. Gaan wakker liggen in bed, niet om elkaar te bewaken, maar om elkaar los te laten. Ze zullen elkaar nog heel vaak zien en het zal pijn doen. Dat dit niet kan. Niet mag. Maar ze zullen de wond niet koesteren, hun liefde of wat het was, is, niet idealiseren. Dat is te makkelijk. Goedkoop. Een thema dat het in literatuur en films misschien goed doet, Der Unvollendete, de onvervulde grote verlangens... Zij zijn zo niet. Het is af zo. Goed. Geen: 'Als ik jou nou maar eerder, dán...' En geen waaromgezucht.

Lot zegt dat ze van Wieger zal blijven houden zoals ze van Greene houdt. Steeds meer van Greene houdt.

Het is donkerder dan anders. De lantaarn is defect. Ze hoeven elkaar niet aan te zien – ook zo, in het zwartste, muffe licht, kunnen ze elkaar iets beloven: dat dit waar is en voor altijd waar zal zijn, ook als ze zelf niet meer bestaan.

Morgen gaat Wieger terug naar huis. Morgen gaat Lot in haar nieuwe jas en laarzen de straat op, om een ontbijt voor zichzelf te kopen. Ze vergeven elkaar deze nacht. De sentimenten, de scrupules. Dat ze zich niet konden beheersen. Dat ze Donald, Mara en Petra nodig hebben gehad om zich te verbazen, te oordelen, om te ontdekken wat ze ook zonder hen wel hadden kunnen weten. Al die personages. Achter hun rug om te begluren, te becommentariëren, te bedriegen, te verraden, te haten en weer vrij te spreken, makkelijk. Wij, wij begrijpen iedereen en alles. Alles om dat woord maar te kunnen gebruiken: wij. Niet ik en jij, niet Lot en Wieger. Ze zullen elkaar missen, maar niet achteromzien.

En dat geloven ze.

Sometimes it snows in April
Sometimes I feel so bad, so bad
Sometimes I wish that life was never ending,
But all good things, they say, never last

All good things that say, never last
And love, it isn't love until it is past

Prince

De in dit boek voorkomende bedrijven leveren wel de genoemde producten, maar wat er verder over ze wordt beweerd, is voor rekening van de schrijver.

D.v.B.